Atlas du Monde Arabe

Rafic Boustani et Philippe Fargues
Préface de Maxime Rodinson

Atlas du Monde Arabe

Géopolitique et Société

Bordos

Les auteurs tiennent à remercier
Myriam Armand, maître de conférences à l'université de Tours, chargée d'études à l'Institut géographique national, qui a réalisé la photo-interprétation des images satellitaires.
Hervé Le Bras, directeur de recherche à l'Institut national d'études démographiques, directeur d'étude à l'École des hautes études en sciences sociales, qui a réalisé les programmes de cartographie en relief.

Responsable d'édition :	*Olivier Juilliard*
Édition :	*Bernadette Jacquet*
Conception graphique :	*Michèle Billerey*
Cartographie :	*Danièle Molez*
Cartographie informatisée :	*Pre-Press group De Schutter*
Mise en couleur des cartes :	*Michèle Billerey*
Préparation et correction :	*Michel Margotin*
	Nathalie Éloise Pillerault
Couverture :	*Jean Castel - Tract Studio*
Réalisation technique :	*Jacqueline Harispe*

Crédits photographiques
p. 13 Image MÉTÉOSAT Ph. © Sipa-Press - ESA.
p. 19 Ph. © J.-L. Charmet - Archives du ministère des Affaires étrangères, Paris.
p. 37 Ph. © Barbey - Magnum.
p. 75 Ph. © Derek Baves - Cosmos.
p. 83 Ph. © Yan - Rapho.
p. 27, 49, 59, 65, 97, 107, 117, 119 Ph. © Reza.
p. 67, 69, 71 Ph. © CNES. Distribution SPOT IMAGES. Traitement FLEXIMAGE.

© Bordas S.A., Paris, 1990
ISBN 2-04-18443-0
Dépôt légal : octobre 1990

*Achevé d'imprimer en novembre 1990
sur les presses de Mame Imprimeurs, Tours.
Imprimé en France.*

Sommaire

Préface

Les Arabes, le peuple arabe, le monde arabe excitent les passions. Par des initiatives qui en émanent ou des épreuves qui les frappent, par leur présence même dans une zone axiale du globe, ils s'imposent sans cesse à l'attention. Ils ont toujours excité à un degré peu ordinaire les amours et les haines.

Chacun de nous se forge une image de ceux avec qui il est en rapport. Il en est de même des peuples. Mais, sur un laps de temps très important, vis-à-vis d'un univers humain vaste et couvrant une superficie considérable, au fil de multiples événements, les images se modifient. Elles se différencient aussi suivant les catégories, les couches sociales, les types psychologiques, les expériences propres de ceux qui perçoivent et qui, souvent, s'expriment.

Les amours et les haines sont des prismes qui déforment ou colorent. Ils contribuent puissamment à multiplier les images, obtenues par des processus hasardeux de généralisation et d'extrapolation, à les charger d'affectivité, à les fixer durablement, à les placer à l'abri de la critique, difficiles à ébranler ou même à moduler par l'analyse ou par l'expérience rationnellement assimilée. Les événements, la conjoncture, la modification des situations réciproques interviennent certes et parfois très lourdement, mais par coups brutaux, effets et réactions sommaires, susceptibles de se renverser d'un moment à l'autre. Or, ce qu'on peut appeler la mémoire collective a tendance à cumuler les images plutôt qu'à les modifier radicalement en en éliminant certaines. Une sorte de magasin maintient disponibles en cas de besoin les anciennes images qu'une nouvelle situation ou de nouveaux événements peuvent revivifier. Je l'ai montré ailleurs avec des exemples précis. On évoque les magasins d'un théâtre où sont conservés, pour une utilisation incertaine, les décors et les costumes des pièces que l'on y joua un jour.

De cette manière, les images différentes et contradictoires se bousculent, se mêlent, se contredisent. Les passionnés du moment n'ont pas de mal à trouver là de quoi nourrir leurs colères, leurs coups de cœur, leur désir de servir ou de nuire, sans oublier leurs stratégies personnelles ou collectives au service de leurs ambitions.

Quoique les bonnes raisons ne manquent pas, hélas, pour s'en étonner, il existe encore un public, des gens en nombre très appréciable, comme il y en a toujours eu, qui veulent voir clair, s'informer, connaître avant de se former une opinion et de juger, voire de se passionner, même s'il peut arriver (nul n'est parfait) que leurs connaissances nouvelles viennent plutôt étoffer leurs émotions et leurs déterminations préalables. Mais, dans le pire des cas, cela vaut mieux encore que les emportements aveugles.

Le présent atlas doit aider puissamment à cette information, à cette saisie précise et aussi exacte qu'il est aujourd'hui possible d'un réel particulièrement difficile à bien saisir. Il n'est pas aisé de cerner les Arabes dans les manifestations multiples de leur être. Ils constituent un bloc humain considérable, répandu sur un très vaste territoire. Ils sont en bonne partie différents les uns des autres comme il est normal sur une telle étendue, avec des histoires, des antécédents, des milieux, des arrière-plans variant d'une région à l'autre. Leur histoire, qui conditionne dans une si large mesure le présent, a été mouvementée, profondément changeante. Leurs relations avec les autres peuples — encore un conditionnement capital ! — se sont transformées, souvent radicalement, en particulier avec les gens et les nations de l'Occident européen dont nous sommes. De leur sein a surgi une religion à expansion mondiale dotée d'un pouvoir presque inégalé pour modeler les hommes et les sociétés, les attitudes et les comportements, même si bien d'autres facteurs interviennent, se masquent sous son couvert, et si bien des strates antérieures subsistent sous la surface, toujours actives, comme ces plaques tectoniques sous les formations continentales qui rappellent leur existence par de terribles catastrophes.

C'est dire qu'il n'est pas facile de pénétrer, de connaître, de comprendre le monde arabe, avec toutes ses nuances, ses gradations, ses variations, ses aspects de surface et les facteurs profonds qui causent ou affectent ses manifestations. On n'y est pas aidé par les images auxquelles on a fait allusion ci-dessus, celles qui résultent des conditions cumulées du passé, des heurts et des effusions, des passions contrastées autant que véhémentes. On n'y est pas aidé non plus par une littérature où abondent les clichés souvent entièrement creux mais où même les adéquations partielles ne garantissent aucunement la validité du tout. Que de rhétorique, souvent fort admirable en elle-même, que de jugements hâtifs issus d'impressions partielles, superficielles, fugaces. Même des études sérieuses généralisent, souvent en toute bonne foi, mais, indûment, à l'ensemble du monde arabe des notations valables pour une de ses parties. Que de méprises causées par l'ignorance des conditions particulières d'une région, d'un passé toujours efficace et pourtant très généralement négligé en pratique ou déformé. Et je ne parle pas des pures inventions ni des publications ouvertement ou subrepticement produites par une institution de propagande ou par une autre. Les propagandes officielles des pays arabes — souvent opposées — ne sont pas moins nocives et moins trompeuses que celles de leurs ennemis, et rivaux, ou de ceux qui les observent. Et tous ces facteurs déformants touchent aussi bien les faits bruts que les conceptions plus ou moins générales.

Comment le lecteur de bonne volonté s'y reconnaîtrait-il dans ce déluge de publications qui se présentent souvent sous des dehors séduisants ? Il n'y a pas de formule miracle. Mais on peut déjà écarter des éléments d'erreur et de tromperie en privilégiant la prise en considération des données de base et en se documentant au moyen de travaux sobres rédigés sans rhétorique superflue par des spécialistes sérieux qui ont consacré des années à scruter leur domaine à l'aide de techniques d'études bien au point des dernières acquisitions de la science. Il convient assurément, si l'on veut procéder avec sérieux, de préférer les exposés des praticiens de ces domaines d'études où l'on n'avance que pas à pas, en s'efforçant de vérifier, avant d'aller plus loin, l'affirmation que l'on a cru pouvoir énoncer dans la phase précédente, en multipliant les mises à l'épreuve. Trop de dégâts ont été commis par les adeptes, brillants ou non, de disciplines, indispensables et passionnantes, mais où trop de liberté est laissée à l'activité incontrôlée de l'esprit. Percées de génie, mais aussi hardiesses présomptueuses que, souvent, une chiquenaude peut renverser.

L'atlas intelligemment commenté qu'on va compulser est une valeur sûre sur laquelle on peut bâtir ses propres conclusions avec confiance et qui fournira une masse de renseignements inégalée. Les auteurs, praticiens éprouvés de ces disciplines qui opposent de multiples garde-fous aux dérapages, sont supérieurement informés et d'une objectivité remarquable. Ils sont rodés à toutes les techniques de collecte, de tri et de mise à l'épreuve des données. Pour ce monde arabe contemporain d'où émanent et qui suscite de si puissantes passions, ils offrent un panorama ou plutôt des représentations multiples et fouillées, soigneusement élaborées, des aspects les plus divers de la réalité économique, sociale, démographique, culturelle, sous une forme expressive, parlante et, on peut le dire, attrayante.

Plutôt que de vous laisser aller à des jugements catégoriques ou à des résolutions fermes sur la seule base du sédiment laissé dans votre esprit par vos journaux et magazines favoris, ou encore d'impressions rapides tirées d'une randonnée touristique où le spectacle manifeste ne permet pas de déchiffrer à coup sûr les réalités profondes, voire en vous fondant sur ce que vous avez retenu des conférences, exposés, discours plus ou moins officiels écoutés à quelque colloque, prenez donc connaissance et conseil auprès de ces cartes, de ces graphiques où les couleurs et les contours vous permettront d'approcher de bien plus près ces réalités, vous suggéreront bien des inflexions sur la voie maîtresse de la réflexion informée.

Maxime Rodinson

Avant-propos

Un halo de mystère enveloppe le monde arabe. L'Occident le qualifia jadis de «compliqué» et, depuis, le tient immuablement pour l'Autre, tantôt déroutant, tantôt menaçant, toujours insaisissable. Mais aujourd'hui, c'est du cœur même de cet «Orient», délimité par l'Atlas et le Zagros, que montent les interrogations les plus pressantes, celles de sociétés recherchant de nouvelles grilles de lecture pour comprendre les bouleversements dont elles sont le théâtre. Depuis quelques années, une masse sans cesse croissante d'études savantes apporte sur cette aire des connaissances toujours plus fines, mais elles ne répondent parfaitement aux exigences ni des Arabes ni des Occidentaux, car elles opacifient curieusement la vision d'ensemble. Des données chiffrées, accumulées par les administrations et les chercheurs de tous les pays ainsi que par les organismes internationaux, fournissent des outils exceptionnels au renouveau de l'approche encyclopédique. Rien n'y fait, car parmi les États-continents en possible gestation, cette région demeure l'une des moins connues, donc des moins bien comprises du globe, perpétuellement réduite aux stéréotypes de médias trop pressés pour se soucier des aspérités d'un paysage tout en nuances. Un discours arabe complaisant a lui-même, dans le passé, contribué à l'amalgame. En chantant à la hâte les couplets d'une unité qui courrait du «Golfe à l'Atlantique», il a amplifié la confusion entre un patrimoine effectivement partagé et une identité qui se voulait commune. Avant que ne s'amorce son déclin dans les années 60, le nationalisme arabe devait sa popularité à la faiblesse de ses rivaux locaux : les jeunes États aux institutions encore balbutiantes n'avaient pas eu le temps d'imprimer leur marque aux inconscients nationaux. Cette uniformité immanente qu'hier on voulait attribuer à un panarabisme désormais en veilleuse, on la fait aujourd'hui endosser à l'islam. Mais un demi-siècle s'est écoulé depuis la plupart des indépendances. Ces pays l'ont mis à profit pour affirmer une personnalité propre.

La statistique capte le vécu actuel des nations. Dès que l'on extrait le phénomène social de la froideur des chiffres, elle offre pour comprendre la logique des peuples une batterie d'instruments combien plus affûtés que les textes millénaires si chers à l'orientalisme. Mettant en scène une vaste banque d'indicateurs numériques — puisés directement dans les sources nationales partout où elles sont fiables, sinon ajustés par les auteurs — la cartographie thématique utilisée dans cet atlas projette une image résolument neuve de cette région. Esquissant des lignes de partage, pour certaines totalement méconnues, et dessinant des aires de rapprochement, les cartes tracent des évolutions et des faisceaux de convergence encore à l'œuvre. Elles appuient la réflexion géopolitique comme l'image satellitaire la prévision météorologique. Se promenant dans ce livre au gré de son inspiration, ou suivant l'ordre que nous lui proposons, le lecteur verra se profiler les contours d'une identité plurielle, organisée autour de plusieurs axes de regroupement et de brisure.

Outre la langue et la religion communes à l'immense majorité, divers traits de société dessinent des cartes peu contrastées, témoignant ainsi d'une forte homogénéité socioculturelle. Permanence entre toutes, le désert est un point de ralliement. Depuis la conquête au VIIe siècle, les stratèges savent de quelle arme redoutable ils disposent, pour autant qu'ils sachent l'apprivoiser. Tous les pays en sont pourvus, sauf le Liban, d'ailleurs en pièces. Parce qu'il s'estime lésé dans ce domaine, le Maroc s'évertue à récupérer «son» Sahara. Une étroite relation semble lier la puissance des États, leur richesse et la surface d'étendue «stérile» dont ils jouissent. Car l'importance du désert ne se jauge pas à ses seules réserves énergétiques et minérales : paradoxalement, on le trouve aussi en bonne place dans les projets de sécurité alimentaire pour l'an 2000. Enjeu stratégique, la steppe est également mode d'existence. Détrôné par la modernité et tout à la fois hissé au rang de mythe, l'univers bédouin n'en continue pas moins d'impressionner l'imaginaire collectif et d'orienter le monde des valeurs, jusqu'à la vie de famille. Lorsqu'il est trop immense toutefois, comme le Sahara dans sa partie centrale, le désert laisse œuvrer les particularismes et favorise l'éclosion des différences. Il cesse d'être le carrefour des relations. Si l'on évalue l'intégration à l'intensité des échanges, une faille paraît ainsi creusée entre un Maghreb presque exclusivement tourné vers l'Europe et un Machrek où, par l'ampleur atteinte tout récemment, la mobilité des hommes pourrait avoir semé le germe de regroupements futurs.

La vocation d'un atlas géopolitique sur le monde arabe n'est pas uniquement de faire ressortir son potentiel unitaire, mais également d'en détecter les zones de fracture et les discontinuités.

Le pétrole trace un premier clivage dominant, non pas tellement parce qu'il a permis aux États qui le détiennent une expérience économique sans précédent, mais plus profondément parce que le confort de la rente a en quelque sorte figé certaines structures sociales, tandis qu'au contraire les rigueurs de l'économie forçaient l'évolution des sociétés démunies d'or noir. Le pétrole n'a pas jailli n'importe où, mais le plus souvent dans des contrées où les lois tribales étaient solidement ancrées. L'énergie, emblème des temps modernes, est ainsi venue curieusement renforcer la tradition. Ce n'est donc pas par hasard que des indices d'apparence aussi indépendants que le volume des hydrocarbures exportés et l'exiguïté des droits de la femme, ou plus généralement ceux du citoyen, produisent des cartes presque semblables.

Le second axe de partage est orienté par une notion que l'on pourrait appeler «ouverture». Il s'agit aussi bien du dialogue avec le monde extérieur, celui favorisé par la Méditerranée entre les peuples qui en ont partagé l'histoire, que du débat interne imposé par la coexistence aux sociétés pluriethniques ou pluriconfessionnelles. Bien qu'ils n'entretiennent aucun rapport évident entre eux, des phénomènes comme le contrôle des naissances, le rayonnement touristique et l'espace de liberté laissé à la société civile suivent ainsi des tracés quasiment identiques, comme autant de témoignages différents de l'esprit d'ouverture.

Cette ouverture aux voies encore incertaines n'est pas dénuée de dangers. Notre millénaire finissant en donne de fulgurants exemples. Déployé sur les deux versants qui partagent la planète, le monde arabe se trouve tiraillé entre des inclinations contraires. Au nord, l'Europe prospère aux frontières trop étroites s'évertue à gommer des démarcations léguées par ses aïeux pour inventer un environnement institutionnel à l'échelle d'un continent recomposé. A l'est et au sud, des peuples combien plus nombreux, qu'ici la faillite des idéologies totalitaires et, là, une misère persistante poussent à se recroqueviller et à exhumer des clivages qui semblaient oubliés, s'entre-déchirent au nom d'une communauté de langue, de religion, voire de tribu, de secte ou de confrérie. Rivés par la géographie, le commerce de leurs ressources et les ponts jetés par leurs émigrés, à l'Europe élargie et à tout l'Occident, les Arabes commencent à ressentir le besoin de tirer profit de leurs complémentarités en étendant l'horizon de leurs institutions économiques. En témoignent la création de l'Union du Maghreb et celle du Gulf Cooperation Council. Même aux confins des grands courants économiques, une dynamique d'union fut à l'œuvre pour réunir, politiquement cette fois, les deux Yémen. Mais, en même temps, ces sociétés sont en proie aux errements de ceux qui, face à l'aventure du jeu planétaire dont elles ne maîtrisent pas toutes les règles nouvelles, cèdent parfois à la tentation du repli frileux sur d'anciennes certitudes.

Plutôt que de s'abandonner à la futurologie, déroulons maintenant les cartes de cet atlas. Nous y verrons la grande diversité des forces en action; à côté des tensions linguistiques ou religieuses qui s'avivent par endroits, celles qui s'éteignent ailleurs; en alternative au débordement démographique prophétisé, les scénarios moins dramatiques que l'on peut opposer; en contrepoint de l'effacement du sexe faible, la profondeur des mutations entraînées par les récentes conquêtes de la femme. Mieux que d'autres tendances peut-être, celles-ci nous dévoilent le visage du monde arabe de demain.

Juillet 1990,
R. B . et P. F.

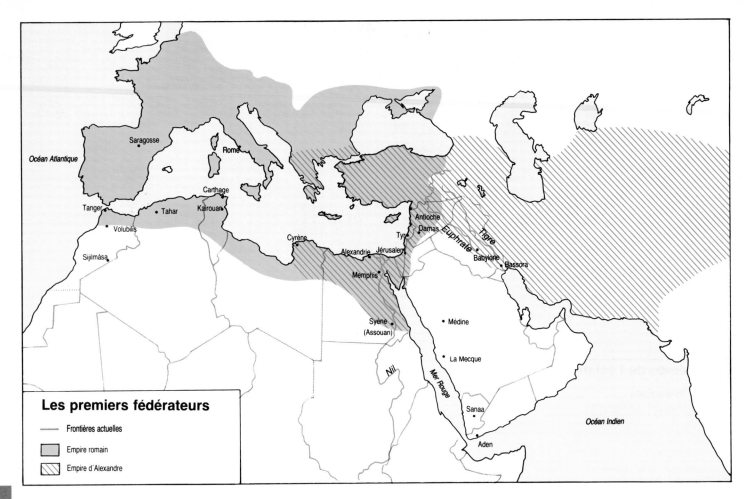

Les premiers fédérateurs

- ——— Frontières actuelles
- Empire romain
- Empire d'Alexandre

Océan Atlantique

Saragosse
Rome
Tanger
Tahar
Kairouan
Carthage
Volubilis
Sijilmâsa
Cyrène
Alexandrie
Jérusalem
Memphis
Syène
(Assouan)
Antioche
Damas
Tyr
Euphrate
Tigre
Babylone
Bassora
Médine
La Mecque
Sanaa
Aden
Nil
Mer Rouge
Océan Indien

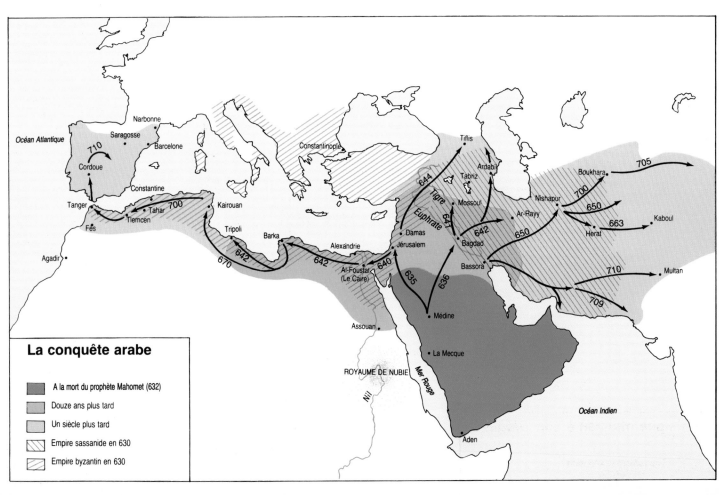

La conquête arabe

- A la mort du prophète Mahomet (632)
- Douze ans plus tard
- Un siècle plus tard
- Empire sassanide en 630
- Empire byzantin en 630

Océan Atlantique

Narbonne
Saragosse
Barcelone
Cordoue
710
Constantine
Tanger
Tahar
700
Tlemcen
Fès
Agadir
Kairouan
Tripoli
Barka
670
642
642
Alexandrie
Al-Foustat
(Le Caire)
Assouan
640
635
636
Médine
La Mecque
ROYAUME DE NUBIE
Nil
Mer Rouge
Constantinople
Tiflis
Ardabil
Tabriz
644
Tigre
Euphrate
647
Mossoul
642
Damas
Jérusalem
Bagdad
Bassora
650
Ar-Rayy
650
Nishapur
Boukhara
705
700
650
663
Herat
Kaboul
710
Multan
709
Aden
Océan Indien

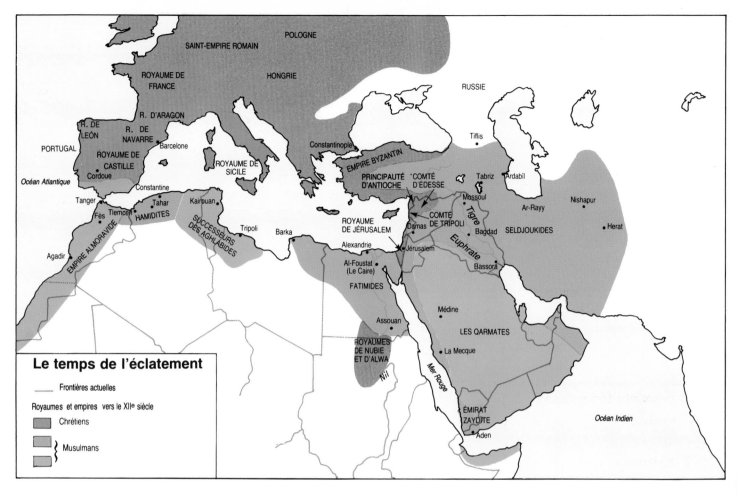

Le temps de l'éclatement

POLOGNE
SAINT-EMPIRE ROMAIN
HONGRIE
RUSSIE
ROYAUME DE FRANCE
ROYAUME DE LÉON
R. D'ARAGON
R. DE NAVARRE
PORTUGAL
Barcelone
ROYAUME DE CASTILLE
Tiflis
Constantinople
Océan Atlantique
Cordoue
EMPIRE BYZANTIN
Tabriz
Ardabîl
ROYAUME DE SICILE
PRINCIPAUTÉ D'ANTIOCHE
COMTÉ D'ÉDESSE
Tanger
Constantine
Mossoul
Ar-Rayy
Nishapur
Tahar
Kairouan
COMTÉ DE TRIPOLI
Fès
Tlemcen
HAMIDITES
Damas
Tigre
Bagdad
SELDJOUKIDES
Herat
Agadir
EMPIRE ALMORAVIDE
SUCCESSEURS DES AGHLABIDES
Tripoli
Barka
ROYAUME DE JÉRUSALEM
Jérusalem
Euphrate
Alexandrie
Bassora
Al-Foustat (Le Caire)
FATIMIDES
Médine
Assouan
LES QARMATES
ROYAUMES DE NUBIE ET D'ALWA
La Mecque
Nil
Mer Rouge
ÉMIRAT ZAYDITE
Océan Indien
Aden

Frontières actuelles

Royaumes et empires vers le XIIe siècle

Chrétiens

Musulmans

11

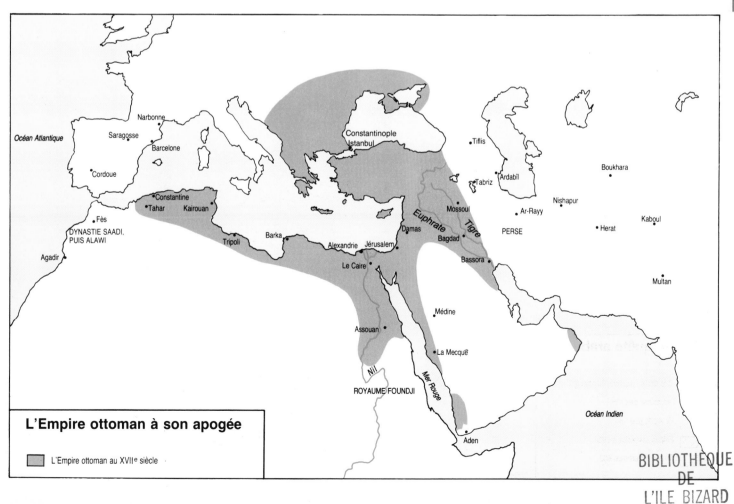

L'Empire ottoman à son apogée

Narbonne
Océan Atlantique
Saragosse
Barcelone
Constantinople Istanbul
Tiflis
Cordoue
Ardabîl
Boukhara
Tabriz
Constantine
Tahar
Kairouan
Mossoul
Nishapur
Ar-Rayy
Kaboul
Fès
DYNASTIE SAADI, PUIS ALAWI
Tripoli
Barka
Damas
Euphrate
Bagdad
Tigre
PERSE
Herat
Agadir
Alexandrie
Jérusalem
Bassora
Le Caire
Multan
Médine
Assouan
Nil
Mer Rouge
La Mecque
ROYAUME FOUNDJI
Océan Indien
Aden

L'Empire ottoman au XVIIe siècle

BIBLIOTHÈQUE DE L'ILE BIZARD

LES FRONTIÈRES

UNE CRÉATION DU XXe SIÈCLE

Les États arabes

A l'aube de notre siècle, le voyageur ou le stratège capable d'identifier le monde arabe dans ses contours aujourd'hui familiers aurait été prophète. Le fond de carte que le lecteur retrouvera tout au long de cet atlas ne correspondait alors à aucun découpage réel. Rares étaient les pays comme l'Égypte, le Maroc ou le Mont-Liban qui pouvaient se prévaloir de frontières consacrées par l'histoire. Le reste de la région était partagé, selon un tracé mouvant, en vilayets ou en pachalics, provinces de l'Empire ottoman, en colonies et en protectorats britanniques, français, italiens ou espa-gnols. L'enclavement des campagnes, l'isolement des tribus ou la dissémination des cités constituaient la seule réalité tangible vécue par les peuples. Les regroupements aux contours flous opérés au gré d'allégeances, parfois toutes nominales, prêtées par des administrateurs locaux à tel mutassaref, résident général ou haut commissaire, n'avaient pas créé de consciences nationales.

En propageant leurs ondes de choc jusqu'aux confins des colonies, les deux guerres mondiales allaient accélérer des évolutions qui commençaient à se dessiner et conduire aux frontières que nous connaissons aujourd'hui.

Les zones de toutes les convoitises

■ Jamais depuis la conquête de l'Islam, la carte de la région n'aura subi en un temps si court — première moitié du siècle — de tels remaniements d'ensemble. Dans une succession de traités et de conférences, des diplomates vont se pencher sur des cartes. De leurs traits de plume rapides vont jaillir des frontières. De leurs atermoiements vont naître des antagonismes qui scelleront, pour longtemps encore, le sort de populations qui n'auront pas été consultées. Certains de ces conflits, dont la violence se répercute aujourd'hui au-delà des océans, n'en finissent pas de faire la «une» de la presse internationale. Pour comprendre le déroulement contemporain de leurs écheveaux, sinon leur genèse, il faut souvent remonter aux deux guerres mondiales.

Premier temps : l'effondrement ottoman

■ Bien avant la Première Guerre mondiale, la région est déjà le théâtre de grandes manœuvres. Dans leurs provinces arabes, les Ottomans résistent difficilement à la poussée des puissances européennes et aux forces centrifuges locales. Assurée de ses possessions en Afrique du Nord, la France caresse même quelques espoirs du côté de l'Égypte. La Grande-Bretagne y est pourtant installée militairement depuis 1882, à titre prétendument «provisoire». Son but avoué : restaurer l'autorité du khédive Tawfîq, mise en péril par la révolte nationale d'Ahmad Orabi, et obtenir ainsi le remboursement de la dette égyptienne. La Grande-Bretagne cachait avant tout son souci de prendre pied sur cette terre pleine de promesses et sur son canal, garantissant ainsi la sécurité de la route des Indes. Celle-ci passe par Suez pour plonger dans le golfe d'Aden, à proximité de la Corne de l'Afrique. Là, les Italiens sont solidement implantés.

1914-1918 : victoire des puissances de l'Entente. Britanniques, Français et Italiens donnent l'estocade à un Empire ottoman vieux de quatre siècles. Prévisible depuis longtemps, l'effondrement des Turcs va permettre d'entériner les accords passés pour se partager leurs dépouilles. Cependant, dès la conférence de la Paix, les alliés de la veille se retrouvent concurrents à la table des négociations et la prise de pouvoir s'avère plus complexe que prévu : «l'autodétermination des peuples» souffle comme un vent nouveau. Au Quai d'Orsay et au Foreign Office, on ne concevra pas le partage suivant la même stratégie. Seuls sont communs les objectifs : faciliter l'administration des nouveaux mandats et renforcer la cohésion des empires coloniaux. Par souci d'efficacité, on essaiera aussi de respecter, autant que faire se peut, les réalités sur le terrain.

Deuxième temps : l'essoufflement européen

■ Divers éléments se conjuguent pour aiguiser les nationalismes locaux : les promesses faites en 1914-1918 par la France et la Grande-Bretagne pour se concilier les régions arabes de l'Empire, les perspectives qui semblent se dessiner dans ces régions après quatre siècles de domination ottomane, ainsi que cette fameuse «doctrine Wilson», qui impressionne les membres de la conférence de la Paix en énonçant le principe du «droit des peuples à l'autodétermination».

Cette situation va contraindre Britanniques et Français à transformer leurs colonies et protectorats en mandats, à doter en hâte ces régions de statuts organiques et surtout à tracer des frontières. En Afrique du Nord, la France achève ce qu'elle appelle alors la «pacification du Maroc». En mars 1934, la troupe atteint les confins du Río de Oro espagnol. L'Espagne appliquera à cette occasion la clause du traité de 1860 qui lui accorde une enclave dans la région d'Ifni.

La Seconde Guerre mondiale, en essoufflant l'Europe, va déplacer les pôles d'influences vers les États-Unis et l'Union soviétique. Ce faisant, elle accélérera le processus d'indépendance, laissant aux souverainetés nouvelles des frontières dont elles devront s'accommoder.

La Guerre froide et après...

■ Rien ne sera épargné à la région au cours des quatre dernières décennies : coups d'État et révolutions, conflits armés et guerres civiles. De la Somalie au Levant et de l'extrémité occidentale du Sahara au Chatt al-'Arab, malgré un paysage politique en perpétuelle mutation, le découpage des frontières ne connaîtra que de légères retouches, mais pas de modifications radicales. Car l'époque est dominée cette fois par la guerre froide qui attise les tensions locales tout en figeant les équilibres stratégiques généraux.

Entamées sur une modification radicale du climat des relations Est-Ouest, les années 90 propulsent sur le devant de la scène des dossiers en sommeil depuis la Seconde Guerre mondiale. Il faudra souvent exhumer une histoire antérieure aux indépendances pour éclairer le futur.

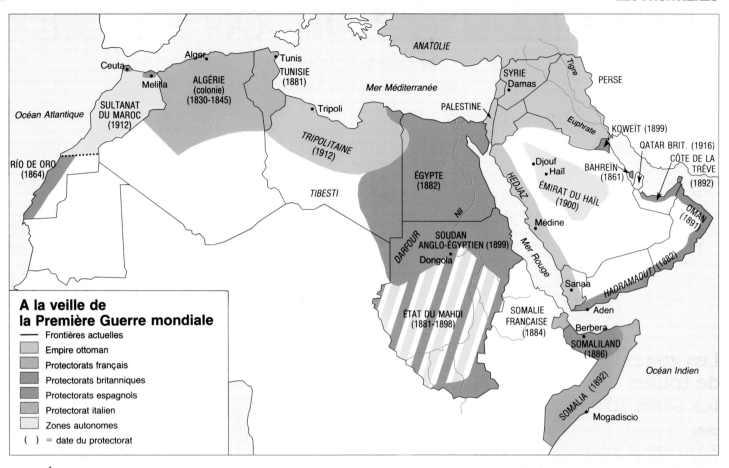

A la veille de
la Première Guerre mondiale

— Frontières actuelles
Empire ottoman
Protectorats français
Protectorats britanniques
Protectorats espagnols
Protectorat italien
Zones autonomes
( ) = date du protectorat

L'Empire ottoman vit ses dernières heures.
Les puissances d'Europe sont déjà
en bonne position pour lui succéder.

Le décor est dressé. Si les États ne sont pas encore en place, les
frontières sont ébauchées. Elles ne seront presque plus modifiées.
Mais que de turbulences pour en arriver là !

15

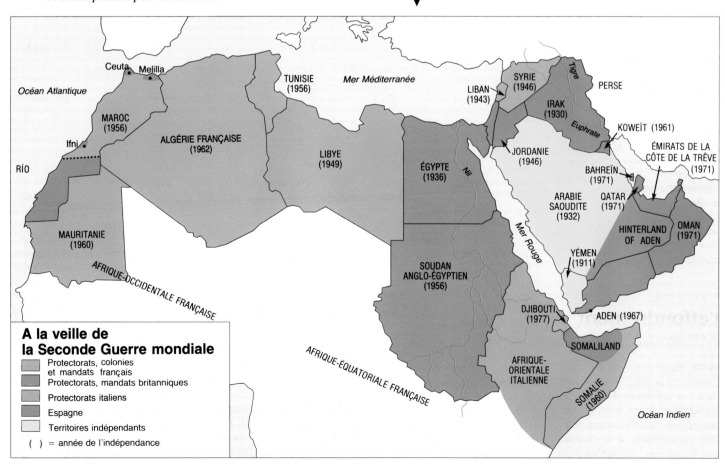

A la veille de
la Seconde Guerre mondiale

Protectorats, colonies
et mandats français
Protectorats, mandats britanniques
Protectorats italiens
Espagne
Territoires indépendants
( ) = année de l'indépendance

L'AFRIQUE DU NORD
De nouvelles frontières pour de vieilles entités

*L*e découpage politique de l'Afrique du Nord en quatre États, aujourd'hui Maroc, Algérie, Tunisie et Libye, est ancien. Dans ses zones septentrionales, à quelques détails près, le tracé des frontières est en effet déjà en place au XVIᵉ siècle. Les prolongements sahariens que chaque État comporte aujourd'hui ainsi que l'apparition d'un cinquième, la Mauritanie, sont, à l'inverse, un héritage colonial récent.

Tracés ottomans, tracés français

▬▬ Avant la pénétration française, la région était partagée entre l'Empire ottoman et les dynasties du Maroc, Saadi puis Alawi. La conquête ottomane vers l'ouest n'a jamais dépassé la ligne qui sépare encore de nos jours l'Algérie du Maroc, reliant Oujda, sur la Méditerranée, à l'oasis de Figuig. Les délimitations administratives à l'intérieur de l'Empire ottoman ont, de leur côté, déterminé les entités algérienne, tunisienne et libyenne. Dès le XVIIIᵉ siècle, le bey de Tunis a joui d'une large autonomie, tandis qu'à l'ouest l'Algérie et à l'est la Tripolitaine, unie à la Cyrénaïque et au Fezzan, relevaient plus directement d'une autorité turque [1]. La colonisation française n'apportera que des modifications mineures à ce découpage.
En revanche, les arpenteurs français façonnèrent les frontières sahariennes. Comme dans l'ensemble de leur empire africain, ils tracèrent des limites qui ne coïncidaient pas avec celles que les peuples se reconnaissaient traditionnellement, partagèrent des ethnies non arabophones, par exemple les Toucouleurs, qui occupent les deux rives du fleuve Sénégal, ou les Touareg, dont les aires de parcours traversent indistinctement le sud de l'Algérie et le nord du Mali et du Niger. La charte de l'Organisation de l'unité africaine (O.U.A.) décréta l'intangibilité de ces frontières coloniales. Les limites entre les zones impériales française, d'une part, italienne et espagnole, de l'autre, ont donné les actuelles frontières

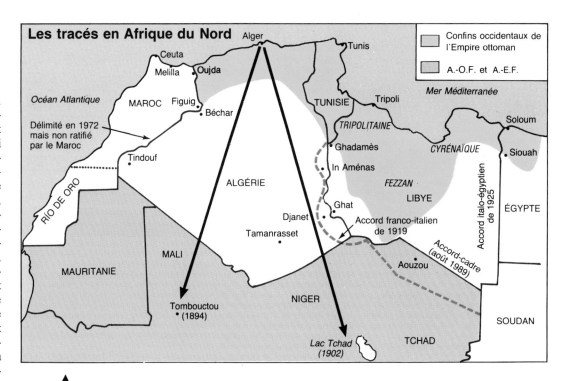

« Le général français Laperrine venu d'Alger poussait vers le sud, en 1905, en direction de l'Adrar des Iforas. Cette extension de l'Algérie parut abusive au gouverneur de l'Afrique-Occidentale française qui demanda à Paris qu'on stoppe l'avancée du général. L'accord du 7 juin 1905 et la convention de Niamey en 1909 ont fixé les frontières par des droites qui plongent vers la ligne du tropique » (J. Dresch). Les deux flèches indiquent le sens des poussées militaires françaises de cette époque.

de la Libye avec le Tchad, et de l'ancien Río de Oro avec l'Algérie et la Mauritanie. La profonde avancée saharienne de l'Algérie s'explique notamment par le rôle que joua Alger comme base de départ des expéditions militaires françaises en Afrique [2].
Quant à la Mauritanie, indépendante depuis le 28 novembre 1960, elle a hérité ses limites de celles des anciens cercles de l'Afrique-Occidentale française (A.-O.F.). La nouvelle République islamique s'empressa d'obtenir, avec la signature du traité de Kayes en 1963, une reconnaissance officielle de sa frontière malienne. L'arrêté de 1904 demeure à ce jour le seul document permettant de fixer, d'une manière assez sommaire, ses confins méridionaux le long du fleuve Sénégal. La mobilité saisonnière de cette frontière due aux variations du cours du fleuve et le droit de passage concédé aux éleveurs mauritaniens en période d'étiage ont contribué aux massacres du printemps 1989, en envenimant les relations des chameliers maures avec les cultivateurs sénégalais.
Le « Grand Maghreb » sera peut-être le premier État-continent à voir le jour dans le monde arabe. Pour le mener à terme, il faudra au préalable résoudre les quelques litiges qui subsistent dans le Sahara central et occidental.

Les différends dans le Sahara central

▬▬ L'embellie pétrolière offrit à la jeune révolution libyenne l'occasion de ferrailler sur toutes ses frontières. Avec ses partenaires arabes, la contestation reste verbale. Les prétentions libyennes sur le territoire actuel de l'Algérie se sont étendues à l'ensemble de l'aire que la confrérie Senoussiya occupait au XIXᵉ siècle. Elles s'appuient sur un accord franco-italien de 1919, qui convenait d'une frontière à l'ouest du tracé actuel, rattachant à la Libye les régions d'In

Aménas et de Djanet dans le Tassili. Sur le territoire de l'Égypte, il lui arriva de réclamer l'oasis de Siouah au mépris de l'accord italo-égyptien de 1925. Avec le Tchad non affilié à la Ligue arabe, les revendications qui portent sur les 114 000 km^2 de la bande d'Aouzou éclatèrent en affrontement armé, à plusieurs reprises, jusqu'à l'accord-cadre de l'été 1989. Elles heurtaient le principe de l'O.U.A., pour qui seules sont reconnues les frontières héritées des empires coloniaux, en l'occurrence celle que définissait une déclaration franco-britannique de 1899, confirmée en 1919.

Un territoire en plus pour un litige en moins

▬▬ Contestée à l'est par la Libye, l'Algérie l'est aussi à l'ouest par le Maroc, dont les cartes officielles ignorent tout tracé frontalier au sud de Figuig. En effet, si une convention de délimitation fut effectivement signée à Rabat en 1972, seule l'Algérie jusqu'à présent l'a ratifiée. L'attitude marocaine ne s'explique pas tant par les anciennes allégeances des tribus de régions maintenant algériennes à la *chorfa* Alawi, ni par le cortège des réaménagements de ce tracé en 1902, 1912, 1914, 1938 et 1950, que par le différend survenu entre les deux pays dès 1975 à propos du Sahara occidental. Le litige frontalier qui avait dégénéré en conflit militaire pour le contrôle de Tindouf et de Béchar aux premiers mois de l'indépendance algérienne ne s'est toutefois jamais rallumé depuis. A la table des négociations, le Maroc et l'Algérie adoptent des stratégies opposées. Se satisfaisant de ses frontières de l'indépendance, l'Algérie a toujours cherché à les consolider en passant des traités avec ses voisins. C'est ainsi qu'en 1983 cette politique aboutit à consacrer ses frontières avec la Tunisie, le Niger, le Mali et la Mauritanie. Pour le Maroc en revanche, rien ne sert de conclure tant que ses revendications dans l'ancien Sahara espagnol ne sont pas reconnues.

L'Espagne, une présence et un héritage complexes

▬▬ N'était le Portugal qui la devança au XVe siècle, l'Espagne est le plus ancien colonisateur européen d'Afrique. Elle est aussi le seul qui ait conservé une «poussière d'empire». Ses ports francs occupent en terre africaine 19 km^2 à Ceuta, 12 à Melilla, 6 en pleine mer au nord de Saïdia (les îles Zafarines) et quelques arpents (3 hectares) à proximité d'Al Hoceima: les *Peñom* de Valez de La Gomera et d'Alhucemas. Ni la guerre du Rif (1921-1926) ni l'accession du Maroc à l'indépendance (1956) n'ont remis en cause une extraterritorialité qui fut acquise dès 1565, puis confirmée et précisée au XIXe siècle par Isabelle II et Sidi Muhammed [3].
La diplomatie marocaine a toujours avancé prudemment pour tenter d'étendre sa souveraineté aux présides. Avant de déposer une requête auprès de l'Assemblée générale des Nations unies (1961), elle attendit que l'enclave de Tarfaya lui fût restituée. Vraisemblablement réactivera-t-elle ce dossier lorsqu'une issue satisfaisante aura conclu l'affaire du Sahara occidental, dont les 260 000 km^2 représentent une toute autre priorité pour le Maroc.
Dès que la troupe espagnole se retira du Río de Oro en 1976, le Front Polisario y proclama en effet la République arabe sahraouie démocratique (R.A.S.D.). Soixante-douze pays, dont l'Algérie, son principal soutien, ont reconnu à ce jour la R.A.S.D., tandis que le Maroc considère que le Sahara forme la septième région économique du royaume. Maroc et Polisario ont accepté d'organiser, sous l'égide de l'O.N.U., un référendum d'autodétermination par lequel la population du Sahara tranchera elle-même entre l'indépendance et le rattachement au Maroc. De la tenue d'une telle consultation et de la solution qui sera apportée à ce problème épineux dépend en grande partie l'avenir de l'Union du Maghreb arabe édifiée à Marrakech en février 1989.

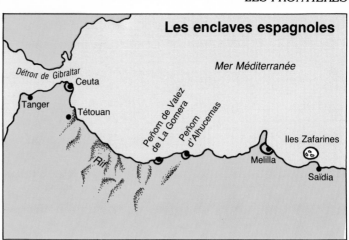

Les enclaves espagnoles

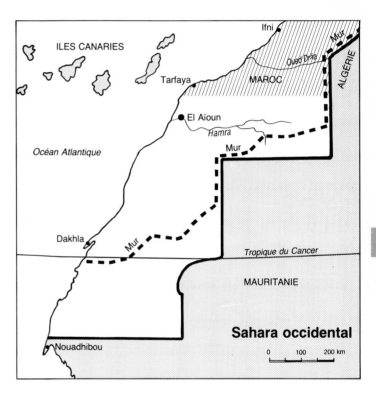

Sahara occidental

UNE DÉCOLONISATION MANQUÉE

1973	(mai):	création du Front Polisario.
1974	(juillet):	établissement d'une «administration interne» par l'Espagne.
1975	(sept.):	recommandation de l'O.N.U. en faveur de l'autodétermination.
	(nov.):	«marche verte» de 350 000 Marocains non armés en direction du Sahara.
1976	(févr.):	départ du dernier contingent espagnol. Proclamation par le Front Polisario de la République arabe sahraouie démocratique (R.A.S.D.).
1979	(août):	la Mauritanie renonce au sud du Sahara occidental.
1984	(nov.):	le Maroc se retire de l'O.U.A., suite à l'admission de la R.A.S.D.
1988	(août):	le Maroc et le Front Polisario acceptent le plan de paix de l'O.N.U. prévoyant un cessez-le-feu et l'organisation d'un référendum sur l'avenir du territoire.

17

Vallée du Nil

Nul cours d'eau n'a façonné aussi durablement les États qu'il traverse. Depuis l'époque pharaonique, l'Égypte a toujours dépassé la première cataracte du Nil, mais rarement la seconde, que les bateaux venus du Nord ne pouvaient pas franchir. C'est à l'occasion du dernier de ces dépassements que l'Égypte forgea au XIXe siècle l'unité du Soudan. Les armées de Muhammad Ali et de ses descendants s'enfoncèrent, en quête d'esclaves, d'ivoire et de cornes de rhinocéros, dans les royaumes et sultanats du Foundji, du Kordofan et du Darfour aussi loin que la navigation le permettait. Là, furent tracées les frontières.

Fédération et sécession

L'administration égyptienne du Soudan dura un demi-siècle. Tandis que la flotte britannique débarquait à Alexandrie, le Mahdi commençait une sécession qui prit fin avec le siècle (1882-1899). Le condominium anglo-égyptien qui fut proclamé plaça de fait le pays sous l'autorité britannique, car l'Égypte avait perdu les outils de sa souveraineté. C'est la raison pour laquelle l'indépendance du Soudan put s'accomplir sans

heurts à la suite de la révolution de 1952 qui avait instauré la république en Égypte et mis un point final à la tutelle britannique. Les conventions les plus importantes entre les deux pays furent hydrauliques avant d'être frontalières ; elles précisaient mieux la répartition des eaux que celle du territoire.

La Somalie aux cinq étoiles

Dès son indépendance en 1960, la Somalie se sentit à l'étroit dans ses frontières. Elle n'héritait en effet que d'une partie des aires de transhumance des tribus somalies. Pour 6 millions de Somalis regroupés sur son territoire, on en compte un million du côté éthiopien de la frontière, un quart de million du côté kenyan jusqu'à la rivière Tana et 40 000 à Djibouti. L'article 6 de la nouvelle Constitution prévenait déjà que «la

République somalie promouvra, par les moyens légaux et pacifiques, l'union des territoires somalis» [1].

Le projet d'une «Grande-Somalie» avait été soutenu une première fois vingt ans plus tôt par le Foreign Office (plan Bevin), à la suite de la victoire sur les armées de Mussolini. La Grande-Bretagne se trouvait alors en possession d'immenses territoires au nord du Kenya qu'elle entreprit d'unifier. La Seconde Guerre mondiale terminée, les Alliés n'arrivent pas à s'entendre sur l'avenir de ces territoires. Ils confient le dossier à l'Organisation des Nations unies, qui octroie à l'Italie un mandat de dix ans, avec mission d'unifier les anciennes colonies, Somaliland et Somalia, pour les préparer à l'indépendance. Londres, de son côté, restitue en 1954 le Haud et l'Ogaden à Addis-Abeba. Cette rétrocession sera contestée six ans plus tard par la jeune république somalienne.

Une série d'escarmouches s'ensuivra. C'est d'ailleurs à la suite de ces incidents que les chefs d'État africains, réunis en sommet de l'O.U.A., s'engageront solennellement en 1964 au «respect des frontières existant au moment où ils (les États) ont accédé à l'indépendance».

Bien que signataire de la convention de l'O.U.A., Mogadiscio envoie une seconde fois ses troupes à la conquête de l'Ogaden, en 1977. Avec la participation d'unités cubaines, l'Éthiopie repousse rapidement l'avancée militaire somalienne. Le 4 avril 1988, les deux pays signent un accord de paix. La Somalie aura entre-temps passé des conventions frontalières avec ses autres voisins.

Le drapeau somalien compte pourtant toujours cinq étoiles. Elles représentent les cinq provinces dont l'unité avait été revendiquée : Somaliland, Somalia, nord-est du Kenya, Djibouti et Ogaden.

> Fédérateur, le Nil peut envenimer parfois la cohésion des peuples qui se partagent ses eaux. Ainsi, la guerre civile actuelle au Sud-Soudan ne se limite pas à un conflit ethnico-religieux. Dans ses premières escarmouches avec l'armée gouvernementale, l'A.P.L.S. (Armée de libération du Soudan) chercha à empêcher l'élargissement du canal de Jonglei, destiné à accroître de 9 milliards de m³ la retenue du barrage d'Assouan, aux dépens, selon les sécessionnistes, de l'irrigation des terres comprises entre le Bahr el-Ghazal et le Bahr el-Djebel.

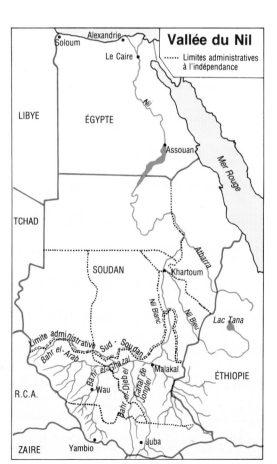

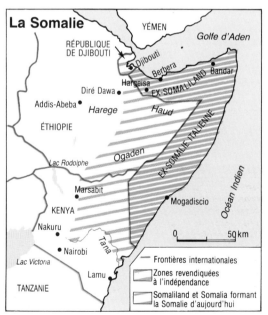

▲ Il faudra bien un jour consentir à modifier le tracé des frontières ou à réduire le nombre des étoiles du drapeau.

◄ Le fleuve, qui a fertilisé le Nord depuis la nuit des temps, charrie aujourd'hui au sud la misère et la guerre civile.

CROISSANT FERTILE

Irak, Syrie, Liban, Palestine et Israël

Est-il au monde une région qui ait fait l'objet d'autant de partages territoriaux, de remaniements administratifs, de conventions, de promesses contradictoires, de traités, les uns éphémères, les autres caducs avant même d'entrer en vigueur ? Le Levant et la Mésopotamie sont devenus les cinq États que nous connaissons aujourd'hui, Irak, Syrie, Liban, Israël, ainsi que la Palestine, toujours à la recherche de son territoire : des pays qui défraient les chroniques politiques et militaires et dont les convulsions menacent la paix du monde.

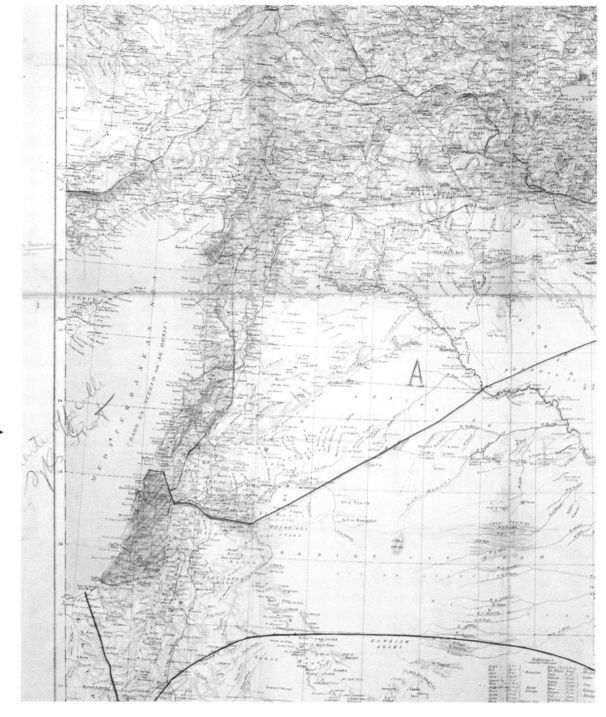

Sur ce fond de carte, ▶ extrait de l'original accompagnant les accords Sykes-Picot de 1916, on distingue le paraphe de Georges Picot ainsi que les coups de crayon du diplomate français et de son homologue britannique, Mark Sykes. Ce partage entrera dans l'histoire comme l'acte de naissance des États du Moyen-Orient. Soixante-quinze ans plus tard, ceux-ci sont toujours à la recherche de tracés admis de tous. (Archives du ministère des Affaires étrangères, Paris.)

LES STRATÈGES D'UNE ÉPOQUE

Paris, le 2 novembre 1915

Lettre de M. Aristide Briand, président du Conseil et ministre des Affaires étrangères, à M. Georges Picot, consul général de France à Beyrouth, pour lui transmettre ses dernières instructions à l'occasion de l'ouverture des négociations avec la délégation britannique en vue de prévoir le partage des zones ottomanes et des «compensations» que la France est en droit de réclamer en Syrie, «eu égard à son effort de guerre».

«Mais il convient que cette Syrie ne soit pas un pays étriqué [...]. Il lui faut une large frontière faisant d'elle une dépendance pouvant se suffire à elle-même, sinon la Syrie nouvelle risquerait au contraire d'être une déception, non seulement pour la France, mais encore pour les Syriens eux-mêmes. Leur imagination qui voit toujours grand et se satisfait plus volontiers de rêves que de réalité ne tarderait pas à regretter de faire partie d'un pays à l'avenir limité [...].

Au sud, il faut que la frontière englobe la Palestine avec des garanties données aux autres concernant Jérusalem et Bethléem. Son territoire comprendrait aussi les vilayets et mutassarefs de Jérusalem, Beyrouth, Liban, Damas, Alep, la partie du vilayet d'Adana située au sud du Taurus. Des régions particulièrement fertiles avec Adana, nœuds des routes de l'Asie antérieure, nous seraient ainsi assurées et viendraient donner toute sa valeur à notre nouvelle possession.

A l'est de cette région, la frontière suivrait la ligne de faîte du Taurus dans les vilayets ou les mutasseriflits de Mamouret ul Aziz, de Diarbékir et de Van pour redescendre au sud en suivant les montagnes qui limitent le bassin du Tigre, couper ce fleuve plus bas que Mossoul où nous avons les établissements français les plus prospères, qui y ont sérieusement implanté notre influence, et atteindre l'Euphrate à la limite de la province de Zor qui resterait dans notre lot.

Ainsi Maraché, Maden Kapou et ses riches mines du mont Margharat, d'où venait la plus grande partie des ustensiles de cuivre de l'Empire, Arghana et ses mines de plomb argentifère, Diarbékir se retrouveraient en Syrie et viendraient accroître ses ressources. Il serait également souhaitable que les régions minières de Kerkouk puissent être englobées dans notre domaine, mais il est à craindre que sur ce point les Anglais se refusent à entrer dans nos vues.»

(Archives du ministère des Affaires étrangères, Paris.)

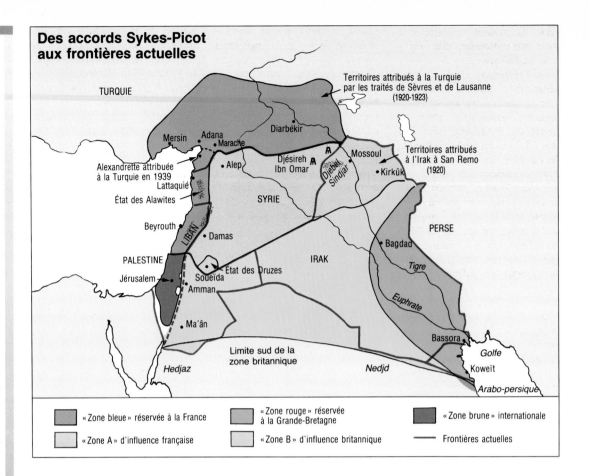

Des accords Sykes-Picot aux frontières actuelles

Territoires attribués à la Turquie par les traités de Sèvres et de Lausanne (1920-1923)

Alexandrette attribuée à la Turquie en 1939

Territoires attribués à l'Irak à San Remo (1920)

État des Alawites

État des Druzes

Limite sud de la zone britannique

| «Zone bleue» réservée à la France | «Zone rouge» réservée à la Grande-Bretagne | «Zone brune» internationale |
| «Zone A» d'influence française | «Zone B» d'influence britannique | Frontières actuelles |

Imbroglio au Levant

Au printemps 1916, l'issue de la Première Guerre mondiale semble dépendre du résultat de la bataille qui fait rage depuis quelques mois, loin de là, à Verdun. Anticipant la victoire, Georges Picot, au nom de la République française, et Mark Sykes, représentant le gouvernement de sa Gracieuse Majesté, signent un accord secret. Aux termes de celui-ci, les régions ottomanes du Levant et de la Mésopotamie, immense territoire de 500 000 km², soit deux fois la superficie du Royaume-Uni, devaient être partagées après le démembrement de l'Empire. Elles se diviseraient en «zones réservées», dont la souveraineté serait totalement aliénée par l'une ou l'autre des parties contractantes, et en «zones d'influence», où prédomineraient les intérêts soit de la France, soit du Royaume-Uni, même si un État arabe indépendant devait y voir le jour. A côté des possessions françaises, dénommées «bleue» et «A», et britanniques, dénommées «rouge» et

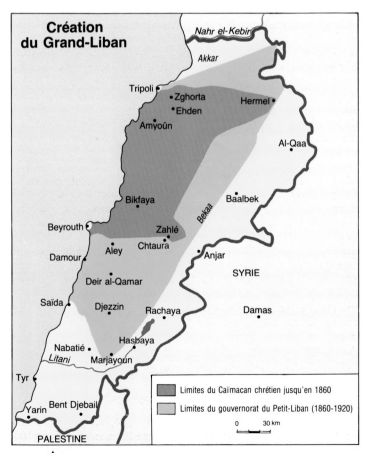

Création du Grand-Liban

Nahr el-Kebir

Akkar

| Limites du Caïmacan chrétien jusqu'en 1860 |
| Limites du gouvernorat du Petit-Liban (1860-1920) |

0   30 km

«Je proclame solennellement le Grand-Liban au nom du gouvernement de la République française. Je le salue dans sa grandeur et dans sa force du Nahr el-Kebir aux portes de la Palestine et aux crêtes de l'Anti-Liban» (Gal Gouraud, 1920).

«B», ils avaient délimité une zone internationale, dite «brune», en Palestine.

Sous l'influence d'un courant nationaliste arabe, invoquant tour à tour la promesse d'un royaume arabe (le rêve de Lawrence d'Arabie) faite par Mac-Mahon au chérif Hussein de La Mecque et les principes d'autodétermination chers au président Wilson, la conférence de la Paix de 1919 simplifie les découpages et atténue quelque peu le caractère colonial du pacte : la France et la Grande-Bretagne se contenteront de mandats au Levant. En Cilicie, l'évolution est plus radicale encore : la poussée de l'infanterie turque de Mustafa Kemal et la retraite de la France à Marache (1920) priveront cette puissance de la zone qui lui était «réservée» au nord d'Alep (traités de Sèvres, 1920, et de Lausanne, 1923).

Petites Syries et Grand-Liban

▬▬ Après avoir rêvé d'une Syrie qui «ne soit pas un pays étriqué» (voir encadré), la France s'attacha pourtant très vite à la morceler.

Elle en détacha d'abord les quatre cazas de Baalbek, Bekaa, Rachaya et Hasbaya ainsi que la vilayet de Beyrouth et une partie du sandjak de Tripoli. Ces riches régions agricoles, peuplées d'importantes communautés musulmanes chiites et sunnites, furent adjointes au Mont-Liban des Druzes et des maronites, où ces derniers venaient de subir une famine provoquée par le blocus turc. Proclamant alors solennellement l'indépendance du Grand-Liban le 1er septembre 1920, le général Gouraud satisfaisait une revendication du patriarcat maronite tout en affaiblissant les mouvements pansyriens.

A la Grande-Bretagne la France céda ensuite la région de Mossoul en échange d'une participation (25 %) au capital de la Turkish Petroleum Company, concessionnaire des gisements de Kirkûk. Dans le même élan, elle ébaucha un État alawite et un État druze.

Elle attribua enfin (1939) le sandjak d'Alexandrette à la Turquie, comme gage de la neutralité turque dans la guerre mondiale qui se dessinait. De nos jours encore, les cartes officielles publiées en Syrie rattachent le sandjak au territoire national. Morcelée, en proie aux soulèvements populaires menés simultanément par les nationalistes de Damas et les grandes familles terriennes du Djebel Druze, la Syrie entra dans ses frontières actuelles avec le traité franco-syrien de 1936, qui lui restitua les régions de Lattaquié et de Soueïda.

Puissance du Milieu

▬▬ La Syrie partage des frontières avec cinq États. Parce qu'elle en tire un sentiment de puissance centrale assiégée, ce sont cinq zones de conflit ouvert ou latent. Au lendemain de son indépendance, comme les autres voisins d'Israël, elle fut propulsée dans une guerre dont le front ne fut jamais vraiment éteint. Avec le Liban, elle a toujours refusé l'échange de missions diplomatiques permanentes qui eût entériné une séparation qu'elle considère contre nature. D'ailleurs, les six régiments (forces spéciales), les trois brigades mécanisées et la brigade blindée qu'elle maintient dans ce pays frère depuis 1976 se sont sentis fort peu concernés par les demandes pressantes de retrait de toutes les troupes «étrangères». Sur sa frontière sud, le chaud et le froid soufflent avec la Jordanie, qui s'est vu accuser d'avoir été «créée pour démembrer la Syrie» [1]. A l'est, les vieilles querelles avec l'Irak se sont cristallisées dans un conflit de légitimité au sein du parti Baath, au pouvoir dans les deux pays.

L'Irak à la limite des anciens empires

▬▬ A l'époque du mandat, la Grande-Bretagne adopta en Irak une politique plus pragmatique que celle de la France en Syrie. Pour elle, le contrôle sans heurts des richesses pétrolières de Mésopotamie était un objectif prioritaire. Elle y parvint en annexant à sa «zone réservée» la région de Mossoul concédée par la France (San Remo, 1920). Il restait à préciser des tracés jusqu'alors ébauchés.

La frontière nord fut négociée avec Mustafa Kemal avant même que fût proclamé, en 1930, le royaume d'Irak. L'arbitrage de la Société des Nations (1932) fut en revanche nécessaire pour délimiter la frontière irako-syrienne dans la région du «bec de canard». Le Djebel Sindjar revint à l'Irak et la région de Djésireh Ibn Omar à la Syrie. C'est là qu'elle découvrit plus tard l'essentiel de ses ressources pétrolières.

La frontière qui vit couler le plus de sang est sans conteste celle qui s'étire sur près de 1 500 km entre l'Irak et l'Iran. C'est en fait une des plus anciennes frontières au monde. Elle séparait déjà les empires arabe puis ottoman de la Perse. Dans sa partie principale, la frontière sépare les régions kurdes d'Irak de celles d'Iran. On comprend pourquoi aucun des deux pays n'a jamais remis en question ces tracés sinueux. Le conflit purement frontalier porte uniquement sur les 100 km les plus méridionaux, là où le tracé se confond avec la voie d'eau du Chatt al-'Arab. Il représenterait une source de redevances importante pour qui en posséderait le contrôle exclusif. Dans le conflit ravivé par la guerre de 1980-1988, l'argumentation juridique de l'Irak repose sur le traité d'Erzeroum (1847) qui mettait la voie d'eau sous souveraineté ottomane, donc irakienne par héritage. Au pis, l'Irak admettrait le compromis de 1937 qui ne fait passer la frontière au milieu du Chatt al-'Arab que sur un court tronçon de 6,5 km le long d'Abadan [2]. L'Iran, pour sa part, invoque les accords d'Alger de 1975 qui stipulent que la frontière au sud de Khorramshahr longe le talweg, permettant la libre circulation des marchandises iraniennes, notamment les produits pétroliers. Cet accord fut abrogé unilatéralement par l'Irak en 1980.

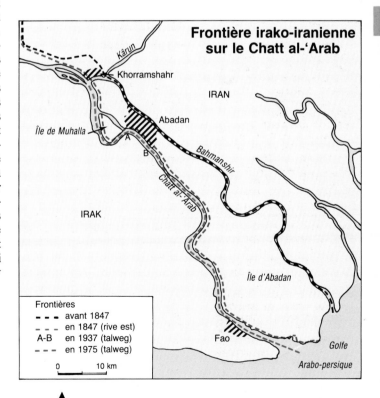

Frontière irako-iranienne sur le Chatt al-'Arab

IRAN

Khorramshahr

Abadan

Île de Muhalla

IRAK

Île d'Abadan

Fao

Golfe Arabo-persique

Frontières

- – – avant 1847
— en 1847 (rive est)
A-B en 1937 (talweg)
– – – en 1975 (talweg)

0   10 km

▲

Comme le Jourdain, le Chatt al-'Arab ne mesure pas plus de 100 km de long. C'est pourtant autour de ces deux cours d'eau que se joue l'avenir du Machrek arabe, pris entre l'enclume iranienne et le marteau israélien.

21

Palestine, Israël. Deux États: l'un sans frontières...

Malgré cinq guerres, des soulèvements populaires qui secouent toute la région depuis un demi-siècle, maintes résolutions des Nations unies, une kyrielle de conférences internationales, de sommets panarabes ou de tractations secrètes et une rubrique quotidienne dans la grande presse mondiale, le chapitre frontières de l'un des plus volumineux dossiers politiques du siècle est bien mince. Comment d'ailleurs se pencherait-on sur les limites précises d'un territoire tant que l'on se querelle sur son identité, israélienne, palestinienne ou binationale? Lorsqu'à la négation de l'autre aura succédé une reconnaissance mutuelle, les frontières se discuteront sans doute pied à pied.

Voisin de quatre pays, Israël n'a de frontière reconnue qu'avec un seul d'entre eux, l'Égypte. Des trois autres, il est séparé par des lignes d'armistice (Liban), de retrait (Syrie) ou de cessez-le-feu (Jordanie), qui ont fluctué au gré des rapports de force, sans qu'aucun accord définitif ne les ait jamais entérinées.

Les dernières tentatives de tracé frontalier sont toutes antérieures à la naissance de l'État d'Israël, en 1948. Depuis lors, son armée a à cinq reprises étendu le territoire qu'elle contrôle, en sorte que ces tentatives paraissent aujourd'hui bien dépassées. Mais le sont-elles vraiment? Il fallut dix années d'âpres négociations après la paix égypto-israélienne de Camp David (1979) pour accepter l'arbitrage de la Cour internationale de justice (1989), qui retrouva tout simplement dans le Sinaï le tracé exact d'une ligne déjà démarquée... en 1906. Lorsqu'une solution sera trouvée au problème central de l'établissement d'une entité palestinienne et que viendra l'heure de la paix générale, sans doute sera-t-il nécessaire de recourir à des cartes ébauchées avant 1948 pour délimiter les frontières avec le Liban, la Jordanie et la Syrie.

... l'autre sans territoire

La succession ottomane en Palestine n'a jamais été close. Dans un mouvement parfaitement pendulaire, les prétendants ont opposé des projets tour à tour unitaires ou partitionistes pour administrer les quelque 26 000 km² s'étendant à l'ouest du Jourdain.

Prônant l'internationalisation des sandjaks d'Acre, de Balka et de Jérusalem arrachés aux Turcs, les accords Sykes-Picot soutenaient implicitement la thèse de l'unité.

Un an plus tard, la déclaration de lord Balfour (1917), ministre britannique des Affaires étran-

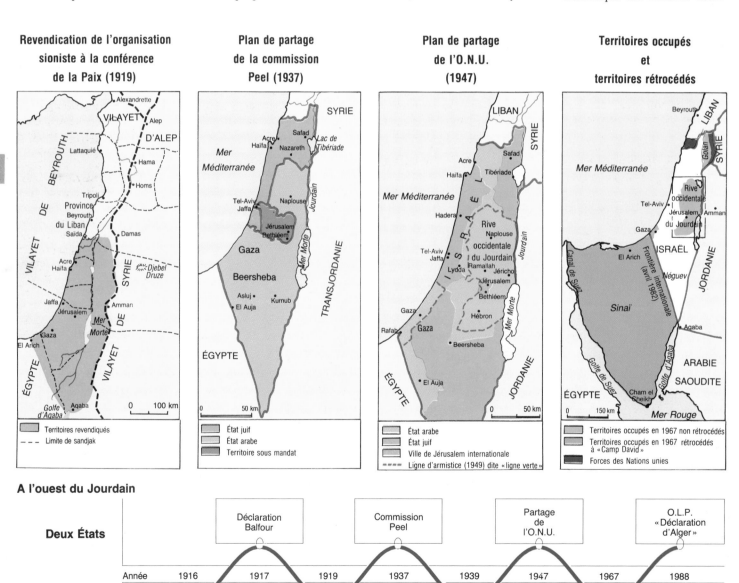

| Revendication de l'organisation sioniste à la conférence de la Paix (1919) | Plan de partage de la commission Peel (1937) | Plan de partage de l'O.N.U. (1947) | Territoires occupés et territoires rétrocédés |

Revendication de l'organisation sioniste à la conférence de la Paix (1919)

Territoires revendiqués
--- Limite de sandjak

Plan de partage de la commission Peel (1937)

État juif
État arabe
Territoire sous mandat

Plan de partage de l'O.N.U. (1947)

État arabe
État juif
Ville de Jérusalem internationale
----- Ligne d'armistice (1949) dite «ligne verte»

Territoires occupés et territoires rétrocédés

Territoires occupés en 1967 non rétrocédés
Territoires occupés en 1967 rétrocédés à «Camp David»
Forces des Nations unies

A l'ouest du Jourdain

Deux États

| Déclaration Balfour | Commission Peel | Partage de l'O.N.U. | O.L.P. «Déclaration d'Alger» |

| Année | 1916 | 1917 | 1919 | 1937 | 1939 | 1947 | 1967 | 1988 |

Un État

| «Sykes-Picot» Internationalisation | Revendication de la délégation sioniste | Livre blanc britannique | Guerre des «Six-Jours» et charte O.L.P. |

gères dans le cabinet Lloyd George, en encourageant la création d'un «foyer national pour les juifs en Palestine», supposait, à terme, la division.

La carte annexée aux revendications présentées par les sionistes à la conférence de Paris (1919) dessina pour la première fois les contours du pays que voulait se donner une fraction des héritiers de Theodor Herzl. Cette tentative d'unification était plus radicale encore que la première, puisque l'État juif devait s'étendre aux limites de la vilayet de Syrie, en franchissant le Jourdain pour buter sur les contreforts d'une bourgade qui allait devenir plus tard une capitale : Amman. Au nord, jouxtant la ville aujourd'hui libanaise de Saïda, il annexait le cours du Litani [2].

Puissance tutélaire en Palestine (1920), la Grande-Bretagne ne montra pas ici la détermination dont elle fit preuve ailleurs. Elle géra le présent en perpétuant la politique du balancier. A la révolte palestinienne de 1936 elle répondit par un plan de partition (commission Peel), qui prolongeait le Liban des minorités par un État juif au nord de la Palestine*. Octroyant plus des deux tiers du territoire aux Arabes, il était destiné à les apaiser. Il fit néanmoins l'unanimité, une fois n'est pas coutume, contre lui. Avec la publication du *Livre blanc* (1939), la thèse de l'État unique binational revint alors à l'honneur : à la veille de la guerre qui s'annonçait avec l'Allemagne, il fallait satisfaire les aspirations des nationalistes arabes afin de les détourner d'une tentation germanique.

Partage et déchirements

▬▬ Le retour à l'idée des deux États s'imposa ensuite à l'initiative d'un nouveau partenaire, l'Assemblée générale des Nations unies, qui vota le partage (1947). Le monde occidental découvrait avec horreur les crimes nazis perpétrés à l'encontre des minorités européennes, particulièrement des Juifs. Dans ce contexte, tout arbitrage ne pouvait qu'être généreux avec ces derniers. De fait, aux Juifs, qui étaient alors deux fois moins nombreux que les Arabes en Palestine et qui y possédaient de 6 à 8 % des terres, il fut octroyé 55 % du territoire.

Le refus arabe conduisit à la guerre de 1948, puis à la charte nationale de l'Organisation de libération de la Palestine (O.L.P.) en 1964, qui contesta le partage pour prôner un seul État en Palestine, «partie intégrante de la nation arabe».

Quarante ans de fait accompli israélien ont lentement érodé la détermination arabe et permuté les rôles. Le camp de la partition est désormais arabe, depuis que l'O.L.P. à Alger (1988) et la Ligue arabe à Casablanca (1989) ont reconnu une frontière à l'ouest du Jourdain, admettant ainsi implicitement l'existence d'Israël. C'est maintenant dans ce dernier pays que l'on retrouve les tenants de la Palestine projetée en 1919 : une et sioniste.

La Cisjordanie sans frontières

▬▬ A l'issue de l'armistice de 1948, l'État hébreu contrôlait 20 700 km², soit 4 000 de plus que prévu par le plan de partage de l'O.N.U. Si l'on excepte le Sinaï rendu à l'Égypte, ses acquis territoriaux au cours de la guerre de 1967 sont de 7 800 km² avec la Cisjordanie prise à la couronne hachémite, la bande de Gaza soustraite à la tutelle égyptienne et le Golan ravi à la Syrie.

Les colonies implantées par Israël dans ces trois régions couvrent 31 % du territoire de la bande de Gaza et 40 % de la Cisjordanie [3], sans compter Jérusalem. La ville sainte des trois religions est devenue capitale de l'État hébreu et son schéma directeur (1982) couvre la région comprise entre Ramallah et Bethléem, encadrant définitivement ces villes arabes dans un maillage d'implantations juives. Toujours convoitée mais jamais totalement prise, ni par le trône hachémite qu'elle a menacé de révolution sociale, ni par Israël pour qui l'assimiler représenterait une bombe démographique à retardement, la Cisjordanie sera-t-elle palestinienne ? L'intrication des colonies juives installées à la suite de la guerre de 1967 — particulièrement depuis l'avènement de la coalition dirigée par le Likoud (1977) — et des localités arabes a créé un état de fait peu propice à la partition. Les peuples de la région auront pourtant à démêler ce nœud gordien pour ne pas entrer à reculons dans le vingt et unième siècle.

◀ *Les autorités israéliennes distinguent des zones de revendication forte, moyenne ou faible. Elles accordent à la Cisjordanie centrale la première priorité, pour la valeur symbolique de Jérusalem et pour l'avantage topographique d'un plateau qui surplombe à l'ouest la plaine littorale de Tel-Aviv et à l'est la dépression du Jourdain.*

* L'un des trois projets des commissions Peel et Woodhead proposa une zone tampon au sud de Nakoura. Celle qu'Israël imposa quarante ans plus tard empiète au contraire sur le territoire libanais.

Politique des implantations israéliennes en Cisjordanie depuis 1986

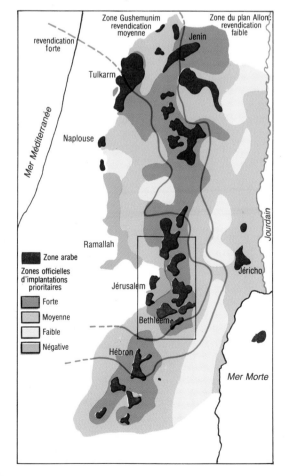

Zone Gushemunim revendication moyenne

Zone du plan Allon : revendication faible

revendication forte

Jenin

Tulkarm

Mer Méditerranée

Naplouse

Jourdain

Ramallah

Zone arabe

Zones officielles d'implantations prioritaires
- Forte
- Moyenne
- Faible
- Négative

Jérusalem

Jéricho

Bethléem

Hébron

Mer Morte

Schéma directeur de la zone métropolitaine de Jérusalem

Ramallah

Jérusalem

Bethléem

Ville arabe avant 1967
Zone arabe
Ville juive avant 1967
Zone d'implantation juive
Zone agricole

LA PÉNINSULE

L'Arabie Saoudite ou l'alliance du sabre et du Coran

Le 18 septembre 1932, Abdel Aziz III, plus connu sous son nom d'Ibn Saoud, réalise le rêve inachevé de son ancêtre Abdel Aziz qui guerroya au XVIIe siècle. Il réunifie, comme au temps du Prophète, les tribus de la péninsule Arabique et rassemble sous son autorité le Nedjd et le Hedjaz, Riyad et La Mecque.

A la tête des *ikhwân*, ces «frères» guerriers d'un islam puritain (le wahhabisme), Ibn Saoud avait chassé le chérif Hussein de La Mecque en 1925. Le traité de Djeddah (1927) devait entériner aux yeux des Britanniques ce coup de force, qui entrera dans l'histoire comme le premier fait accompli mené par une force locale dans une des anciennes provinces arabes de l'Empire ottoman*.

Cette accession à la souveraineté, qui ne devait rien aux autorités tutélaires de l'époque, va permettre à Ibn Saoud de négocier en pleine liberté les concessions pétrolières dans son pays. Méfiant vis-à-vis de la Grande-Bretagne, courtisé par les compagnies américaines qui lui font des offres plus alléchantes, le roi d'Arabie Saoudite accordera, en 1933, la première concession à une émanation de la Standard of California (Californian Arabian Standard Oil) et le précieux liquide jaillira en 1938 dans la région du Hassa, qu'Ibn Saoud avait conquise vingt-cinq ans plus tôt.

Au sud, les frontières se perdent dans les sables

Le plus puissant des États de la Péninsule, le plus riche des États arabes, l'Arabie Saoudite n'a pas de véritables

En étendant son pouvoir sur les 2 millions de km² qui séparent le golfe de la mer Rouge, Ibn Saoud laissera à ses héritiers les plus grosses réserves pétrolières du monde. ▶

frontières sur son flanc méridional. Aucune délimitation ne la sépare de l'actuel Yémen à l'est des montagnes du 'Assir et un tracé non démarqué la distingue à peine des Émirats arabes unis à l'ouest. Dans le Rub el-Khâli, le «quart vide» où l'histoire ne mentionne ni présence humaine ni route caravanière, la souveraineté n'était pas à garantir avant l'irruption du pétrole sur les rives du Golfe. Point n'était besoin de le partager. L'énormité des enjeux territoriaux surgis avec la prospection pétrolière bloqua ensuite la négociation. Contrôlant la côte ouest du Hedjaz au Yémen au temps de l'«Arabie heureuse», les Ottomans avaient pourtant reconnu aux Britanniques, en 1903, une zone d'influence sur le «British

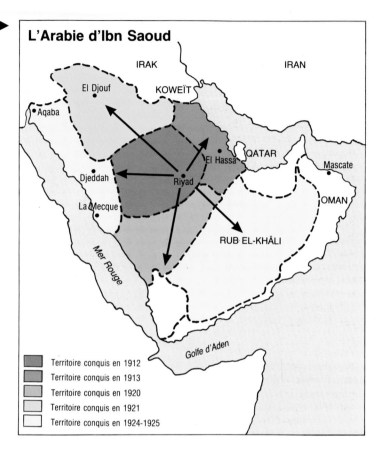

L'Arabie d'Ibn Saoud

- Territoire conquis en 1912
- Territoire conquis en 1913
- Territoire conquis en 1920
- Territoire conquis en 1921
- Territoire conquis en 1924-1925

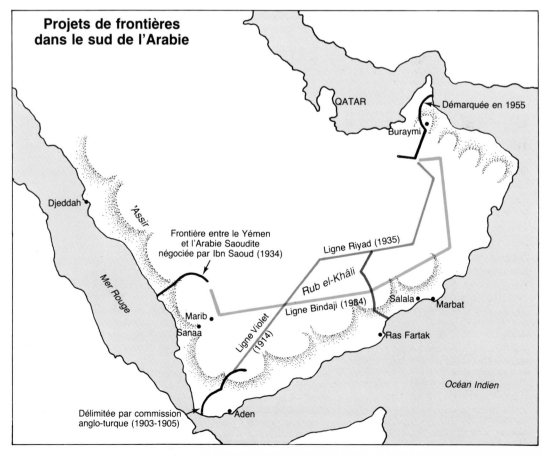

Projets de frontières dans le sud de l'Arabie

Démarquée en 1955

Frontière entre le Yémen et l'Arabie Saoudite négociée par Ibn Saoud (1934)

Ligne Riyad (1935)

Ligne Bindaji (1934)

Ligne Violet (1914)

Délimitée par commission anglo-turque (1903-1905)

Hinterland of Aden». Tandis que ce territoire traversait toute la Péninsule, joignant son extrême sud-ouest au doigt du Qatar, on ne jugea utile de le borner que sur une cinquantaine de kilomètres, pour préciser les contours du district d'Aden.

La frontière nord du Yémen avec l'Arabie, quant à elle, date de l'annexion du 'Assir par Ibn Saoud et n'est tracée que dans les reliefs: le conquérant wahhabite refusait en effet de définir «une ligne imaginaire dans le désert ouvert où les nomades sont habitués à se déplacer» [1].

Le même refus explique les «zones neutres» qui entouraient le Koweït**, ancien protectorat britannique dont les frontières furent fixées en 1922: 64 km autour de Kuwait City. La frontière qui sépare Oman des Émirats arabes unis est la plus récente (1955); elle fut tirée par les Britanniques pour protéger les oasis de Buraymi des appétits saoudiens.

Ainsi, les territoires les mieux répartis demeurent tout de même ceux qui dévoilèrent les premiers la richesse de leur sous-sol. Il le fallait bien pour accorder les concessions de prospection. Récemment, en 1981, la Hunt Oil trouva du pétrole dans

une zone à cheval sur les deux Yémen et le grand frère saoudien, ce qui eut pour conséquence d'engager d'âpres négociations entre la République démocratique du Yémen et l'Arabie Saoudite. La première revendique une frontière remontant à l'intersection de la «ligne Violet» (1914) et de la «ligne Riyad» (1935). La seconde lui oppose la «ligne rouge» déjà proposée cette même année, et qui a été complétée en 1984 par une «ligne Bindaji».

UNE MOSAÏQUE DANS LE DÉSERT: LES ÉMIRATS ARABES UNIS

L'extrême minutie des relevés topographiques qui accompagnent les arrangements territoriaux passés entre les sept chefferies formant depuis 1971 les Émirats arabes unis tranche avec le paysage avare en tracés qu'offre le reste de la Péninsule. Mettant une sourdine à des querelles «familiales» d'indivision, les démarcations résultent ici de l'application de droits complexes et anciens sur ces aires de transhumance semi-nomade de la «côte de la Trêve».

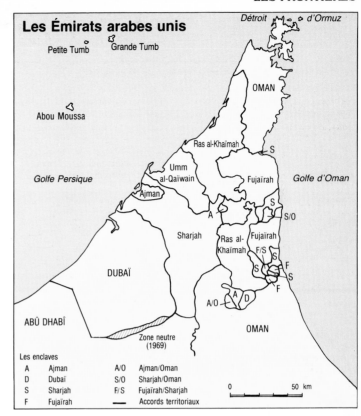

Les Émirats arabes unis

Détroit d'Ormuz
Petite Tumb · Grande Tumb
Abou Moussa
OMAN
Ras al-Khaïmah   S
Golfe Persique
Umm al-Qaïwain   Fujaïrah   Golfe d'Oman
Ajman   S
A   S/O
Sharjah   Ras al-Khaïmah   Fujaïrah
F/S
DUBAÏ   S   S   F
F   S
ABÛ DHABÎ   A   D
A/O
OMAN
Zone neutre (1969)

Les enclaves
A Ajman   A/O Ajman/Oman
D Dubaï   S/O Sharjah/Oman
S Sharjah   F/S Fujaïrah/Sharjah
F Fujaïrah   —— Accords territoriaux

0   50 km

me de Jordanie (à l'époque Transjordanie, car limité à la rive orientale du Jourdain) lors de la conférence du Caire de 1921. Ils poursuivaient alors un triple objectif stratégique: relier par un corridor leurs possessions irakiennes et palestiniennes***, borner les projets d'Ibn Saoud en Arabie et contenir les ambitions de l'État juif qui pointait à l'horizon.

De fait, la Jordanie, dont la population actuelle est, par moitié, palestinienne, est demeurée une pièce maîtresse du conflit israélo-arabe. Elle y a gagné en 1950, puis reperdu en 1967 cette Cisjordanie à laquelle le roi Hussein a renoncé définitivement en juillet 1988. Il ne fut pas indifférent à la géopolitique régionale que les Britanniques eussent naguère (1927) rattaché Aqaba à

25

PLUS AU NORD

Un État tampon: la Jordanie

████ Avec la montée en puissance d'Ibn Saoud, l'émir Abdallah (fils du chérif Hussein que le conquérant wahhabite va contraindre à l'exil, et grand-père de l'actuel roi Hussein de Jordanie) essaiera de conquérir Damas (1920). Face à la riposte française, les Britanniques vont l'installer à Ma'an, puis à Amman, et créeront ainsi le royau-

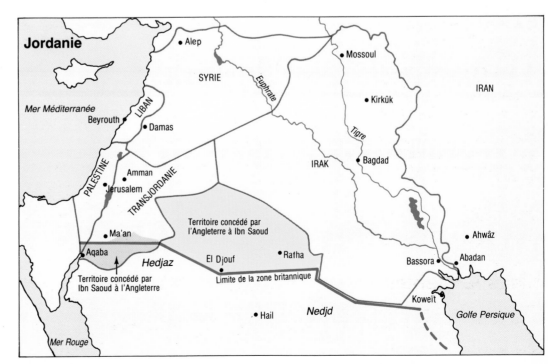

Jordanie

Alep
SYRIE   Mossoul
Mer Méditerranée   Euphrate
Beyrouth   IRAN
Damas   Kirkûk
LIBAN
PALESTINE   Amman   Tigre   IRAK   Bagdad
Jérusalem   TRANSJORDANIE
Ma'an   Territoire concédé par l'Angleterre à Ibn Saoud
Aqaba   El Djouf   Rafha   Ahwâz
Hedjaz   Limite de la zone britannique   Bassora   Abadan
Territoire concédé par Ibn Saoud à l'Angleterre
Koweït
Hail   Nedjd   Golfe Persique
Mer Rouge

---

* En ce qui concerne les tracés de frontières, et si l'on excepte le cas d'Israël, il n'y en aura pas d'autre.
** Il n'existe plus de zone neutre depuis le dernier partage saoudo-irakien de 1981.
*** La frontière jordano-irakienne n'a jamais donné lieu à négociation, elle a été obtenue par simple déduction du tracé de l'Irak.

la Jordanie, privant ainsi Ibn Saoud de ce port. Le récent conflit entre l'Iran et l'Irak renforça le rôle du corridor jordanien: le trafic maritime de Bassora étant interrompu, Bagdad n'aurait pas pu poursuivre ses acheminements stratégiques si le port d'Aqaba était resté saou-

dien. Les représailles que l'Arabie aurait pu craindre alors, parce que riveraine du Golfe et à portée des canons iraniens, ne menaçaient en effet pas la lointaine Jordanie qui pouvait, en toute quiétude, soutenir fermement son allié irakien. Ainsi, la Jordanie est l'un des rares États

au monde à avoir puisé de la richesse dans le tracé de ses frontières. C'est notamment grâce à sa position stratégique et à la stabilité de son régime qu'elle a bénéficié d'aides économiques substantielles aussi bien arabes qu'étrangères. En contrepartie, elle a «exporté» de la sécurité

aux États frontaliers, voire outre-Atlantique.

L'arrêt de la guerre du Golfe et l'abandon officiel de toute revendication sur la Cisjordanie ont fait perdre coup sur coup à la Jordanie deux de ses atouts originels — corridor vers l'Irak et bornage de l'État hébreu.

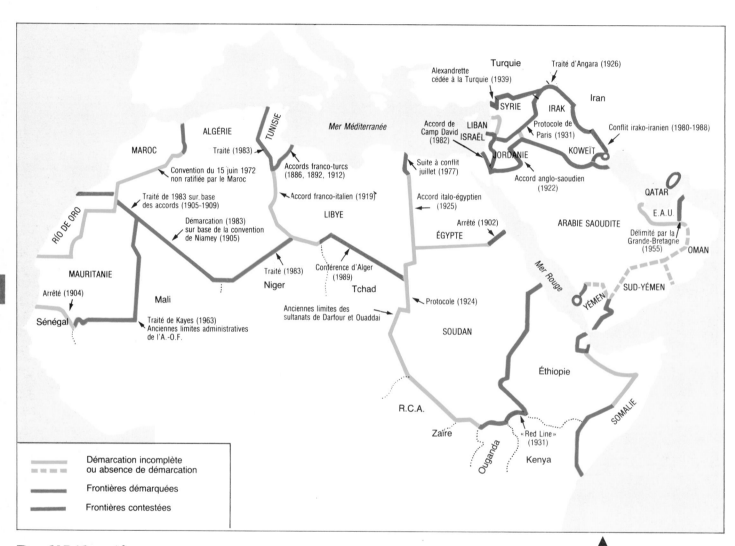

De l'Atlantique au golfe Persique

▬▬▬▬ La plupart des frontières ont été négociées entre les puissances coloniales européennes qui s'étaient partagé la région. Les tracés précis qui s'appuient sur des accords bilatéraux passés entre États indépendants ne représentent encore qu'une petite moitié des frontières. Ailleurs, ce sont de simples repères qui balisent une ligne de parta-

ge. Parfois, la démarcation est tout simplement absente, comme dans le sud de la péninsule Arabique. A l'exemple de l'O.U.A. (Organisation de l'unité africaine), dont les membres ont fait serment de respecter les tracés coloniaux, les pays de la Ligue arabe engagent rarement des hostilités entre eux pour des motifs d'ordre frontalier. S'il leur arrive d'alléguer un tel argument, c'est souvent comme prétexte à des litiges plus profonds, d'ordre économique ou hégémonique. Il n'en va pas

de même aux frontières du monde non-arabe. Plutôt que frontaliers, les problèmes internes au monde arabe sont ceux d'une reconnaissance mutuelle parfois difficile. L'histoire encore très jeune de plusieurs États ne leur a pas laissé le temps d'imposer leur droit à l'existence. Mais n'est-ce pas parce que les peuples se ressemblent trop qu'il leur est douloureux de se reconnaître? Ne peut-on alors imaginer que certaines démarcations seront un jour effacées avant même d'avoir été entérinées?

▲
Les tracés confirmés par un traité forment une majorité des bornages entre pays arabes (14 tronçons sur 27) mais une minorité des frontières avec leurs voisins non arabes (8 tronçons sur 21). Simples spectateurs des grands partages du siècle, les États arabes ont entériné plus aisément les lignes qui les divisaient entre eux, que celles qui les séparaient du reste de l'aire musulmane.

LES MINORITÉS

POUVOIR ET MINORITÉS

Arabe et sunnite dans son immense majorité, la région détient un puissant ferment d'unité. Pourtant, de multiples brûlots l'embrasent périodiquement, qui tous, de l'irrédentisme kurde à la guerre civile du Liban, s'inscrivent sur une même toile de fond : la mosaïque des minorités, tantôt religieuses, tantôt ethniques, parfois les deux comme en Palestine et au Soudan. Si l'appartenance confessionnelle n'est ici jamais ambiguë, il n'en va pas de même de l'arabité. Plusieurs conceptions s'affrontent, de celle qui privilégie la généalogie, réservant la qualité aux descendants des tribus de la Péninsule et aux peuples conquis durant le premier siècle de l'islam, à la perspective politico-culturelle, pour laquelle « est arabe celui qui parle une des variantes de la langue arabe et considère l'histoire des Arabes comme faisant partie de son patrimoine »[1]. Pour cette dernière, les maronites du Liban, les coptes d'Égypte ou les Maures du Sahara sont ainsi des Arabes.

Un passé très présent

████ Les branches de l'islam sont nées pour la plupart des insurrections qui accompagnèrent certaines successions difficiles à l'époque de l'empire arabe. La transmission du pouvoir politique et spirituel du prophète Mahomet posa un problème dès sa mort. Mais les luttes de palais partagèrent la communauté musulmane vingt-huit ans plus tard, lors de l'élection de son gendre Ali, quatrième et dernier des califes *Râchidine*, les compagnons du Prophète. Mu'âwiya, gouverneur de Syrie, refusa à cette occasion de prêter allégeance au nouveau commandeur des croyants. De cette fronde naquit l'empire des Omeyyades, dynastie incarnant l'orthodoxie que l'on dénomma « sunnisme » plusieurs générations après. Les partisans d'Ali se reconnaîtront par une allégeance spirituelle à leurs *imams*, en particulier les premiers, Ali et ses deux fils, Hassan et Hussein, tous trois assassinés. C'est essentiellement l'« arbre chiite » des douze imams qui permet de retracer les embranchements successifs des minorités de l'islam. Ces événements se sont succédé entre le VIIe et le XIe siècle, mais conservent de nos jours une étonnante actualité.

Les sunnites et les autres

████ Par le nombre de ses fidèles, l'islam des trois continents est avant tout sunnite, *a fortiori* dans les pays arabes, où neuf musulmans sur dix se réclament de la communauté de la « Tradition et du Consensus », *Ahl es-Sunna wal-Ijmaa*. En atteignant les côtes de l'Afrique, ce grand rassemblement des fidèles ne rencontre pratiquement plus de dissidence : au Maghreb, à part trois petites communautés kharijites chez les Berbères du Mzab algérien, de l'île tunisienne de Djerba et du Djebel Nefousa en Libye, tout musulman est sunnite.
Le sunnisme se définit par l'attachement à la légitimité de

IMPORTANCE ACTUELLE DES COMMUNAUTÉS MUSULMANES REPRÉSENTÉES DANS LES PAYS ARABES

	Population en millions (1990)	Principaux pays
Sunnites	185	Tous les pays
Chiites duodécimains	11	Irak, Liban, Koweït, Bahreïn
Zaydites	4	Yémen du Nord
Alawites	1,4	Syrie
Kharijites (Ibâdites)	0,8	Oman, Algérie, Tunisie
Druzes	0,6	Syrie, Liban
Ismaéliens	0,1	Syrie
Yézidites	0,1	Irak, Syrie

Arbre de l'islam

▲

Les branches de l'islam se sont formées lors des insurrections qui ont accompagné certaines successions difficiles. Des évènements qui se sont déroulés depuis plus de mille ans mais qui conservent de nos jours une étonnante actualité.

LA *SHARIA* N'EST PAS UNIQUE

L'islam sunnite ne dispose pas d'une hiérarchie cléricale qui veille à préserver l'unicité du dogme. Pour régler la société et diriger sa conscience, tout homme de bon sens peut en principe interpréter la loi de l'islam, la *sharia*. Dans la pratique, quatre écoles de pensée juridique, *Mazaheb* (rites), sont à la disposition du juge. Elles s'inspirent toutes du Coran ainsi que de la Tradition, la *Sunna*. Elles se différencient par la plus ou moins grande liberté qu'elles octroient aux jurisconsultes pour s'adapter aux évolutions de la société.

La plus libérale, qui accorde au juge la plus grande faculté d'interprétation des sources, est l'école hanafite. Adopté par les Ottomans, ce rite persiste dans les anciennes dépendances de l'Empire. On en trouve encore les traces en Tunisie et en Algérie, quoique l'Afrique du Nord et le Soudan suivent en masse un rite plus conservateur: le malékisme. Ce deuxième rite est moins porté sur les méthodes spéculatives et privilégie en revanche l'*ijmaa*, l'accord

Les écoles juridiques

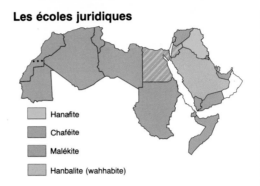

Hanafite

Chaféite

Malékite

Hanbalite (wahhabite)

des docteurs de la loi. C'est à un troisième rite, le chaféisme, qu'on a le plus souvent recours au Levant et sur les rives du Golfe. «L'esprit de ce rite est un peu étroit et très méticuleux»[2].

Le quatrième rite, le hanbalisme, est le plus intransigeant. Son intolérance à toute forme d'innovation (bidaa) le place à «l'extrême droite du culte fanatique de la *Sunna*»[3], figeant ainsi la société dans des formes archaïques. C'est à cette dernière source que s'abreuvent généralement les tenants du retour à la pureté originelle de l'islam, tels les wahhabites qui imposèrent au début du siècle leur rigorisme insurrectionnel aux tribus formant l'Arabie Saoudite et le Qatar, tels aussi les courants islamites qui foisonnent de nos jours dans le monde arabe. Cette identité de sensibilité n'est d'ailleurs pas étrangère à l'appui idéologique et économique — sinon politique — que trouvent en Arabie Saoudite certaines factions de l'«intégrisme», qu'il soit égyptien, soudanais, syrien ou maghrébin.

---

chacun des quatre premiers califes. Un croyant orthodoxe doit dénoncer toutes les sectes qui ne reconnaissent pas cette légitimité, comme se défier des doctrines qui sèment la division parmi les fidèles. Il lui faut aussi suivre la loi interprétée par l'une des quatre écoles juridiques qui règlent la vie de la société et de la famille (voir encadré).

Cette homogénéité du paysage religieux n'interdit pas la persistance, au sein de la *Sunna*, de particularismes locaux: tels le culte des saints au Maghreb, le puritanisme exacerbé des wahhabites de la Péninsule, ou les emprunts animistes des confréries du Soudan.

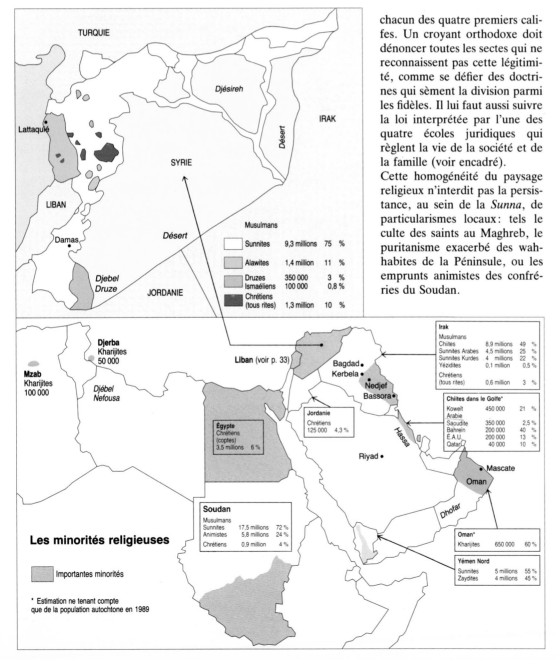

Les minorités religieuses

Importantes minorités

* Estimation ne tenant compte
que de la population autochtone en 1989

Deux majorités non sunnites au pouvoir

Toutes les Constitutions arabes, sauf la libanaise, stipulent que l'islam est religion d'État, ou du moins que le chef de l'État doit être musulman, mais aucune ne précise la branche à laquelle il doit appartenir. Il est cependant des usages que l'on ne peut contourner et, lorsque la Ligue arabe réunit ses conférences au sommet, on compte dix-huit sunnites parmi vingt-deux chefs d'État.

Les sectes non sunnites ne purent gérer leur destinée que dans les contrées retirées: sur les montagnes du Yémen ou sur celle du Djebel Akhdar. Elles y conservèrent le pouvoir au prix de luttes plusieurs fois séculaires. L'imamat ibâdite d'Oman a disparu en 1959, mais le sultan, ibâdite lui-même, réunit sous son autorité ses coreligionnaires des tribus Hinawi et les sunnites des tribus Ghafiri. L'imamat zaydite a de même disparu du Yémen avec la déposition, en 1962, du dernier des Hamid Eddîn. Certains crurent que l'avènement de la république autoriserait une meilleure répartition des leviers de l'État et mettrait fin aux frustrations sunnites. Mais, après huit ans de guerre civile, la paix ne revint qu'à la faveur de délicats compromis assurant la continuité zaydite aux postes les plus sensibles de l'administration et de l'armée.

29

La contestation chiite

Situation paradoxale que celle partagée par les deux frères ennemis de la scène moyen-orientale. L'Irak et la Syrie sont gouvernés par des minorités qui ne peuvent prétendre, comme au Liban ou au Yémen du Nord, à la légitimité du nombre : les Arabes sunnites en Irak, où trois musulmans sur quatre sont chiites ou kurdes, et les Alawites (apparentés aux chiites) dans une Syrie où cette communauté ne forme que 11 % de la population, face à 76 % de sunnites.

La comparaison s'arrête là, car, si les Alawites se sont hissés aux commandes de l'État syrien en infiltrant les rouages de l'armée et du parti Baath, la prééminence des sunnites d'Irak est bien antérieure. Ils l'héritèrent des Ottomans, puis des Britanniques, d'un long monopole de l'éducation et de l'accès à la fonction publique. En réalité, ce ne sont pas tant les chiites qui en furent exclus, que les exclus qui devinrent chiites. Tandis que l'Irak abrite les grands sanctuaires de l'islam chiite, Kerbela, Nedjef et Samarra, celui-ci ne s'y est massivement implanté qu'à l'époque moderne. Transformant en paysans assujettis et corvéables des hommes jadis libres, les vagues de sédentarisation forcée précipitèrent des tribus sunnites nomades vers la religion de la révolte[4].

Qu'il soit irakien, koweïtien, saoudien ou libanais, le chiite arabe éprouve partout la frustration des « opprimés de la terre ».

Proportion de musulmans non sunnites par rapport à l'ensemble des musulmans

- De 3 à 5 %
- De 5 à 20 %
- De 20 à 50 %
- Plus de 50 %

La profession de foi, la prière, l'aumône et le jeûne du mois de ramadan forment avec le pèlerinage à La Mecque les cinq piliers de l'islam. Sauf grande indigence, l'homme ou la femme de religion fera une fois au moins le voyage aux lieux saints, au terme duquel il méritera à vie de tout son entourage le titre déférent de *Hajj*.

La Mecque, ville ouverte aux musulmans mais close aux infidèles, est ainsi le lieu par excellence où se concrétise l'*Umma*, où la communauté des croyants devient tangible. Le musulman peut y côtoyer ses coreligionnaires venus de tous les horizons, près d'un million chaque année. Minoritaires dans l'islam, les Arabes, même sans prendre en compte les Saoudiens, sont majoritaires parmi les pèlerins.

Sainte entre toutes, La Mecque devient parfois la scène où se joue en sourdine le pouvoir sur la communauté. Frais dans toutes les mémoires, les affrontements sanglants de l'an 1407 de l'Hégire (1987), où périrent des dizaines de policiers saoudiens et plusieurs centaines de pèlerins iraniens, sont venus rappeler l'opposition pluri-séculaire, qui par intermittence éclate en conflit, entre deux conceptions du pèlerinage : celle des sunnites au pouvoir, pour qui il doit demeurer un rite religieux, et celle des chiites, qui le veulent aussi politique. L'Iran était alors devenu le pays le plus représenté à La Mecque. Les années suivantes, ses ressortissants furent d'abord interdits, puis boycottèrent le pèlerinage.

L'« islamisme radical » fait de nos jours recette. L'évolution de la participation au pèlerinage fournit un moyen judicieux de rompre le silence des chiffres sur la pratique religieuse, et d'apprécier plus objectivement son éventuelle montée. Bien sûr, le niveau de vie d'un pays et sa proximité des lieux saints sont des facteurs décisifs, qui expliquent que les habitants de la Péninsule et les Libyens participent au pèlerinage en plus grande proportion que les Marocains ou les Mauritaniens. Mais ces facteurs sont relativement stables dans le temps. C'est pourquoi les variations de la proportion de pèlerins dans un pays donné reflètent bien l'évolution de la ferveur religieuse. C'est au cours des années 70 qu'elle s'accrut dans tous les pays sans exception, en particulier ceux du Maghreb et de la vallée du Nil. En revanche, durant les années 80, au moment où les médias découvraient avec retard l'« intégrisme », le voyage à La Mecque ne s'accomplissait plus avec la même assiduité, sauf en Égypte, au Soudan et en Tunisie. Nul doute que la fréquence du pèlerinage est appelée aussi à s'amplifier dans l'Algérie des années 90.

Participation au pèlerinage (1982-1986)

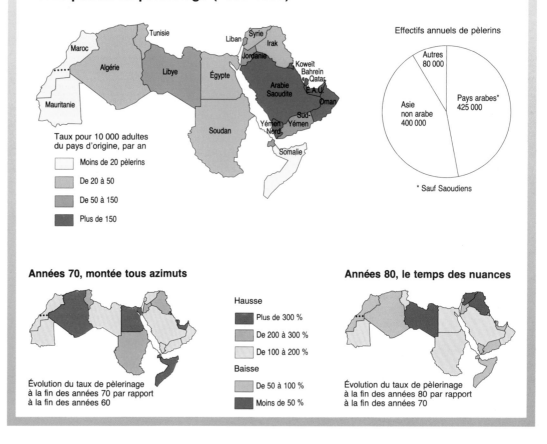

Taux pour 10 000 adultes du pays d'origine, par an
- Moins de 20 pèlerins
- De 20 à 50
- De 50 à 150
- Plus de 150

Effectifs annuels de pèlerins

Autres 80 000
Asie non arabe 400 000
Pays arabes* 425 000

* Sauf Saoudiens

Années 70, montée tous azimuts

Évolution du taux de pèlerinage à la fin des années 70 par rapport à la fin des années 60

Hausse
- Plus de 300 %
- De 200 à 300 %
- De 100 à 200 %

Baisse
- De 50 à 100 %
- Moins de 50 %

Années 80, le temps des nuances

Évolution du taux de pèlerinage à la fin des années 80 par rapport à la fin des années 70

La guerre civile lui a offert au Liban l'occasion d'une irrésistible percée. Première communauté musulmane par le nombre, mais encore largement confinée dans la Bekaa et le Sud lorsque le conflit éclata, les chiites sont parvenus, grâce à leur mobilisation, au soutien de l'Iran et de la Syrie ainsi qu'à l'argent de leurs émigrés, à occuper un territoire de plus en plus vaste, qui s'étend maintenant à tous les faubourgs sud de la capitale, jusqu'au cœur même de Beyrouth-Ouest. A observer combien il leur est difficile de transformer leur emprise sur la rue en contrôle des institutions du pays, on mesure leur isolement sur la scène locale et régionale, le Liban servant de caisse de résonance aux courants qui partagent le Moyen-Orient.

LES GENS DU LIVRE
Chrétiens et juifs

Arabes, mais chrétiens

Terre de l'islam, l'Orient arabe ne compte pourtant pas moins de treize églises chrétiennes regroupant environ sept millions de fidèles. Si les chrétiens autochtones ont disparu d'Afrique du Nord depuis le XVIIᵉ siècle, des communautés qui n'ont jamais adhéré au message coranique se réclament toujours du Christ dans les vallées du Nil, du Jourdain, du Tigre et de l'Euphrate, ainsi que dans les montagnes du Liban et du Kurdistan. Quatre d'entre elles avaient déjà forgé, plusieurs siècles avant la naissance du prophète Mahomet, le rite et la liturgie qu'elles ont conservés de nos jours.

Séparés de Rome

Des luttes intestines qui jalonnèrent les mille ans de l'Empire byzantin (395-1453) naquirent des Églises qui s'opposèrent d'abord à Constantinople, capitale de l'Empire romain d'Orient, puis à Rome. Toujours sur un fond de controverses théologiques, d'arguties et de formalisme subtil à l'excès, ces «querelles byzantines», qui portaient sur la dualité ou l'unicité de la nature du Christ, masquaient des enjeux d'ordre plus temporel.

Premiers à se soulever contre l'autorité papale, les chrétiens de Mésopotamie cherchaient par cette fronde à se concilier leurs nouveaux maîtres perses, qui venaient d'arracher leur territoire à Byzance. En adoptant la doctrine du patriarche Nestorius, qui discernait deux personnes dans le Christ, ils prouvaient leur insoumission à Constantinople. Ainsi se constitua l'Église nestorienne indépendante. Elle vit toujours dans la région qui l'a vu naître : le Kurdistan d'Irak*. L'exemple fut contagieux. Des velléités d'indépendance se manifestèrent bientôt à l'intérieur

même de Byzance, aux confins des provinces romaines. Soutenant cette fois la doctrine monophysite qui dénie toute nature humaine au Christ, Égyptiens, Syriens et Arméniens allèrent tour à tour croiser le fer avec le dogme pontifical. Le concile de Chalcédoine (451) taxa le monophysisme d'hérésie. Cette rupture entraîna l'émergence des Églises nationales copte, syrienne et arménienne.

Trois siècles plus tard, Byzance s'opposa à la montée en puissance de l'État franc qui voulait refaire de Rome la capitale de l'Empire latin. Le Saint-Esprit, et non plus le Christ, était alors devenu la pomme de discorde qui réanimait toutes les passions. Les débats séculaires qui s'ensuivirent provoquèrent le «Grand Schisme» des Églises d'Orient (orthodoxe) et d'Occident (catholique).

---

* L'Église de Mésopotamie, dans ses deux composantes nestorienne et chaldéenne, fit reparler d'elle à l'issue de la Première Guerre mondiale, lorsque les Britanniques soutinrent le projet d'un État assyro-chaldéen. Une république fut proclamée en 1923 et disparut en 1932.

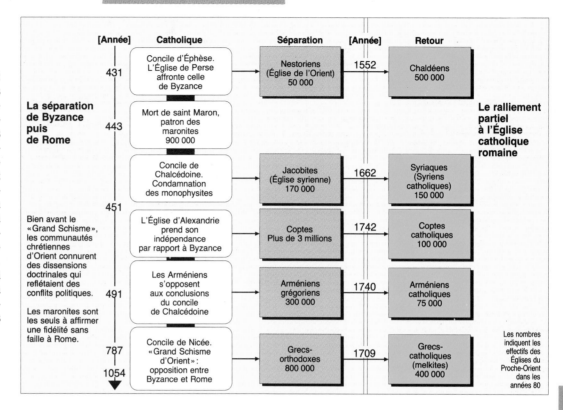

La séparation de Byzance puis de Rome

Bien avant le «Grand Schisme», les communautés chrétiennes d'Orient connurent des dissensions doctrinales qui reflétaient des conflits politiques.

Les maronites sont les seuls à affirmer une fidélité sans faille à Rome.

[Année]	Catholique	Séparation	[Année]	Retour
431	Concile d'Éphèse. L'Église de Perse affronte celle de Byzance	Nestoriens (Église de l'Orient) 50 000	1552	Chaldéens 500 000
443	Mort de saint Maron, patron des maronites 900 000			
451	Concile de Chalcédoine. Condamnation des monophysites	Jacobites (Église syrienne) 170 000	1662	Syriaques (Syriens catholiques) 150 000
	L'Église d'Alexandrie prend son indépendance par rapport à Byzance	Coptes Plus de 3 millions	1742	Coptes catholiques 100 000
491	Les Arméniens s'opposent aux conclusions du concile de Chalcédoine	Arméniens grégoriens 300 000	1740	Arméniens catholiques 75 000
787	Concile de Nicée. «Grand Schisme d'Orient»: opposition entre Byzance et Rome	Grecs-orthodoxes 800 000	1709	Grecs-catholiques (melkites) 400 000
1054				

Le ralliement partiel à l'Église catholique romaine

Les nombres indiquent les effectifs des Églises du Proche-Orient dans les années 80

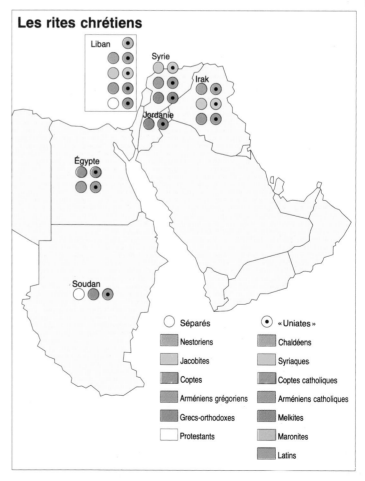

Les rites chrétiens

Liban · Syrie · Irak · Jordanie · Égypte · Soudan

○ Séparés   ⊙ «Uniates»

- Nestoriens — Chaldéens
- Jacobites — Syriaques
- Coptes — Coptes catholiques
- Arméniens grégoriens — Arméniens catholiques
- Grecs-orthodoxes — Melkites
- Protestants — Maronites
- — Latins

Retour au giron catholique

![blacklist marker] «Seuls les maronites qui passent parfois pour avoir jadis suivi l'hérésie monophysite ont sans doute toujours été unis à Rome et ils mettent aujourd'hui un point d'honneur à l'affirmer»[1]. Les autres Églises catholiques d'Orient, les «uniates», sont issues du ralliement tardif à Rome de communautés qui s'en étaient autrefois séparées. Comme s'ils pressentaient l'éphémère des royaumes et principautés francs de Jérusalem, de Tripoli et d'Antioche, les chrétiens d'Orient ne cédèrent pas à la séduction des croisés qui avaient tenté de les ramener sous l'autorité pontificale. A partir du XVIe siècle en revanche, lorsque la supériorité civile et militaire de l'Occident s'affirme, les missions latines vont rayonner en Orient et réaliser partiellement cet objectif, sous la protection des diplomates européens.

Il est difficile d'évaluer l'importance numérique des différentes communautés chrétiennes d'Orient. Sujet tabou dans la plupart des pays où l'islam ne règne pas seul, la religion ne figure régulièrement que dans les recensements d'Égypte et de Jordanie, qui ne mentionnent d'ailleurs jamais le rite. L'Irak, depuis 1947, et la Syrie, depuis 1960, ont renoncé à poser cette question. Au Liban, la volonté d'ignorer l'évolution de la répartition confessionnelle alla jusqu'à mettre le recensement hors la loi à la suite de l'unique opération du genre jamais menée il y a plus d'un demi-siècle (1932). Dans une telle situation, il n'est pas surprenant que chaque congrégation ait tendance à amplifier le nombre de ses fidèles.

Les coptes d'Égypte

![marker] Combien sont-ils?
La première communauté chrétienne d'Orient compte-t-elle en 1990 un peu plus de trois millions d'âmes, comme on peut le déduire du dernier recensement (1986)? Ou bien cinq, sept, voire dix millions, comme certaines autorités coptes l'affirment?

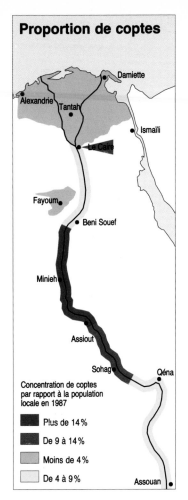

Proportion de coptes

Concentration de coptes par rapport à la population locale en 1987

- ![] Plus de 14 %
- ![] De 9 à 14 %
- ![] Moins de 4 %
- ![] De 4 à 9 %

La valse des estimations étonnera dans un pays où la statistique est abondante. Contrairement à certains pays de la région, l'Égypte n'est pas avare en données sur sa population: des recensements menés à intervalles réguliers depuis 1882 apportent chacun sa moisson de publications qui se prêtent à toutes sortes de vérifications et de recoupements.

La polémique n'en reste pas moins latente: la communauté copte estime qu'en la créditant de moins de 6 % de la population égyptienne les dénombrements officiels la sous-évaluent. Les recensements de la période coloniale semblent pourtant confirmer les statistiques officielles. Comme celui de 1947, mené par une administration étroitement contrôlée par les Anglais, plutôt favorables aux coptes. A cette époque, l'Égypte comptait 17 millions d'habitants et l'on avait recensé un million de coptes. Aujourd'hui, la population totale a triplé (53 millions); les coptes, au mieux, auraient fait de même.

La concentration spatiale de la communauté copte et la solidarité soudée par une tension confessionnelle épisodique lui donnent-elles l'«illusion du nombre»? Les coptes se regroupent en effet pour l'essentiel dans deux régions: Le Caire et le «Sa'ïd», autour de Minieh et Assiout, dont ils représentent 20 % des habitants.

En fait, à l'image des autres chrétiens d'Orient, les coptes ont devancé les musulmans dans le déclin de la natalité: leur proportion dans la population totale est tombée de 7,3 % en 1960 à 5,9 % en 1986**.

Quoique de plus en plus minoritaire, cette communauté contribue à façonner la personnalité d'un pays que l'Occident ne désigne toujours pas par son nom arabe, *Masr*, mais par celui de ses chrétiens: «Égypte» et «copte» sont un seul et même mot, venant du grec *Aiguptios*.

Les juifs

![marker] Tandis que le christianisme a porté le flambeau nationaliste et a survécu à l'islamisme, le judaïsme arabe a subi un véritable cataclysme des suites de la création d'Israël. Ses commu-

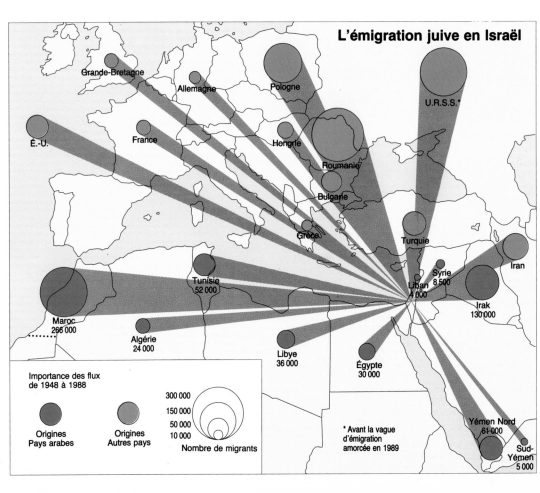

L'émigration juive en Israël

Maroc 266 000
Tunisie 52 000
Algérie 24 000
Libye 36 000
Égypte 30 000
Syrie 8 500
Liban 4 000
Irak 130 000
Iran
Turquie
Yémen Nord 61 000
Sud-Yémen 5 000

Importance des flux de 1948 à 1988

Origines Pays arabes
Origines Autres pays

300 000
150 000
50 000
10 000

Nombre de migrants

* Avant la vague d'émigration amorcée en 1989

nautés, autrefois florissantes, d'Égypte, d'Irak et de Syrie ne comptent maintenant que quelques centaines de vieillards ; celle du Yémen, qui s'était forgé au cours des siècles une culture si riche, tout au plus un millier[2]. La *Reconquista* et l'expulsion des juifs d'Espagne à la fin du XVe siècle avaient fait de l'Afrique du Nord, particulièrement du Maroc, un phare du judaïsme : il ne reste plus que 20 000 sujets israélites dans le royaume chérifien et 5 000 en Tunisie[3].

Le sionisme n'est pas né dans la région. Pendant longtemps, les Juifs arabes s'en désintéressèrent, lui manifestant parfois de l'hostilité. Que pouvait signifier pour eux, qui vivaient si près de la Palestine et de ses mœurs, le mot d'ordre de leurs coreligionnaires d'Europe de l'Est : «l'année prochaine à Jérusalem»? La première guerre israélo-arabe de 1948 elle-même ne parvint pas à consommer, sauf en Irak et au Yémen, le divorce entre la communauté et son environnement d'origine. On enregistra des départs, mais point d'exode massif. Le Maghreb en comptait encore plus d'un demi-million en 1956, lorsque la campagne de Suez et l'indépendance de la Tunisie et du Maroc vinrent sonner le glas de la présence juive en terre arabe. En prêtant main-forte au débarquement franco-britannique sur le canal, Israël soutenait une entreprise de facture purement coloniale et s'aliénait l'ensemble de l'opinion publique arabe, y compris dans le lointain Maghreb en lutte contre le même colonialisme. L'État sioniste ainsi devenu l'ennemi de la nation arabe chère au président Nasser, les juifs apparaissaient comme la cinquième colonne de l'État hébreu. Un engrenage irrésistible s'amorça : à Alger, la synagogue fut pillée et son cimetière profané ; au Maroc, les juifs perdirent le droit de quitter le territoire. Plus que les événements de la rue, c'est l'arabisation de l'enseignement en 1961 qui traumatisa la communauté juive marocaine, dont «l'âme était chevillée à la

langue et à la culture françaises»[4]. L'effet s'en fit sentir au-delà des frontières. En quelques mois, ce sont 250 000 juifs de Casablanca, Marrakech, Meknès, mais aussi de Tunis, de Nabeul et de Gabès[5] qui vont quitter la terre de leurs ancêtres et prendre le chemin de Tel-Aviv, malgré les mesures d'apaisement prises par le nouveau roi Hassan II et le président Bourguiba. A l'indépendance de l'Algérie, un exode identique se produisit, à destination cette fois de la France, dont les juifs algériens avaient la nationalité depuis le décret Crémieux (1870). Seule, une famille sur dix émigra en Israël.

Avec l'avènement d'un Maghreb uniformément musulman, s'éteignait une riche période de coexistence judéo-musulmane.

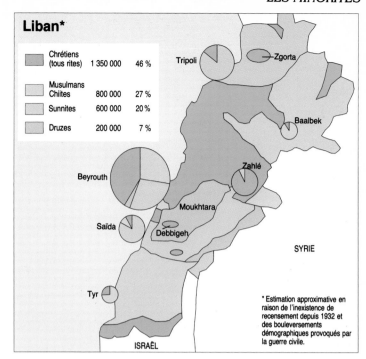

Liban*

Chrétiens (tous rites)	1 350 000	46 %
Musulmans Chiites	800 000	27 %
Sunnites	600 000	20 %
Druzes	200 000	7 %

Tripoli · Zgorta · Baalbek · Zahlé · Beyrouth · Moukhtara · Saïda · Debbigeh · SYRIE · Tyr · ISRAËL

* Estimation approximative en raison de l'inexistence de recensement depuis 1932 et des bouleversements démographiques provoqués par la guerre civile.

TOUJOURS PLUS MINORITAIRES !

Jadis menacés par la conversion des hommes, les chrétiens le sont-ils aujourd'hui par la faible fécondité des femmes ?

Dès 1939, c'est-à-dire bien avant le fléchissement de la natalité en Égypte, on avait noté que les coptes procréaient moins que les musulmanes[4]. Loin d'être fortuite, cette particularité se retrouve chez tous les chrétiens d'Orient, notamment d'Israël : au cours du dernier quart de siècle, malgré un déclin général, les musulmans ont conservé une fécondité deux fois plus élevée que celle des chrétiens, maintenant tombée au-dessous du niveau de celle de la population juive. La «bombe démographique» palestinienne est ainsi d'abord une bombe musulmane.

Au Liban, de même, la fécondité varie du simple au double selon les confessions. La différence provient certes de ce que les chrétiens se rangent en plus grand nombre que les musulmans parmi les catégories aisées, à niveau d'instruction élevé et à faible fécondité quelle que soit leur religion. Mais le statut social et éducatif n'explique pas tout. En effet, c'est parmi la population analphabète que l'on trouve un écart de fécondité, et non parmi les femmes les plus instruites, qui optent pour la famille restreinte aussi bien chez les musulmanes que chez les chrétiennes. Face à deux doctrines religieuses aussi natalistes l'une que l'autre, les chrétiens du petit peuple témoignent d'une plus grande liberté d'interprétation.

Le phénomène minoritaire ne se réduit cependant pas à l'effet du statut social ou de l'indépendance par rapport au dogme. L'option déjà ancienne des chrétiens d'Orient pour une natalité contrôlée ferait plutôt partie d'une allégeance culturelle large à l'Occident. N'ont-ils pas, à l'instar de leurs coreligionnaires européens, commencé à réduire leur fécondité avec la plus archaïque des méthodes — le coït interrompu —, alors que leurs compatriotes musulmans demeurent plus féconds malgré un usage plus intense de contraceptifs modernes[4]? Ambivalente dans ses effets, l'ouverture sur l'Occident des chrétiens d'Orient aura abouti d'un côté peut-être à renforcer leur position économique et leur statut culturel, mais de l'autre à affaiblir leur poids numérique.

Fécondité et confessions

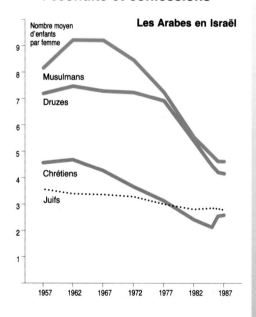

Les Arabes en Israël

Nombre moyen d'enfants par femme

Musulmans · Druzes · Chrétiens · Juifs

1957 · 1962 · 1967 · 1972 · 1977 · 1982 · 1987

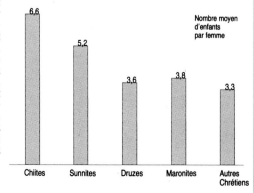

Au Liban, à la veille de la guerre civile

Nombre moyen d'enfants par femme

Chiites	Sunnites	Druzes	Maronites	Autres Chrétiens
6,6	5,2	3,6	3,8	3,3

** Cette baisse s'explique aussi par le fait que le recensement égyptien ne distingue pas les coptes des «autres chrétiens», qui étaient encore assez nombreux avant l'émigration, dans les années 60, des Syro-Libanais, des Grecs et des Italiens.

LES ARABES ET LES AUTRES
Minorités ethniques

Trois zones de contact

La conquête arabe apporta une religion et une langue. Pas plus que la première, la seconde ne s'imposa à la totalité des sujets. Treize siècles plus tard, l'école et les médias pourraient bien parachever la domination de la langue du Coran. Grâce aux ondes hertziennes se propageant de l'Atlantique au Golfe, l'arabe, dont étaient nés au fil du temps de multiples dialectes, retrouve une nouvelle unité et gagne du terrain face aux divers idiomes indo-européens ou africains qui lui ont survécu. A la naissance des États indépendants, ces langues sont devenues brutalement minoritaires, le courant national ayant hissé les couleurs de l'arabisme

pour s'opposer aux Turcs, puis aux colonialismes européens. Tandis que les communautés religieuses vivent au contact les unes des autres, le long du Nil jusqu'à Assouan ainsi que dans les villes du Moyen-Orient, on n'observe aucune promiscuité similaire au chapitre de la coexistence ethnico-linguistique. Comme s'il avait fallu l'immensité du désert ou les tourments du relief pour les protéger d'une irrésistible assimilation, les minorités ethniques ne survivent qu'abritées par les chaînes de l'Atlas, du Rif et du Zagros, ou par la végétation tropicale. Gommant peu à peu les exceptions, l'arabisme serait ainsi plus unificateur que l'islam. Vingt États dont deux cents millions de citoyens possèdent une même langue maternelle recèlent en effet une unité exceptionnelle en

Afrique et en Asie, où il n'est pas rare qu'un même État reconnaisse des dizaines de langues nationales. Mais, en même temps, ils sont vingt pour témoigner de l'éclatement d'une région que l'homogénéité ethnico-linguistique* n'a pas su fédérer. Comme dans d'autres aires linguistiques, on trouve une meilleure cohésion au centre que sur les marges. A l'exception d'Israël, corps étranger dont l'implantation au cœur du monde arabe est trop récente pour en tirer un enseignement, les seules minorités d'importance se rencontrent à la périphérie de la région : les Nilotiques sur sa frange méridionale, les Kurdes, les Turkmènes et les Perses à l'est, les Berbères à l'ouest ; trois zones où les tensions inhérentes à la coexistence linguistique sont vécues très différemment.

Mille trois cents ans avec les Berbères

A l'heure où resurgissent des frictions ancestrales dans diverses sociétés pluri-ethniques, l'Afrique du Nord pourrait donner l'exemple d'une harmonie retrouvée. Là, aux côtés de 46 millions d'Arabes, vivent 14 millions de Berbères [1] : Kabyles, Mzabites, Touareg, Rifains ou Chleuhs, selon qu'ils sont originaires du Moyen ou de l'Anti-Atlas, des Aurès ou du Sud oranais, du Djebel Nefousa ou de l'oasis de Siouah. Même si l'arabe détrône de plus en plus la langue de leurs ancêtres, leur origine berbère commune se traduit par la pratique de dialectes apparentés et par la mémoire des royaumes de Tahert, de

34

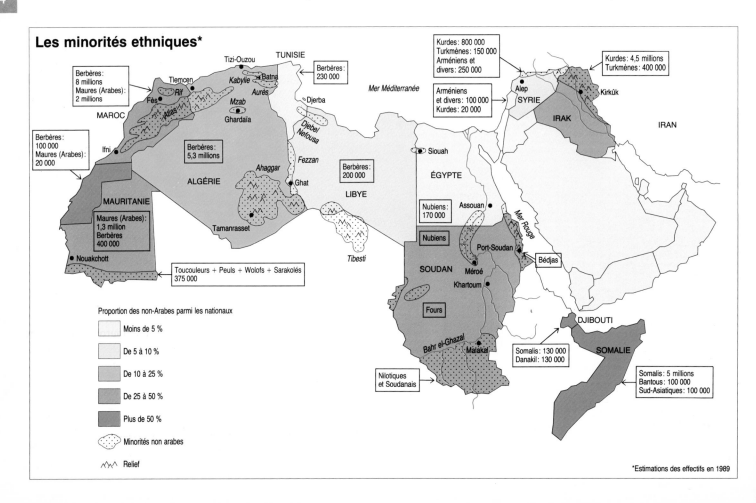

Les minorités ethniques*

Berbères : 8 millions
Maures (Arabes) : 2 millions

Berbères : 100 000
Maures (Arabes) : 20 000

Berbères : 230 000

Kurdes : 800 000
Turkmènes : 150 000
Arméniens et divers : 250 000

Kurdes : 4,5 millions
Turkmènes : 400 000

Arméniens et divers : 100 000
Kurdes : 20 000

Berbères : 5,3 millions

Berbères : 200 000

Maures (Arabes) : 1,3 million
Berbères 400 000

Toucouleurs + Peuls + Wolofs + Sarakolés 375 000

Nubiens : 170 000

Nubiens

Bédjas

Fours

Somalis : 130 000
Danakil : 130 000

Somalis : 5 millions
Bantous : 100 000
Sud-Asiatiques : 100 000

Nilotiques et Soudanais

MAROC — MAURITANIE — ALGÉRIE — TUNISIE — LIBYE — ÉGYPTE — SYRIE — IRAK — IRAN — SOUDAN — DJIBOUTI — SOMALIE

Tizi-Ouzou, Tlemcen, Kabylie, Batna, Rif, Aurès, Fès, Atlas, Mzab, Ghardaïa, Djerba, Djebel Nefousa, Ahaggar, Fezzan, Ghat, Siouah, Ifni, Tamanrasset, Tibesti, Nouakchott, Assouan, Méroé, Port-Soudan, Khartoum, Malakal, Bahr el-Ghazal, Alep, Kirkûk

Mer Méditerranée — Mer Rouge

Proportion des non-Arabes parmi les nationaux

- Moins de 5 %
- De 5 à 10 %
- De 10 à 25 %
- De 25 à 50 %
- Plus de 50 %
- Minorités non arabes
- Relief

*Estimations des effectifs en 1989

Tlemcen et de Fès, de la splendeur des empires almoravide et almohade. L'autonomie relative concédée à leurs communautés par des accords coutumiers a permis une coexistence millénaire, souvent tumultueuse il est vrai, avec les pouvoirs centraux.

Les plus nombreux, les Berbères du Maroc, dispersés sur les hauts plateaux de l'Atlas ou regroupés dans les lointaines vallées du Sud, affirment sans bruit leur identité. La défense de leur particularisme ne figure au programme d'aucun parti politique, ni au pouvoir ni dans l'opposition.

Les Berbères d'Algérie ont clamé plus haut leur volonté de préserver leur héritage culturel. La concentration de 95 % d'entre eux dans la Kabylie, les Aurès et le Mzab a favorisé cette cohésion, de même que la tradition de contestation et de libre débat qu'ils ont su maintenir contre vents et marées. Aujourd'hui, ils ne revendiquent pas l'autonomie politique, mais la reconnaissance de leur culture propre et une participation plus intense à la vie publique [2]. Ils s'expriment à travers les nouveaux courants qui animent le pays. C'est ainsi que le Rassemblement pour la culture et la démocratie (R.C.D.), parti de création récente, a inscrit dans sa charte «la reconnaissance du berbère comme langue nationale aux côtés de l'arabe» et que

l'une des deux Ligues algériennes de défense des droits de l'homme (L.A.D.D.H.) réclame «l'unité dans la diversité des cultures». L'ère de l'assimilation forcée pourrait être révolue et les soulèvements kabyles de 1963 et 1980 n'être plus qu'un douloureux souvenir.

Un demi-siècle de coexistence avec les Kurdes

▨▨▨ Comme les Berbères, les Kurdes ont conservé vivace l'organisation tribale qui les a protégés de l'assimilation, mais a freiné l'évolution de leurs structures politiques. La comparaison s'arrête là, car la coexistence interethnique pose ici des problèmes d'une tout autre ampleur. Il est difficile de préciser les contours du «pays kurde», et d'évaluer sa population, tant les politiques d'intégration forcée des États qui se partagent son territoire, essentiellement l'Irak, l'Iran et la Turquie, ont contribué à brouiller les définitions. Les déportations massives, la destruction de villages et les massacres ont profondément altéré la démographie. La répression fut souvent féroce, tempérée parfois par des actions moins sanglantes, par exemple la politique d'aménagement urbain récemment inaugurée par le gouvernement de Bagdad. Des villes

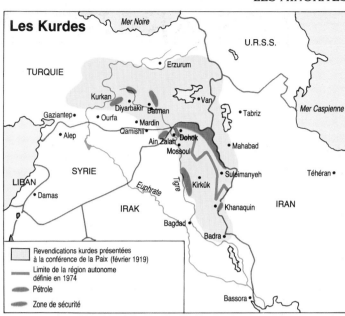

Les Kurdes

Revendications kurdes présentées à la conférence de la Paix (février 1919)

Limite de la région autonome définie en 1974

Pétrole

Zone de sécurité

entières furent érigées pour regrouper la population qui peuplait auparavant le «cordon de sécurité» profond de 30 km, que l'Irak avait délimité à ses frontières avec la Turquie et l'Iran**. Des trois pays concernés, l'Irak est pourtant le seul qui leur ait concédé une forme d'autonomie. Trois gouvernorats, Erbil, Suleimanyeh et Dohok, sont régis par la *loi d'autonomie* du 11 mars 1974, qui accorde un régime spécial aux régions où le recensement de 1957 avait révélé une majorité kurde. Dotée d'un conseil exécutif et d'un organe législatif élu, la «région autonome» administre les affaires locales ; le kurde y est langue officielle aux côtés de l'arabe, ainsi que langue d'enseignement dans le primaire, le secondaire et même le supérieur à la section kurde de l'université de Suleimanyeh. Grâce à une dizaine de journaux et de magazines, à une radio et à une station de télévision, la minorité préserve une certaine vie culturelle.

S'exprimant par la voix du Parti démocratique du Kurdistan et de l'Union patriotique kurde, les mouvements autonomistes doutent de la liberté d'action d'un conseil exécutif dont le président est nommé par le chef de l'État, ainsi que de la représentativité du conseil législatif. Cependant, ils dénoncent avant tout le tracé de la région autonome, qui évite soigneusement les riches gisements pétroliers de Kirkûk, de Khanaquin et de Ain Zalah. Ils

Estimation des Kurdes en 1990 par pays

	Fourchette en millions	
	basse [1]	haute [3]
Turquie	3,8	11,0
Iran	3,6	7,5
U.R.S.S.	0,2	0,4
Irak	3,7	5,0
Syrie	0,8	1,4
Total	12,1	25,3

réclament un nouveau recensement incluant une question sur l'ethnie, organisé sous contrôle mixte, qui donnerait au «Kurdistan d'Irak» un territoire plus vaste, une fois réintégrées les personnes déplacées.

Lorsqu'à la fin de la Première Guerre mondiale l'Empire ottoman fut démembré, les Kurdes y virent l'occasion d'accéder à l'indépendance. Ils présentèrent à la conférence de la Paix (1919) les contours qu'ils revendiquaient. Le pétrole n'avait encore jailli ni à Kirkûk, ni dans la Djesireh syrienne, pas plus que dans la région de Batman (actuellement turque). Si les luttes qu'ils mènent depuis quatre-vingts ans avaient abouti, nul doute que l'État du Kurdistan siègerait aujourd'hui en bonne place à l'O.P.E.P.

---

* Pour certains, n'appartiennent à l'ethnie arabe que les descendants des tribus de la Péninsule, Qahtânites et 'Adnânites. La tendance est maintenant à fonder l'arabité, non plus sur la parenté, mais sur la langue et la culture.

** Un logement, un lopin de terre et des indemnités allant de 4 500 à 9 000 dollars sont accordés aux familles kurdes ainsi déracinées.

35

LA VILLE PRÉCIPITE LE DÉCLIN DU BERBÈRE

Plus pernicieuse que l'action des autorités, l'émigration vers la ville pourrait précipiter le déclin de l'affirmation identitaire berbère. Préservée dans des montagnes aux maigres ressources, la culture berbère résiste mal à la tentation d'assimilation que lui propose la cité où les portes de l'emploi s'ouvrent plus grandes à ceux qui parlent l'arabe. Sans traditions écrites [2], les dialectes minoritaires sont de plus laminés par l'enseignement public dès la seconde génération.

Provinces du Nord-Maroc, migrations vers les villes

Zone où l'exode rural est capté par une ville lointaine

Zone où l'exode est capté par une ville proche

«Pays» berbères

Limites des provinces

Huit ans au Soudan

Jusqu'à l'indépendance du Soudan (1956), les tribus du Nord, Nubiens, Fours ou Bédjas étaient seules entrées en contact avec les Arabes auxquels devait revenir le pouvoir. Le Sud nilotique en avait surtout connu les razzias des marchands d'esclaves. Tant de souvenirs n'allaient pas faciliter la création d'un État à base interethnique.

Véritable tour de Babel, le Soudan ne compte pas moins de dix-neuf grands groupes ethniques, pratiquant une centaine de dialectes [4]. L'ethnie arabe ne représente que 40 % de la population, mais les arabophones 52 %, ce qui montre bien la progression de cette langue au détriment des autres idiomes [5]. Premier groupe du pays, ils ont accaparé l'essentiel du pouvoir à la faveur de l'extrême division qui règne au sud. Les accords d'Addis-Abeba (1972) avaient provisoirement mis fin au pre-mier soulèvement du Sud en lui concédant une certaine autono-mie. L'arabe n'y était plus lan-gue officielle et les trois provin-ces du Bahr el-Ghazal, de l'Equatoria et du Haut-Nil pos-sédaient leur parlement. Ils don-nèrent au Soudan une paix éphé-mère. Ayant repris en 1980, la sédition du Sud pourrait s'éten-dre aux provinces de la mer Rouge et du Kordofan.

Le Soudan indépendant n'aura donc connu que huit ans de paix. Vingt-sept ans de guerres civiles ont désintégré et plongé dans la famine le pays qui dispose des plus importantes ressources agri-coles de la région.

Groupes ethniques	Population en 1989 [5]
Arabes	9 500 000
Fours	3 200 000
Dinkas	3 000 000
Bédjas	1 500 000
Nouba	1 400 000
Nuers	1 100 000
Zandés	500 000
Nubiens	850 000
Autres	3 150 000
Total	24 200 000

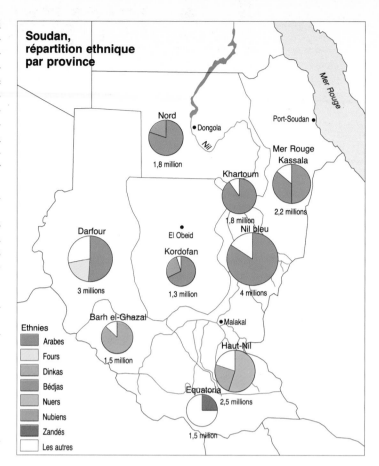

Soudan, répartition ethnique par province

Ethnies
- Arabes
- Fours
- Dinkas
- Bédjas
- Nuers
- Nubiens
- Zandés
- Les autres

ARABE, SINON SUNNITE !

Arabité et sunnisme sont partout dominants. A-t-on pourtant suffi-samment remarqué l'opposition de leur répartition spatiale, que les deux cartes ci-contre révè-lent ?

Au Maghreb et dans la Corne de l'Afrique, la population est à 99 % sunnite, mais les ethnies non arabes sont largement pré-sentes. A l'inverse, au Proche-Orient et dans la Péninsule, la population se reconnaît comme arabe dans sa quasi-totalité, mais pas toujours comme sunni-te. Une remontée de quelques années dans l'histoire nous montrerait d'ailleurs qu'aux por-tes des lieux saints les dernières poches animistes du 'Assir ne furent islamisées que dans les années 60, sous le règne du roi Faysal d'Arabie Saoudite.

Comment le sunnisme, qui rè-gne en maître aux confins du monde arabe, a-t-il toléré d'au-tres croyances aussi près de La Mecque ? Les premières heures de l'islam aident à le compren-dre.

A travers les empires qu'il a engendrés, l'islam a autorisé juifs et chrétiens, les «gens du Livre», à conserver leur religion au prix d'un code hiérarchique inégalitaire*, même si cet esprit de tolérance n'a pas été scrupu-leusement respecté tout au long de l'histoire. Par ailleurs, c'est dans les arcanes du pouvoir arabe que naquirent la plupart des schismes de l'islam. Une tradition attribuée au prophète Mahomet ne dit-elle pas : «la différence d'opinion dans *ma communauté* est un acte de la merci divine» [6] ? A l'exception des juifs, les populations d'Afri-que du Nord ou de Perse, que les Arabes allaient conquérir, ne faisaient partie ni de *sa commu-nauté* ni des gens du Livre. Voilà sans doute pourquoi elles n'eu-rent pas le choix et se converti-rent à la religion du pouvoir : le sunnisme**.

C'est ainsi que, berceau tant de l'arabité que de l'islam dans son orthodoxie sunnite, la Péninsule demeure de nos jours le «cœur» de la première, mais pas de la seconde. Au fur et à mesure qu'on s'en éloigne, la proportion des Arabes diminue, tandis que le paysage sunnite devient homogène.

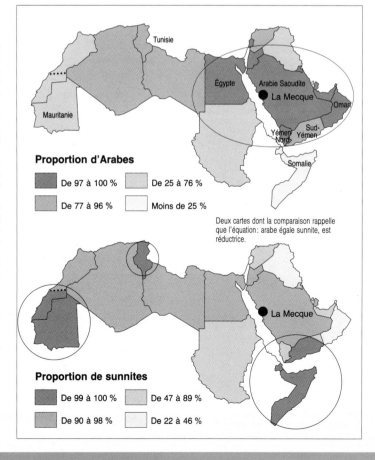

Proportion d'Arabes
- De 97 à 100 %
- De 77 à 96 %
- De 25 à 76 %
- Moins de 25 %

Deux cartes dont la comparaison rappelle que l'équation : arabe égale sunnite, est réductrice.

Proportion de sunnites
- De 99 à 100 %
- De 90 à 98 %
- De 47 à 89 %
- De 22 à 46 %

---

* Statut de *Dhimmi* de l'islam classi-que ou système des *Millet* ottoman.
** Les Perses étaient majoritaire-ment sunnites jusqu'au XVIᵉ siècle.

LA POPULATION

GÉOPOLITIQUE DU NOMBRE

L'importance des nations s'est longtemps mesurée à leur poids démographique. En cette fin du XXe siècle, la puissance militaire ou économique n'est plus tant tributaire de l'effectif des armées ou des agents économiques, que de la technologie dont ils disposent. Pourtant, nul État n'est indifférent au nombre des hommes. Ceux qui dominent la planète s'inquiètent de leur dénatalité, tandis qu'un immense potentiel démographique parvient à rasséréner bien des États pauvres, assurés de survivre ainsi à toutes les adversités. Le monde arabe ne pèse pas très lourd dans la population du globe, à peine 4 % de l'humanité. Mais la religion dont il détient la langue sacrée le place au cœur de l'aire musulmane, forte de près d'un milliard d'hommes.

Une part croissante de la population mondiale

Les pays arabes sont relativement peu peuplés. Le premier d'entre eux, l'Égypte, n'occupe que la vingtième place dans le concert des grandes nations. Si l'unité à laquelle ils aspirent parfois les soudait en un seul État, ses 212 millions d'habitants le placeraient derrière les États-Unis d'Amérique et l'Union soviétique, un peu plus loin de l'Europe des Douze.

Dans les vingt prochaines années, le monde arabe aura dépassé trois États continents.

▼

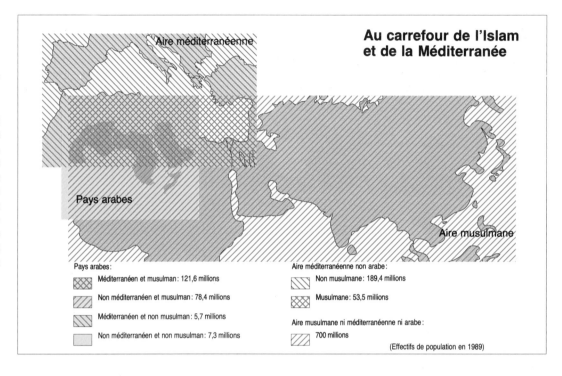

Au carrefour de l'Islam et de la Méditerranée

Pays arabes :
- Méditerranéen et musulman : 121,6 millions
- Non méditerranéen et musulman : 78,4 millions
- Méditerranéen et non musulman : 5,7 millions
- Non méditerranéen et non musulman : 7,3 millions

Aire méditerranéenne non arabe :
- Non musulmane : 189,4 millions
- Musulmane : 53,5 millions

Aire musulmane ni méditerranéenne ni arabe :
- 700 millions

(Effectifs de population en 1989)

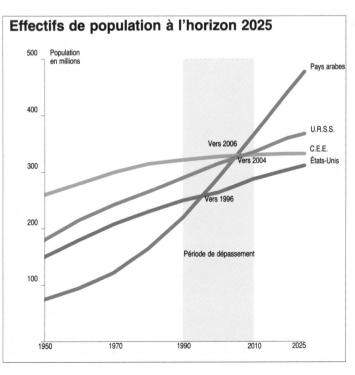

Effectifs de population à l'horizon 2025

Population en millions

Pays arabes
U.R.S.S.
C.E.E.
États-Unis

Vers 2006
Vers 2004
Vers 1996

Période de dépassement

1950 · 1970 · 1990 · 2010 · 2025

Ils ont cependant le dynamisme démographique des populations jeunes, qui contraste avec l'atonie du Vieux Continent et de l'Amérique du Nord. En 1900, la population totale des pays arabes ne s'élevait qu'à 36 millions de personnes, moins de la moitié des États-Unis ou de la Russie d'alors, le cinquième de l'Europe des Douze, tout juste 2,2 % de la population mondiale. En moins d'un siècle, cette dernière proportion a doublé.

Quels que soient les scénarios de reprise de la natalité en Europe ou aux États-Unis, ces pays sont placés sur des trajectoires qui croiseront inéluctablement celle du monde arabe. Le dépassement surviendra au tournant du siècle. Avant l'an 2030, selon les projections des Nations unies[1], les Arabes atteindront le demi-milliard d'hommes.

Une place modeste parmi les musulmans

S'il appartient, par la géographie, à l'Afrique et à l'Asie, le monde arabe se situe par l'histoire à la croisée de deux aires, musulmane et méditerranéenne.

L'arabe est la langue du Coran et l'islam la religion de l'immense majorité des Arabes. Pourtant, ceux-ci forment à peine 21 % des musulmans du monde, dont une grande majorité se regroupe en Extrême-Orient, à Java et dans les vallées du Gange, du Brahmapoutre et de l'Indus[2]. Leur démographie n'étant pas sensiblement plus vigoureuse que celle de leurs coreligionnaires, ils conserveront dans un avenir prévisible cette place

LES DIX PREMIERS PAYS MUSULMANS

(population en millions en 1989)

Rang	Pays	Population	dont musulmans	%
1	Indonésie	178,4	142,7	80
2	Pakistan	109,8	106,5	97
3	Inde	813,1	97,6	12
4	Bangla Desh	112,3	95,4	85
5	Turquie	53,5	52,5	98
6	Nigeria	109,5	50,6	46
7	U.R.S.S.	289,1	49,2	17
8	Iran	49,9	48,9	98
9	Égypte	51,4	48,4	94
10	Algérie	24,7	24,6	99
17	Arabie Saoudite	13,5	12,6	95

modeste. Dans le classement des populations musulmanes, l'Égypte se situe au neuvième rang et l'Arabie Saoudite, comptant les vestiges les plus sacrés de l'islam, au dix-septième. Le rayonnement spirituel de ce dernier pays ne se mesure pas au nombre des citoyens, mais à celui des fidèles de par le monde, environ cent fois plus nombreux.

En retrouvant un équilibre nord-sud perdu depuis deux mille ans, les rives de la Méditerranée abriteront demain un demi-milliard d'hommes : dix fois plus qu'à l'époque de l'Empire romain.

▼

Équilibre instable en Méditerranée

Les États arabes riverains de la Méditerranée (127 millions d'habitants) forment un peu plus du tiers de la population totale des pays qui bordent cette mer. Dans les grands ensembles géopolitiques en formation, la Turquie tient une place d'arbitre. Si l'on considère ses relations privilégiées avec l'Europe et sa volonté d'apporter la treizième étoile au drapeau couleur d'azur, la masse démographique est toujours an-

crée au nord. Si, en revanche, on met en avant son appartenance islamique, les deux rives du bassin sont aujourd'hui à égalité numérique, mais ne le seront plus demain, car la croissance de la population est largement inscrite dans ses caractéristiques présentes : sur les 170 millions de riverains supplémentaires que l'on comptera en l'an 2025, 68 % seront nés dans un pays arabe, 22 % en Turquie et 10 % seulement en Europe.

La Méditerranée, en effet, n'est pas une frontière comme les autres. Elle sépare deux des régimes démographiques les plus opposés de la planète. Au nord, les populations européennes ont une structure par âge vieille qui continue de vieillir, avec une croissance quasiment nulle, tandis qu'au sud un taux d'accroissement record commence tout juste à fléchir parmi des populations jeunes qui achèvent à peine une longue phase de rajeunissement.

Au nord, la reprise de la natalité et le financement des retraites, au sud la montée des jeunes et la satisfaction de leurs besoins en instruction, en emplois, en logements, tels sont les défis que la démographie lance aujourd'hui à la politique.

La perspective du déséquilibre imminent suscite parfois au nord

l'inquiétude de ceux qui oublient d'interroger l'histoire. A l'apogée de l'Empire romain, il semble qu'une majorité de ses sujets ait pu résider sur la rive sud du *Mare Nostrum*[3]. L'inégale croissance démographique que l'on enregistre aujourd'hui ne serait en quelque sorte que le rattrapage d'un long retard accumulé au sud, à l'époque où l'Europe ne partageait pas avec d'autres ses armes nouvelles contre les hautes mortalités. En 2025, horizon lointain pour des perspectives de population, on pourrait retrouver un équilibre perdu depuis deux mille ans.

La disparité entre une rive sud à la démographie forte mais à l'économie faible et une rive nord où les termes sont inversés recèle un fort potentiel explosif. A l'affrontement que risque d'entraîner un déséquilibre grandissant, l'osmose amorcée par la migration des hommes du sud vers le nord pourrait offrir une alternative, pour peu qu'une migration symétrique, de capitaux et de technologie du nord vers le sud, vienne la compléter et peut-être, demain, retenir dans le Sud les compétences dont il a tant besoin. Aujourd'hui ligne de fracture démographique, la Méditerranée retrouverait ainsi sa vocation de trait d'union.

39

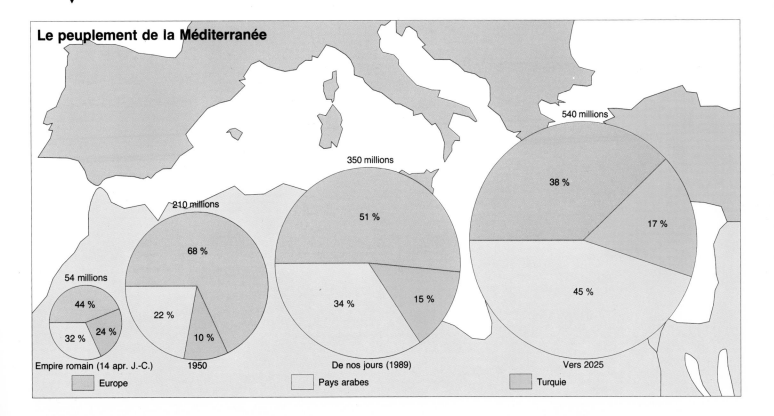

Le peuplement de la Méditerranée

54 millions
44 %
32 %
24 %
Empire romain (14 apr. J.-C.)

210 millions
68 %
22 %
10 %
1950

350 millions
51 %
34 %
15 %
De nos jours (1989)

540 millions
38 %
17 %
45 %
Vers 2025

Europe   Pays arabes   Turquie

Deux masses démographiques disjointes

Le monde arabe possède la propriété exceptionnelle de n'être peuplé que sur ses marges: l'intérieur de la carte du peuplement est vide. Les fortes concentrations démographiques sont entrecoupées d'immensités pratiquement dépeuplées. Cette discontinuité du peuplement ne représente cependant pas tant une rupture que l'une des raisons profondes de l'unité linguistique et culturelle arabe, puisque ce sont les maîtres du désert qui l'ont forgée. «Les marchés de chameaux en Syrie, en Mésopotamie et en Égypte déterminent la population du désert, fixent strictement son niveau de vie. Ainsi le désert à son tour peut être parfois surpeuplé: d'où les poussées de tribus jouant des coudes vers la lumière [...]. Rares sont les Sémites du Nord, en admettant qu'il en existe, dont les ancêtres n'ont pas, dans quelque Moyen Âge, traversé le désert. La plus mordante et la plus profonde des disciplines sociales, le nomadisme, les a tous marqués»[1].

Fédérateur durant la phase d'expansion au premier siècle de l'Hégire, le désert a toutefois favorisé par la suite la croissance séparée de deux ensembles de nos jours encore disjoints, à l'est et à l'ouest de la Libye.

Les populations nilotiques se prolongent sans solution de continuité par celles du Croissant fertile, elles-mêmes à portée de caravane des peuples du Sud arabique. En revanche, plus de deux mille kilomètres d'aridité séparent ces régions denses de celles d'Afrique du Nord. Avec les moyens de communication traditionnels, les hommes pouvaient ainsi circuler aisément à l'intérieur soit du Maghreb soit du Machrek, mais plus difficilement de l'un à l'autre. La carte du peuplement illustre comment l'espace a favorisé l'individualisation de deux personnalités. Ce n'est pas par hasard que les pro-

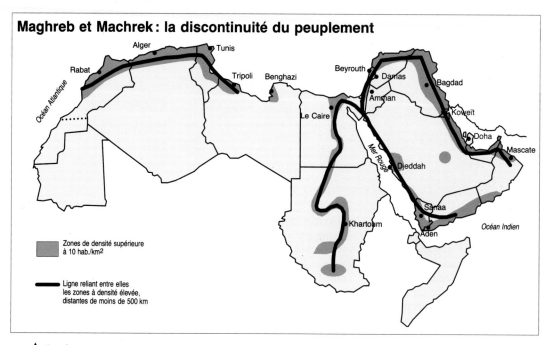

Maghreb et Machrek: la discontinuité du peuplement

Zones de densité supérieure à 10 hab./km2

Ligne reliant entre elles les zones à densité élevée, distantes de moins de 500 km

▲ La distinction des géographes arabes entre le Machrek, «Orient», et le Maghreb, «Occident», séparés par le désert libyen, rend mieux compte des réalités humaines que l'opposition de l'Asie et de l'Afrique, reliées par l'isthme de Suez. Les Arabes se répartissent entre 70 % d'Orientaux et 30 % d'Occidentaux*.

Les inégalités d'aujourd'hui sont attestées par l'histoire. Dès 1913, le Mont-Liban était plus dense (125 hab./km2) qu'aujourd'hui tous les autres pays arabes, de même que Bahreïn en 1941 (131 hab./km2). Ce dernier pays est le quatrième du monde par la densité, après ▼ Hong-Kong, Singapour et le Bangla Desh.

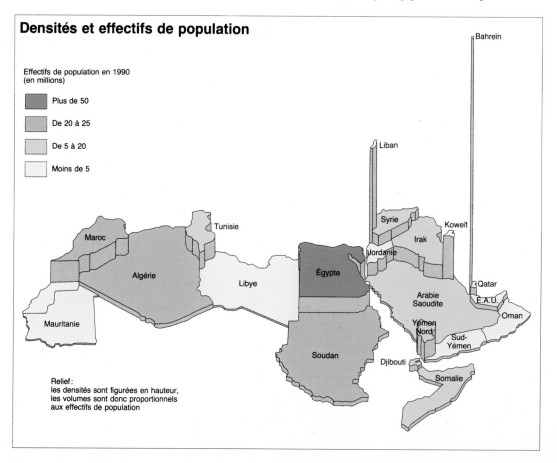

Densités et effectifs de population

Effectifs de population en 1990 (en millions)

Plus de 50

De 20 à 25

De 5 à 20

Moins de 5

Relief: les densités sont figurées en hauteur, les volumes sont donc proportionnels aux effectifs de population

jets d'unification politique des dernières décennies portèrent à chaque fois sur des regroupements limités à l'intérieur de l'un ou l'autre bloc. Parce qu'elle se situe aux confins des deux, la Libye fut seule à proposer des alliances qui concernèrent tantôt le premier ensemble, tantôt le second, parfois les deux à la fois.

Insularité et ouverture, facteurs de densité

▬▬▬ Bien sûr, la population s'est regroupée sur les périmètres chichement comptés où le sol est fécond et, tout récemment, à proximité de ceux où le sous-sol est généreux.
Cependant, la carte du peuplement révèle des densités très inégales sur les terres fertiles. En effet, la concentration de population s'est réalisée à la faveur d'un facteur de prospérité conjugué à un environnement hostile, créateur d'insularité.
Dans la vallée du Nil, la fertilité légendaire de la terre autorisa une croissance démographique, mais l'encerclement désertique rigoureux l'endigua, si bien que l'Égypte atteignit le record du monde de densité rurale.
Dans les montagnes du Liban et dans l'archipel de Bahreïn, points culminants sur la carte des densités, la population s'épanouit sur des terres plus ingrates. Ici le relief et là l'insularité *stricto sensu* ont offert une situation géographique propice à la défense des minorités religieuses. C'est l'ouverture à l'ouest sur l'Europe et à l'est sur l'Extrême-Orient qui fut le premier facteur de prospérité : la région s'imposa comme passage obligé entre ces deux mondes lointains, qui ne se connurent, jusqu'à la découverte

de la route du Cap, que par l'intermédiaire de commerçants levantins et de caravaniers. Ainsi prédisposée par l'histoire à capter et à fertiliser une richesse produite ailleurs, elle saisit une seconde chance avec l'avènement de l'économie pétrolière dans la Péninsule. Premiers producteurs sur les rives du Golfe, les Bahreïnis surent mettre une longue expérience de gestionnaires à la disposition de leurs puissants voisins lorsque leur propre or noir vint à tarir. Dans le vivier levantin, les princes du pétrole puisèrent les cadres et les intermédiaires nécessaires à la mise en valeur de la rente. Les Palestiniens étaient disponibles pour s'installer dans le Golfe**. Les Libanais firent de Beyrouth jusqu'en 1975 la plaque tournante qui permit à sa population de connaître la prospérité à l'ombre du pétrole***.

INÉGALITÉS DE PEUPLEMENT

Les disparités de peuplement que l'on observe en comparant les pays se retrouvent à l'intérieur de ceux d'entre eux qui s'ouvrent d'un côté sur la mer, mordent de l'autre sur le désert et comprennent entre les deux des massifs montagneux. Ainsi, l'Algérie reproduit en miniature les contrastes extrêmes du monde arabe. On y distingue trois zones, parfaitement individualisées :
– la «bande littorale», profonde d'une trentaine de kilomètres, qui représente 1,7 % du territoire mais regroupe 38,6 % de la population (sa densité atteint 222 hab./km^2) ;
– le Tell et la Steppe, qui occupent 10,3 % de la superficie et concentrent 52,7 % de la population (50 hab./km^2) ;
– le Sud, enfin, dont les immensités totalisent 88 % du territoire pour n'héberger que 8,7 % de la population (0,9 hab./km^2)[(1)].
Ces inégalités de densité tiennent à l'économie, et pour certaines à la politique également. En Algérie, où les grands espaces et les zones denses sont fédérés par un pouvoir central, elles ne revêtent cependant pas la même signification que dans les cas du Liban et de Bahreïn, où des frontières nationales se sont dressées pour isoler les fortes concentrations démographiques.

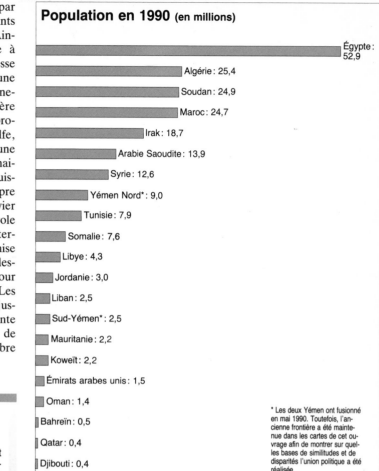

Population en 1990 (en millions)

- Égypte : 52,9
- Algérie : 25,4
- Soudan : 24,9
- Maroc : 24,7
- Irak : 18,7
- Arabie Saoudite : 13,9
- Syrie : 12,6
- Yémen Nord* : 9,0
- Tunisie : 7,9
- Somalie : 7,6
- Libye : 4,3
- Jordanie : 3,0
- Liban : 2,5
- Sud-Yémen* : 2,5
- Mauritanie : 2,2
- Koweït : 2,2
- Émirats arabes unis : 1,5
- Oman : 1,4
- Bahreïn : 0,5
- Qatar : 0,4
- Djibouti : 0,4

* Les deux Yémen ont fusionné en mai 1990. Toutefois, l'ancienne frontière a été maintenue dans les cartes de cet ouvrage afin de montrer sur quelles bases de similitudes et de disparités l'union politique a été réalisée.

41

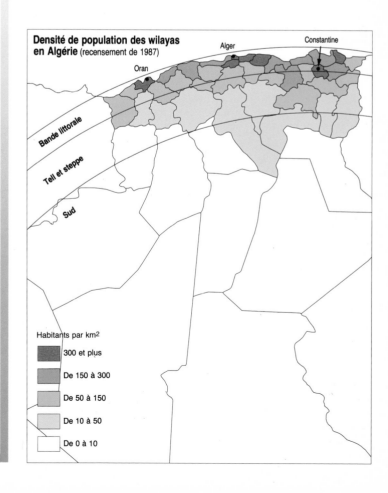

Densité de population des wilayas en Algérie (recensement de 1987)

Oran · Alger · Constantine

Bande littorale
Tell et steppe
Sud

Habitants par km^2
- 300 et plus
- De 150 à 300
- De 50 à 150
- De 10 à 50
- De 0 à 10

---

* Les 5 millions d'habitants de la Corne de l'Afrique ne sont pas comptés dans ces chiffres.
** La carte des densités et effectifs de population comporterait un troisième point culminant (très haute densité) si l'on portait sur la surface occupée par l'État d'Israël l'ensemble de la population palestinienne, de l'intérieur et de la diaspora.
*** La longue tradition d'émigration libanaise s'interrompit à l'avènement de l'ère pétrolière dans le Golfe. Il fallut la guerre civile de 1975 pour qu'elle reprît.

LA NATALITÉ EN BAISSE

*E**n apprenant à maîtriser sa reproduction, l'homme vient d'amorcer un tournant radical de son histoire. Durant la seconde moitié du XXᵉ siècle, les trois quarts de l'humanité auront abandonné un passé millénaire de fécondité élevée pour un régime de famille planifiée. Il a fallu pour cela une véritable révolution de la famille, dans laquelle tous les peuples ne se sont pas engagés avec la même ardeur. Entre les sociétés les plus industrialisées, où le choix du nombre est désormais laissé à l'initiative des individus, et celles où l'environnement continue de privilégier la famille nombreuse, la distance n'a jamais été aussi grande qu'aujourd'hui. Au sein même du monde arabe, l'écart s'est creusé entre les populations dont les femmes ne procréent plus que quatre à cinq enfants en moyenne, et celles du Sud arabique qui, avec huit enfants, talonnent les records de l'Afrique de l'Est.*

La natalité porte les enjeux démographiques et géostratégiques du monde de demain, car elle détermine le potentiel d'accroissement des populations. Tandis que l'alignement de la mortalité sur les niveaux les plus faibles est d'ores et déjà concevable, l'incertitude demeure grande sur l'avenir de la natalité. Il repose en effet sur la force d'inertie des traditions familiales. La femme est au cœur de cette interrogation. Du sort qui sera réservé à son statut dans la famille et dans la société dépend largement l'évolution future. La variation des niveaux de fécondité dans la région reflète avant tout celle de la condition féminine. Les couples procréent en effet moins partout où la société civile s'ouvre plus franchement aux femmes : par l'école, grâce à laquelle la jeune fille sort du domicile paternel, mais surtout par le travail qui mène l'épouse hors du foyer conjugal.

La Méditerranée devance la Péninsule

Il y a quarante ans, la fécondité était uniformément supérieure à six enfants par femme. Elle culmina vers 1960-1970, la descendance des femmes yéménites, syriennes et jordaniennes frôlant les neuf enfants en moyenne. Aujourd'hui, le déclin est perceptible partout, y compris dans les pays encore très féconds du Golfe.

En mettant en place des programmes de plan familial dès les années 60, l'Égypte et la Tunisie firent figure de pionniers dans le monde arabe. A leurs débuts, pourtant, ces programmes facilitèrent le contrôle de leur fécondité par des femmes déjà motivées, plus qu'ils ne suscitèrent de nouvelles vocations malthusiennes. En effet, la législation en matière de contraception ne s'est montrée pleinement efficace que lorsqu'elle a répondu à une demande de la population. Les Libanais, quant à eux, n'avaient pas attendu la mise en place d'une campagne nationale pour limiter leur descendance dès les années 60. Avec près de vingt ans de retard, l'Algérie s'est elle-même résolument engagée dans la maîtrise de sa natalité. Porte-parole des opposants à la campagne malthusien-

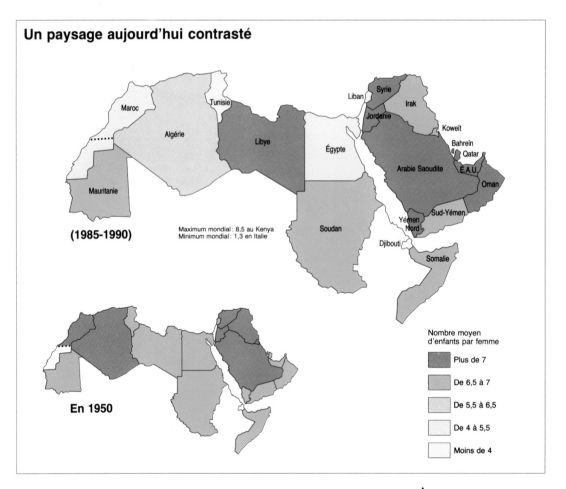

Un paysage aujourd'hui contrasté

(1985-1990)

Maximum mondial : 8,5 au Kenya
Minimum mondial : 1,3 en Italie

En 1950

Nombre moyen d'enfants par femme

- Plus de 7
- De 6,5 à 7
- De 5,5 à 6,5
- De 4 à 5,5
- Moins de 4

▲

La tendance à la baisse ne s'observe nettement que dans les pays riverains de la Méditerranée, sauf en Libye et en Syrie.

ne lancée par la première conférence mondiale de la population tenue à Bucarest en 1974, elle proclamait en duo avec la Chine que la réduction de la natalité résulterait du progrès économique, mais non l'inverse. Leur mot d'ordre « notre pilule, c'est le développement ! » était destiné à rallier le camp de la lutte « anti-impérialiste ». Dix ans plus tard, à la seconde conférence réunie par les Nations unies à Mexico, l'Algérie était devenue

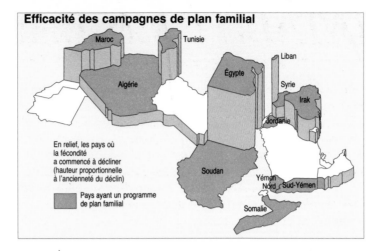

Efficacité des campagnes de plan familial

En relief, les pays où la fécondité a commencé à décliner (hauteur proportionnelle à l'ancienneté du déclin)

Pays ayant un programme de plan familial

▲

Le relief sur cette carte est proportionnel à la précocité du déclin de la fécondité. Elle coïncide généralement avec l'ancienneté des programmes officiels de plan familial, dont la plupart des pays sont maintenant dotés.

Proportion de femmes mariées recourant à la contraception vers 1980

Pays	%
Yémen	1,5 %
Mauritanie	1,6 %
Soudan	6,4 %
Syrie	29,5 %
Maroc	29,6 %
Tunisie	31,2 %
Égypte	31,9 %
Jordanie	37,3 %

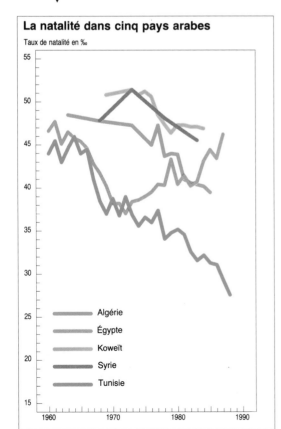

La natalité dans cinq pays arabes

Taux de natalité en ‰

— Algérie
— Égypte
— Koweït
— Syrie
— Tunisie

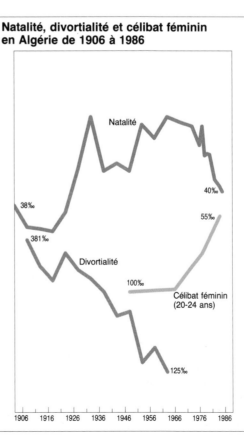

Natalité, divortialité et célibat féminin en Algérie de 1906 à 1986

Natalité
Divortialité
Célibat féminin (20-24 ans)

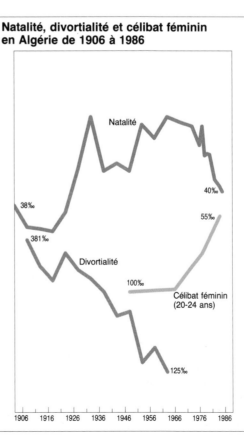

---

un adepte du plan familial et la Chine prônait avec vigueur l'enfant unique.

Du retard du mariage à la planification de la famille

▬ Une lente élévation de la fécondité avait précédé le déclin de ces dernières années. Ces deux mouvements en sens inverse trouvent largement leur origine dans les transformations du mariage. En Algérie par exemple, la hausse continue de la natalité de 1920 à 1970 et la régression du divorce furent concomitantes. La forte divortialité traditionnelle[1] freinait en effet la fécondité : dans une

Le contrôle de la natalité ne fait plus de doute, mais ses acquis paraissent encore fragiles : après dix années de baisse en Égypte à l'époque nassérienne, la natalité s'était sensiblement relevée durant la présidence de Sadate, pour reprendre ensuite sa tendance au déclin.

▼

LE BIBERON CONTRE LA PILULE

La contraception a désormais pénétré de nombreuses campagnes. En Égypte par exemple[2], ce sont les femmes les plus modernes qui y recourent. Mais leur modernité les conduit par ailleurs à abandonner progressivement l'allaitement au sein, inhibiteur naturel de la fécondité. Entre l'espacement des naissances que la pilule permet et celui que le biberon supprime, le solde est pratiquement nul : les femmes «modernes» ont presque autant d'enfants que les plus «traditionnelles».

société qui réprime implacablement la sexualité extraconjugale, toute période hors mariage est une période inféconde. Avec la stabilisation du couple conjugal, la famille s'est donc agrandie. Mais une seconde évolution de la nuptialité vint bientôt agir en sens opposé : l'élévation de l'âge des filles au premier mariage, très sensible dès la fin des années 60. Le retard du premier, ou unique, mariage entraîna alors une réduction de la taille finale de la famille.

A cette arithmétique est venue s'ajouter l'action des procédés anticonceptionnels. La proportion des femmes mariées qui les utilisent est très variable, allant de 1 % en Mauritanie à plus de 30 % en Tunisie. Parmi les utilisatrices des méthodes modernes, une majorité se dégage nettement en faveur de la pilule (71 % au Maroc, 68 % en Égypte, 59 % en Syrie), à l'exception des Tunisiennes, qui lui préfèrent le dispositif intra-utérin (28 %), ou le plus radical des procédés, la stérilisation par la ligature des trompes. Elle a été pratiquée sur 24 % des utilisatrices, soit 7,5 % des femmes mariées de moins de 50 ans. Seuls le Sri Lanka et quelques pays d'Amérique latine ont une proportion comparable de femmes stérilisées[2]. Les pratiques contraceptives présentent cependant un trait commun dans toute la région : les couples n'y ont recours qu'après avoir mis au monde le nombre final d'enfants qu'ils désirent. Il s'agit d'une contraception d'arrêt et non d'espacement.

43

AVOIR MOINS D'ENFANTS

Une révolution des mentalités

La vie contre la mort?

Le déclin de la fécondité a vraisemblablement une vocation planétaire. Ses causes n'en sont pas pour autant universelles. Les plus actives dans d'autres régions du monde ne le sont pas nécessairement dans les sociétés arabes.

Dans un passé encore récent, une forte mortalité faisait planer une menace constante sur la reproduction des hommes.

Ils y répondaient par une haute fécondité. Pour amener deux enfants à l'âge adulte, un garçon qui perpétuerait la famille et une fille à marier, un couple devait en avoir mis au monde six, dont quatre seraient emportés par une maladie de l'enfance.

De nos jours, la famille nombreuse n'est plus une réponse anticipée à la mort. La fécondité s'est totalement affranchie de la mortalité des enfants. Parmi les pays où celle-ci est la plus basse, on trouve pêle-mêle des pays de fécondité élevée, Syrie, Jordanie ou Koweït, ou modérée, comme la Tunisie.

Sur ces quatre cartes, la coloration, invariable, représente le nombre moyen d'enfants par femme. Le relief représente à chaque fois une donnée explicative différente : mortalité infantile, scolarisation des filles, activité des femmes et pratique religieuse. Ainsi, la hauteur d'un pays est proportionnelle à la valeur de la variable représentée (donnée en annexe). Ce n'est que lorsque l'intensité de couleur et relief coïncident que l'on a affaire à une variable explicative forte : ainsi de la religion et du travail des femmes, mais non de la mortalité infantile ou de la scolarisation.

Nombre moyen d'enfants par femme (1985-1990)

- Plus de 7 enfants
- De 6,5 à 7
- De 5,5 à 6,5
- De 4 à 5,5
- Moins de 4

Fécondité et mortalité infantile

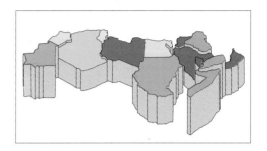

Hauteurs proportionnelles au taux de mortalité infantile

Fécondité et taux de scolarisation féminine
(niveau secondaire)

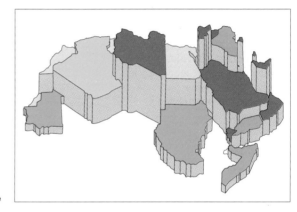

Hauteurs proportionnelles au taux de scolarisation dans l'enseignement secondaire

Fécondité et taux d'activité féminine

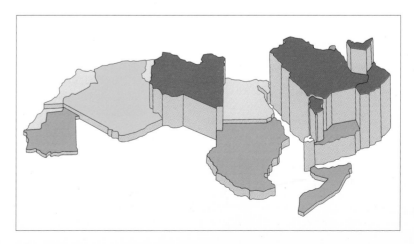

Tunisie · Maroc · Liban · Syrie · Irak · Mauritanie · Égypte · Koweït · Qatar · É.A.U. · Algérie · Libye · Jordanie · Soudan · Arabie Saoudite · Yémen Nord · Oman · Sud-Yémen · Djibouti · Somalie

Hauteurs proportionnelles au taux d'activité féminine

Fécondité et participation au pèlerinage de La Mecque

Hauteurs proportionnelles au taux de participation au pèlerinage de La Mecque

La ville hostile à la famille nombreuse?

Dans le monde rural traditionnel, l'enfant rapportait plus qu'il ne coûtait. Grâce à une activité précoce dans les champs ou la *Badia*, il participait très tôt au revenu de la famille. Plus tard, il assurait la sécurité de parents devenus trop âgés pour subvenir à tous leurs besoins. Dans la cité moderne, les flux se sont inversés ; l'enfant reçoit de ses parents plus qu'il ne leur donne. L'autoconsommation laisse place à l'économie de marché ; on achète la nourriture au lieu de la produire et, pour un nombre croissant de familles, l'école soustrait l'enfant aux petits métiers de la ville, représentant ainsi un manque à gagner. Dans chaque pays arabe, les citadines ont une fécondité inférieure aux rurales. Les femmes du Caire mettent au monde quatre enfants, contre sept dans les campagnes du Saïd. Mais la ville n'explique pas tout, car la condition urbaine varie d'un pays à l'autre.

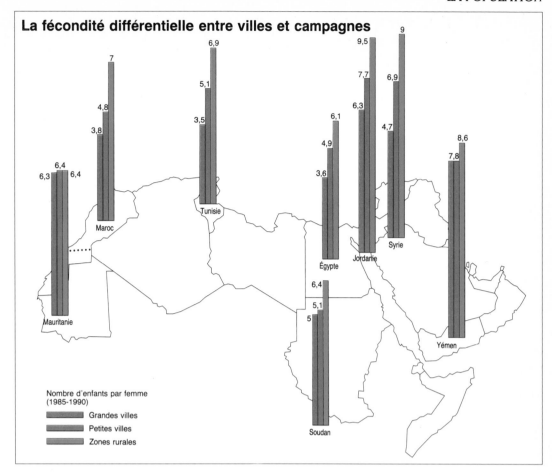

La fécondité différentielle entre villes et campagnes

Nombre d'enfants par femme (1985-1990)
- Grandes villes
- Petites villes
- Zones rurales

45

L'école des femmes contre l'école des hommes

Dans chaque pays arabe, la fécondité baisse au fur et à mesure que la durée de scolarité s'élève : une Jordanienne aura 9,7 enfants en moyenne si elle est analphabète, 7,7 si elle a fréquenté l'école durant cinq ans et 6,2 si sa scolarité est supérieure à sept ans.
Pourtant, la scolarisation n'exerce pas toujours l'influence attendue sur la fécondité. Facteur de baisse, elle peut dans certains cas contribuer à maintenir haute la fécondité. Les efforts pour développer l'école consentis par les pays arabes dès les années 50 et 60 ont diversement profité aux garçons et aux filles. Là où les garçons en furent au début les bénéficiaires presque exclusifs, l'école accentua l'inégalité entre les sexes : elle renforça le pouvoir de l'homme dans le couple et relégua la femme dans son rôle de mère et d'épouse. C'est pourquoi certains pays, comme la Libye, la Syrie et la Jordanie, continuent d'avoir une fécondité élevée malgré une scolarisation des filles maintenant bonne. Cependant, les écolières d'aujourd'hui sont les épouses de demain ; sans doute seront-elles beaucoup moins fécondes que leurs mères.

Travail et famille : la véritable concurrence

L'existence de nombreux métiers féminins dans les villes arabes montre que la société n'est pas hostile au travail des femmes. Mais le fait que ces métiers soient détenus par des femmes célibataires, divorcées ou veuves, plutôt que par des femmes mariées, désigne les maris, et non la société, comme les principaux responsables de la claustration des femmes. Ainsi, il y a fort à parier que l'entrée des épouses sur le marché du travail urbain sera le meilleur artisan de la transition démographique arabe.

Islam et fécondité : une liaison incertaine

Révélé au septième siècle de l'ère chrétienne, le Coran ne comporte pas de prescription explicite en matière de limitation des naissances. Afin de prendre position sur des questions d'actualité, l'islam procède par *fatwâ*, consultation des dépositaires de la loi religieuse. Les fatwâ ne manquent pas pour légitimer la contraception. Si le renouveau de l'islam risque d'entraver le déclin encore fragile de la fécondité, ce n'est donc pas en vertu d'un principe religieux qui mettrait hors la loi l'espacement volontaire des naissances, mais du retour que certains groupes prônent à une tradition qui limite l'univers féminin au foyer. La remarquable coïncidence spatiale des taux de fécondité et de pèlerinage à La Mecque montre que, malgré la neutralité du dogme en la matière, la pratique religieuse va de pair avec une attitude nataliste.

L'EXPLOSION DÉMOGRAPHIQUE

Espoirs et obsessions

*D*urant des millénaires, l'effectif des populations évolua à un rythme si lent qu'à l'échelle d'une vie humaine il paraissait immobile. Améliorant sans cesse l'efficacité de la médecine et de l'agriculture, le progrès technique bouleversa cet équilibre immémorial à partir du siècle dernier. Les populations commencèrent à s'accroître, car le rythme des décès déclina, mais pas celui des naissances. Lorsque la natalité baissa à son tour, la croissance s'atténua. De la différence de niveau entre la natalité et la mortalité, et de la durée qui sépare leurs déclins respectifs, dépend le potentiel d'accroissement démographique. Celui des pays arabes aura été l'un des plus vigoureux du monde. C'est durant les années 80 qu'il culmina, avec un taux d'accroissement de 3 % par an. A cette vitesse, vingt-deux ans suffisent à la population pour doubler : lorsqu'un enfant naît, son pays est deux fois plus peuplé que lorsque ses parents étaient nés, mais sept fois moins que lorsque lui-même mourra. La croissance démographique devient tellement visible qu'on la qualifie souvent d'«explosive».

Les États riches s'accroissent plus vite...

Toutes les populations arabes ont, sans exception, une croissance supérieure à la moyenne des pays en développement (1,9 % par an). Celles qui paraissent maintenant bien engagées dans la réduction de leur natalité, Liban, Tunisie, Égypte et Maroc, se situent encore juste au-dessus de cette moyenne, avec des taux inférieurs à 2,5 %. Mais d'autres continuent de détenir les records mondiaux, un taux de plus de 4 % entraînant le doublement de leurs effectifs tous les dix-huit ans : elles combinent une mortalité parmi les plus basses du monde et l'une des natalités les plus hautes.

Les pays dont le rythme d'accroissement démographique est le plus rapide sont les grands exportateurs de pétrole ainsi que la Jordanie. Le pouvoir d'achat s'y est accru subitement, permettant aux États et aux familles d'acquérir massivement de la santé, sous forme d'équipements hospitaliers, de médecine préventive et curative, d'alimentation équilibrée, d'urbanisme aéré et de logement sain. La baisse de mortalité fut abrupte. Cependant, cette richesse soudaine provenait non d'un revenu du travail mais d'une rente : rente pétrolière directe dans le Golfe ou épargne envoyée par des parents émigrés dans le cas de la Jordanie. Loin de remettre en question les structures de la société, notamment par l'entrée des femmes sur le marché du travail, cette rente apportait au contraire des moyens financiers nouveaux pour réaliser des objectifs traditionnels, la famille nombreuse au premier chef. Les enfants pouvaient devenir un «bien de consommation» illimité, leur nombre n'étant plus contingenté par les rigueurs de l'économie. Voilà pourquoi, tandis que dans le monde contemporain la richesse des nations va de pair avec un modèle dominant de famille restreinte, elle s'accompagne à l'inverse dans les pays arabes du renforcement d'un modèle tribal de famille élargie. L'abondance pétrolière, de ce point de vue, aura contribué à figer les évolutions.

... De même que les classes pauvres

Dans les pays où le contrôle de la natalité commence à se développer, on trouve cependant une relation conforme à l'attente : ce sont les groupes sociaux les plus favorisés qui recourent le plus intensivement à ce contrôle. La croissance naturelle des classes à haut revenu ou à niveau d'éducation élevé est plus faible que celle des pauvres ou des analphabètes. Pour la simple raison qu'elle n'affecte pas de la même manière tous les segments de la société, l'explosion démographique est ainsi

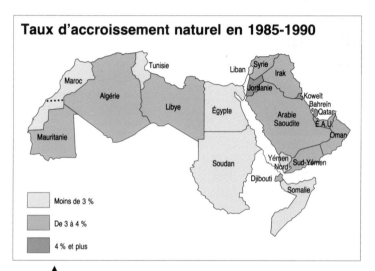

Taux d'accroissement naturel en 1985-1990

Moins de 3 %

De 3 à 4 %

4 % et plus

▲ *Lorsque l'on compare les pays du monde, ceux dont la population s'accroît le plus vite sont généralement les plus pauvres. Le monde arabe offre l'image inverse. Les riches principautés pétrolières connaissent une croissance démographique sans précédent, tandis que les États dépourvus d'or noir commencent à maîtriser leur natalité.*

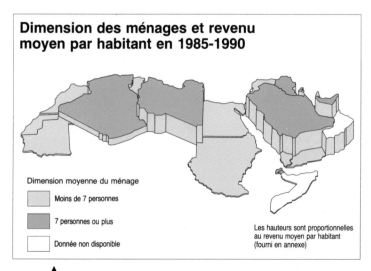

Dimension des ménages et revenu moyen par habitant en 1985-1990

Dimension moyenne du ménage

Moins de 7 personnes

7 personnes ou plus

Donnée non disponible

Les hauteurs sont proportionnelles au revenu moyen par habitant (fourni en annexe)

▲ *Le soudain enrichissement des grands producteurs de pétrole a fourni des ressources nouvelles pour satisfaire l'idéal ancestral : une famille, la plus nombreuse possible.*

susceptible d'altérer la composition sociale des populations. S'il n'existait pas de mobilité qui permette aux enfants des pauvres ou des analphabètes de quitter la condition de leurs parents, la démographie entraînerait en effet un poids toujours plus grand des classes défavorisées. Les familles où l'épouse n'a jamais fréquenté l'école ont un taux de reproduction* variant entre 2,7 (Tunisie) et 3,7 (Jordanie) ; elles se multiplient deux fois plus vite que les familles où l'épouse a fréquenté le lycée (taux de reproduction égal à 1,5 en Tunisie et 2 en Jordanie)[1].

Docteur tant pis, docteur tant mieux

▬▬▬ Les réponses des États arabes à une enquête des Nations unies (« considérez-vous que votre taux de croissance est trop bas, satisfaisant, trop haut ? ») montrent une sérénité qui tranche avec l'anxiété de l'Occident face à la montée du tiers monde : ceux qui jugent leur croissance trop rapide sont ceux où elle est la plus faible, tandis que ceux où elle est déjà la plus haute la souhaiteraient plus élevée encore. Les premiers, les trois États du Maghreb et l'Égypte, confirment ainsi

---

* Facteur multiplicatif entre deux générations consécutives, celle des parents et celle des enfants.
** 15 ans et 65 ans par convention.

UN PARADOXE DE L'EXPLOSION DÉMOGRAPHIQUE : PLUS DE CONSOMMATEURS OU PLUS DE PRODUCTEURS ?

On dit souvent que l'explosion démographique accroît le « rapport de dépendance », c'est-à-dire la charge en bouches à nourrir qui pèse sur les actifs. Effectivement, la conséquence arithmétique d'une baisse de mortalité sans baisse de natalité est qu'un nombre toujours croissant de nouveau-nés survit aux périls de la petite enfance. La part des plus jeunes, inactifs sous toutes les latitudes, s'élève donc. En Algérie par exemple, le nombre d'enfants pour 100 adultes en âge de travailler sera passé de 72 en 1950 à 102 en 1970, puis à 89 en 1990. Afin d'y faire face, le prélèvement sur le produit du travail s'alourdit sans cesse. Les États le savent bien, qui interviennent de plus en plus pour redistribuer aux jeunes, sous forme d'éducation scolaire notamment, l'argent de leurs parents.

Pourtant, si l'on change de perspective pour comparer maintenant le déroulement de la vie des familles, hier et de nos jours, le constat s'inverse : avec la chute de la mortalité, les chances qu'a le nouveau-né de parvenir à l'âge adulte et d'accomplir la totalité de sa vie productive sont beaucoup plus grandes que par le passé. A la veille de la guerre d'indépendance, 25 % des Algériens mouraient avant l'âge de première activité et 43 % avant l'âge de sortie d'activité**. De nos jours, cette ponction de la mort n'est plus que de 8 % à l'entrée et 27 % à la sortie de la vie active. Plus que les gouvernements, les parents sont sensibles à cette vision de long terme, et savent qu'il faut placer leurs espoirs dans leurs enfants. Les premiers obéissent à une logique de répartition, les seconds de capitalisation.

Actifs et populations à charge en Algérie

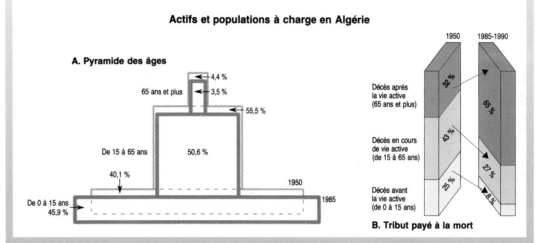

A. Pyramide des âges

65 ans et plus — 4,4 %
— 3,5 %
— 55,5 %
De 15 à 65 ans — 50,6 %
40,1 %
1950
1985
De 0 à 15 ans — 45,9 %

1950   1985-1990

Décès après la vie active (65 ans et plus) — 32 % / 65 %
Décès en cours de vie active (de 15 à 65 ans) — 43 % / 27 %
Décès avant la vie active (de 0 à 15 ans) — 25 % / 8 %

B. Tribut payé à la mort

▶ *Les communications entre les régions sont d'autant plus intenses que le tissu démographique est serré.*

Les gouvernements sont satisfaits du comportement de leurs administrés, puisque les souhaits des premiers en matière de croissance correspondent aux réalisations effectives des seconds dans la maîtrise de la natalité.

▼

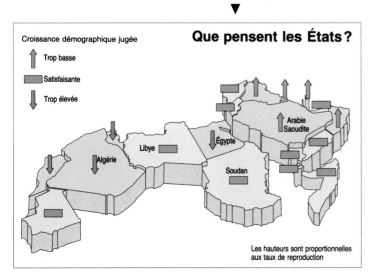

Croissance démographique jugée

↑ Trop basse
▬ Satisfaisante
↓ Trop élevée

Que pensent les États ?

Arabie Saoudite
Égypte
Libye
Algérie
Soudan

Les hauteurs sont proportionnelles aux taux de reproduction

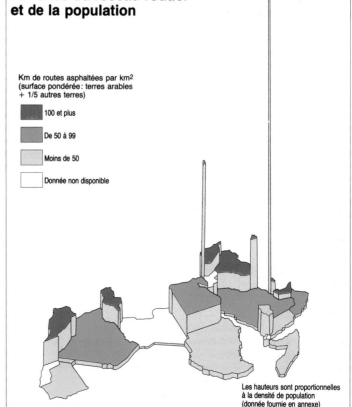

Densités du réseau routier et de la population

Km de routes asphaltées par km2 (surface pondérée : terres arables + 1/5 autres terres)

■ 100 et plus
▨ De 50 à 99
▢ Moins de 50
□ Donnée non disponible

Les hauteurs sont proportionnelles à la densité de population (donnée fournie en annexe)

leur intention de poursuivre le contrôle de leur natalité. Les seconds, grands producteurs de pétrole qui viennent tout juste de traverser plusieurs décennies de pénurie de main-d'œuvre et d'immigration intense, expriment là leurs besoins de bras pour remplacer les étrangers.

L'Arabie, en outre, déplore l'assise trop étroite que la démographie offre à son influence politique dans le monde arabe et musulman ; les principautés du Golfe, pour leur part, se sentent menacées par des voisins combien plus peuplés ; l'Irak, enfin, a découvert au long de sa guerre avec l'Iran le rôle important du nombre dans la puissance des armées.

La croissance démographique rapide ne laisse personne indifférent. Certains y voient le péril du siècle prochain, tandis que d'autres sont toujours convaincus qu'«il n'y a de richesse que d'hommes». Face au dilemme: maîtriser la croissance ou juguler le sous-peuplement, les États arabes ne peuvent pas avoir une position uniforme, pour la simple raison qu'ils affrontent des problèmes différents.

Pour les tenants du malthusianisme, supporter un rythme rapide d'accroissement, c'est d'abord affronter au quotidien des coûts élevés en santé, en éducation, en logement: dans ces domaines, les investissements simplement destinés à maintenir le niveau de vie présent de la population sont

à hauteur de la croissance de celle-ci. C'est également faire le pari audacieux que les ressources dégagées suivront le rythme de la démographie. Lorsque la capacité d'autosuffisance alimentaire semble dépassée, comme c'est le cas de l'Égypte, on doit gager que de nouvelles activités, l'industrie par exemple, surgiront pour repousser la frontière du surpeuplement.

Quant à eux, les populationnistes, au premier rang l'Irak et l'Arabie qui se considèrent sous-peuplés, mettent en avant la contrepartie d'une croissance coûteuse : elle permet d'être plus nombreux à partager des investissements fixes que l'on n'aurait pas consentis avec une population moins dense, et de réaliser des économies d'échelle. Divers indicateurs témoignent des bénéfices de la croissance. Ainsi, la densité des communications terrestres, facteur clé des économies modernes, se révèle parfaitement proportionnelle à la densité du peuplement: les gouvernements s'engagent à construire une route d'autant plus volontiers que celle-ci desservira de nombreux usagers.

Favoriser la croissance de la population, c'est aussi élargir l'offre de travail et la demande de biens et services. A combien de projets industriels les États arabes les moins peuplés, ceux du Golfe notamment, ont-ils dû renoncer, faute d'un marché intérieur suffisamment étendu ?

Pression à tout âge

▬▬▬ On souligne souvent la jeunesse des populations arabes. Avec 92 millions de jeunes âgés de moins de 15 ans (43 % de la population), ils en comptent une fois et demie plus que la Communauté européenne (62 millions). En contrepartie, leurs 7 millions de personnes de plus de 65 ans sont six fois moins nombreuses que dans l'Europe des Douze (44 millions), plus de deux fois moins que dans la seule Allemagne fédérale. Résultat d'une natalité très haute, cette jeunesse est en retour porteuse d'un extraordinaire potentiel d'accroissement.

Avant la fin du siècle, alors qu'ils auront accusé une décroissance de 4 millions en Europe, les effectifs d'enfants scolarisables se seront accrus de 26 millions dans les pays arabes. Étant donné que les États ont promis l'école pour tous aux générations de demain, le nombre d'écoliers supplémentaires à prévoir en l'an 2000 dépasse sensiblement ces 26 millions, car le niveau actuel de scolarisation est médiocre dans de nombreuses campagnes, en particulier chez les filles. C'est dire l'ampleur des efforts à consentir en dix ans pour augmenter de moitié, voire doubler, la capacité d'accueil des classes et l'effectif des maîtres.

La croissance des populations actives sera encore plus vigoureuse : trente-deux millions de nouveaux emplois devront être créés au cours de la décennie à venir (contre seulement quatre millions et demi en Europe). Cette prévision étant fondée sur l'hypothèse que les femmes se tiendront toujours largement en retrait du marché du travail, il faudra en outre la réviser à la hausse si leur condition évolue plus rapidement que prévu.

La population du troisième âge elle-même s'accroîtra quatre fois plus rapidement dans les pays arabes que dans la vieille Europe. Paradoxe des structures jeunes, la forte croissance qu'elles impliquent concerne tous les d'âges, y compris les plus vieux : plus un pays est jeune, plus est élevé le rythme des investissements qu'il doit prévoir pour les personnes âgées ! Par ailleurs, en

vertu du prolongement de la durée de vie, les années de retraite s'allongent sans cesse. La solidarité des générations, grâce à laquelle les personnes âgées sont à la charge des plus jeunes, prend ainsi une importance grandissante. La famille y veillait autrefois. Mais la modernité a distendu ses liens, appelant l'État à la remplacer dans certaines de ses attributions traditionnelles. Florissantes aujourd'hui par l'importance des cotisations souscrites au regard des allocations versées, les caisses de retraites arabes sont appelées à supporter de lourdes charges dans l'avenir.

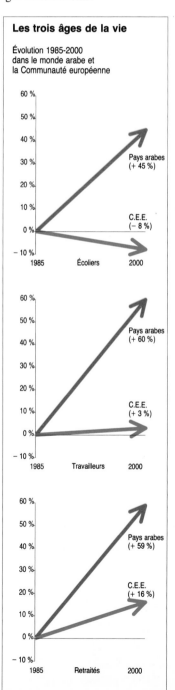

Les trois âges de la vie

Évolution 1985-2000 dans le monde arabe et la Communauté européenne

Pays arabes (+ 45 %)
C.E.E. (− 8 %)
Écoliers

Pays arabes (+ 60 %)
C.E.E. (+ 3 %)
Travailleurs

Pays arabes (+ 59 %)
C.E.E. (+ 16 %)
Retraités

Les systèmes d'assurance vieillesse*

Tunisie
Liban
Syrie
Irak
Maroc
Algérie
Jordanie
Koweït
Bahreïn
Libye
Égypte
Qatar
Mauritanie
Arabie Saoudite
E.A.U.
Oman
Yémen Nord
Sud-Yémen
Soudan
Djibouti
Somalie

☐ Pas de système

▨ Système restrictif (une partie des salariés)

▨ Système large (tous les salariés)

▨ Système général (tous les actifs, salariés ou indépendants)

* (Années 80)

▲

Rares encore sont les États qui se sont substitués à la famille pour entretenir les personnes âgées.

LA SOCIÉTÉ

LE MARIAGE

*E*n terre d'islam, le mariage est une obligation de droit divin. D'un bout à l'autre du monde arabe, la société veille à ce que chacun y satisfasse. C'est pourquoi le lecteur ne trouvera pas ici la carte, sans contraste, de la proportion de personnes qui ne se marient jamais, ce que le démographe appelle « célibat définitif » : sa réprobation sociale est telle que rares sont ceux qui affrontent les difficultés de cette condition. Ce qui était vrai hier, le demeure aujourd'hui. Il y a peu encore, l'âge au premier mariage était également uniforme : partout précoce chez la femme, entraînant une fécondité élevée, et généralement tardif chez l'homme. Le recul récent de l'âge des jeunes filles au mariage témoigne de mutations profondes de la société. Trait original d'une tradition musulmane pluri-séculaire, le couple répudiation-polygamie est lui-même mis à dure épreuve par la modernité. Il ne prospère que dans certaines sociétés : celles que le dénouement, ou la richesse, a tenu à l'écart.

Âge des conjoints : vers plus d'égalité

■ L'évolution contemporaine de la condition féminine a creusé un écart entre les pays, de plus en plus rares, où la femme continue à se marier très jeune (moins de 17 ans en moyenne à Oman ou au Yémen du Nord) et une majorité de pays où son âge moyen au mariage s'est récemment élevé à 20 ou 21 ans, et même au-dessus de 23 ans (Tunisie, Liban). La proportion de jeunes femmes mariées dans le groupe d'âge 15-19 ans est extrêmement variable, allant de 5 % en Tunisie et moins de 15 % à Bahreïn et au Liban, à plus de 50 % dans les Émirats arabes unis, Oman et le Yémen du Nord. Les codes de la famille, qui fixent maintenant dans plusieurs pays un âge minimum légal au mariage (pour les filles : 18 ans en Algérie, 16 ans en Égypte), ont compté peu à côté des changements structurels profonds qui ont bouleversé les habitudes : scolarisation des filles, entrée de la femme sur le marché du travail et problèmes de logement liés à l'urbanisation accélérée, qui poussent les jeunes à demeurer plus longtemps qu'autrefois au domicile parental. Ce nouveau comportement matrimonial entraîne immanquablement dans son sillage une baisse de la fécondité.

L'homme, lui, ne paraît pas avoir changé ses habitudes. Il quitte tardivement le célibat, en raison notamment du long délai qui lui est nécessaire pour amasser le montant de la dot, versée chez les musulmans par le fiancé à sa future épouse, sinon au père de la demoiselle. Au Liban, en Tunisie et dans la vallée du Nil, les hommes se marient plus âgés qu'ailleurs. Dans le Sud arabique, Oman et Yémen, les prétendants sont franchement plus jeunes : ils ont 21 ans en moyenne. Une tradition encore vivace ici les prédestine en effet souvent dès l'enfance à une proche parente, la fille de l'oncle paternel *(bint el-amm)* si possible, en sorte qu'il n'est point besoin d'attendre longtemps pour conclure le mariage.

L'écart d'âge entre époux n'apporte pas, à première vue, d'information supplémentaire, puisqu'il est égal à la différence entre les deux autres variables. Nous allons pourtant voir qu'il est la clé de voûte de la combinaison polygamie-répudiation. Une couleur forte sur la carte ci-contre se retrouvera nécessairement sur l'une des deux cartes suivantes et vice versa.

Un homme d'âge mûr prend-il une épouse à peine nubile ? C'était hier. De nos jours, il tend à la choisir dans une génération moins éloignée de la sienne. Ce rapprochement prélude peut-être à un partage plus équitable du pouvoir au sein de la famille. Pour l'instant, il aboutit en tout cas à raréfier le divorce et la polygamie, deux pratiques qui se nourrissaient d'un important écart d'âge. ▶

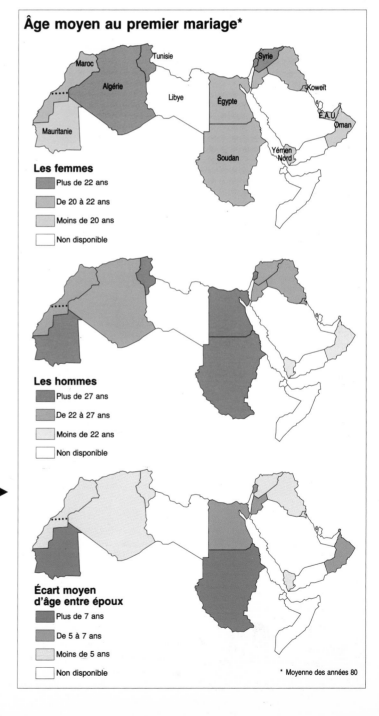

Âge moyen au premier mariage*

Maroc, Tunisie, Syrie, Algérie, Koweït, Libye, Égypte, É.A.U, Oman, Mauritanie, Yémen Nord, Soudan

Les femmes
■ Plus de 22 ans
■ De 20 à 22 ans
□ Moins de 20 ans
□ Non disponible

Les hommes
■ Plus de 27 ans
■ De 22 à 27 ans
□ Moins de 22 ans
□ Non disponible

Écart moyen d'âge entre époux
■ Plus de 7 ans
■ De 5 à 7 ans
□ Moins de 5 ans
□ Non disponible

* Moyenne des années 80

50

Divorce et polygamie

Divorce et polygamie contribuent conjointement à réguler un marché matrimonial où l'écart d'âge entre époux a engendré un «surplus» de femmes mariables, plus ou moins prononcé selon les pays. Pour répondre à un déséquilibre de même nature, certaines sociétés semblent avoir privilégié le divorce et d'autres la polygamie. *At-talâq:* la langue arabe ne connaît qu'un mot là où d'autres langues en distinguent deux: divorce et répudiation. Dans l'islam, la rupture du mariage est en

POLYGAMIE ET RÉPUDIATION: UNE ÉQUATION DÉLICATE

Dans toutes les sociétés humaines, hommes et femmes sont à égalité numérique aux environs de 20 ans. La polygamie (union légale d'un homme avec plusieurs femmes simultanément) et la répudiation de l'épouse (le remariage intervenant plus rapidement pour l'homme) supposent un excédent de femmes par rapport aux hommes sur le «marché matrimonial». La nature ne produisant pas ici plus qu'ailleurs un tel excédent, c'est la société qui y pourvoit en édictant des règles incitant la femme au mariage précoce et l'homme au mariage tardif. A tout moment, les candidats au premier mariage sont plus âgés, donc moins nombreux chez les hommes que chez les femmes. Par contrainte purement numérique, certaines d'entre elles quittent ainsi le célibat avec des hommes non célibataires.

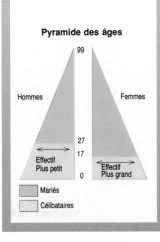

Pyramide des âges

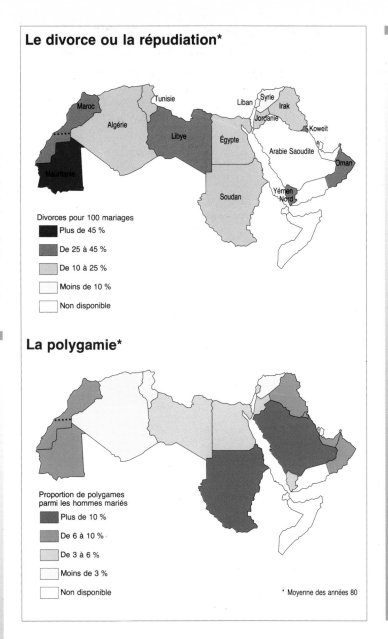

Le divorce ou la répudiation*

Divorces pour 100 mariages
- Plus de 45 %
- De 25 à 45 %
- De 10 à 25 %
- Moins de 10 %
- Non disponible

La polygamie*

Proportion de polygames parmi les hommes mariés
- Plus de 10 %
- De 6 à 10 %
- De 3 à 6 %
- Moins de 3 %
- Non disponible

* Moyenne des années 80

LA PROSTITUTION: CONCURRENCE DES GÉNÉRATIONS

Trop jeune pour se marier, le célibataire ne trouvera, sur le marché de la prostitution, que des femmes plus âgées que lui, car les jeunes sont toutes mariées ou candidates au mariage. Plus tard, «libérées» par le veuvage ou la répudiation d'un mari plus âgé qu'elles, certaines femmes deviendront prostituées. Elles étaient naguère elles-mêmes entrées jeunes dans le mariage.

Répartition proportionnelle des femmes au premier mariage et des prostituées selon l'âge

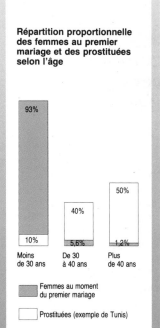

- Femmes au moment du premier mariage
- Prostituées (exemple de Tunis)

effet une prérogative exclusivement masculine. Les codes de la famille tentent timidement d'introduire aujourd'hui plus d'équilibre dans les droits et devoirs des conjoints, mais se heurtent à des résistances de la part des courants islamistes, comme en témoigne l'âpre débat qui s'est déroulé il y a quelques années au parlement égyptien pour abroger la loi «Jihane» (du nom de son instigatrice, la femme de feu le président Sadate). Le code tunisien demeure à ce jour le seul à prévoir une procédure de divorce à l'initiative de la femme aussi bien que de l'homme.

Plus répandu dans un proche passé chez les Arabes que dans les autres sociétés, le divorce est en régression dans beaucoup de pays de la région. En Algérie, où il brisait vers 1900 plus d'un mariage sur trois, le divorce a décliné tout au long du siècle [1], avant de remonter sensiblement depuis les années 70 [2]. En Mauritanie, toutefois, 45 % des mariages sont encore dissous par divorce, ce qui n'est pas loin d'être un record mondial. Mais à l'heure où la remise en question des structures familiales traditionnelles se traduit en Europe et en Amérique du Nord par une montée sans précédent du divorce, le mariage arabe, lui, évolue au contraire vers plus de stabilité. A sa façon, il rompt donc également avec la tradition.

La polygamie est partout moins fréquente que le divorce. Elle demeure cependant assez répandue dans les pays à cheval sur l'Afrique noire, le Soudan et la Mauritanie. Cette pratique est aujourd'hui marginale sur les rives de la Méditerranée. Seule à l'interdire légalement, la Tunisie ne compte plus que quelques cas de polygames, tous mariés avant la loi de 1956. Parmi les nombreux facteurs qui expliquent l'inégale présence de la polygamie, le niveau d'éducation des femmes occupe une place centrale. Les pays où celles-ci sont les plus alphabétisées sont ceux où la polygamie est la plus rare. Seule exception à cette règle, le Koweït, quoique fortement scolarisé, compte 11 % de polygames. Son niveau de vie, parmi les plus hauts du monde, permet-il d'y entretenir une coutume trop coûteuse là où les hommes sont moins nantis?

LA SANTÉ

Médecins au pays d'Avicenne

Tant que, dans l'esprit des croyants de toutes les confessions, le destin commandait à la maladie, la résignation face aux malheurs du corps était sagesse élémentaire. Maintenant que la fatalité s'est vu ravir une part de ses prérogatives par une science qui vulgarise des moyens toujours plus efficaces de lutte pour le bien-être, l'égalité devant la santé est devenue une revendication universelle. Le monde arabe est pourtant loin de l'avoir satisfaite. Par l'environnement médico-sanitaire dont ils jouissent, les ressortissants des principautés du Golfe, voire du Liban, se rapprocheraient plutôt des Suédois ou des Japonais que des Yéménites ou des Soudanais. Avec un médecin pour 600 habitants, la vie moyenne des premiers dépasse nettement 70 ans, alors que celle des seconds, qui se partagent un médecin à 10 ou 20 000 personnes, n'atteint toujours pas 50 ans. De plus, ce médecin est inaccessible à la majorité : lorsque les effectifs médicaux sont faibles, ils se concentrent dans la capitale, faisant de la santé un privilège exclusivement citadin. Même les pays qui commencent à se doter d'un tissu médical serré n'ont pas réussi à résorber ces déséquilibres. Alger, Oran et Constantine regroupent 14 % de la population algérienne, mais 42 % de ses médecins. Un médecin dessert 11 000 habitants dans la wilaya de Tebessa et 450 dans celle d'Alger. Loin de l'environnement technique des villes, un diplômé de l'université n'est d'ailleurs souvent guère plus efficace qu'un aide-soignant. C'est pourquoi divers pays ont souscrit à la « stratégie des soins de santé primaires » et décentralisé au niveau villageois les professions de santé moins qualifiées : ainsi l'Égypte, qui compte 30 infirmiers pour 100 000 habitants dans ses campagnes contre 22 en ville.

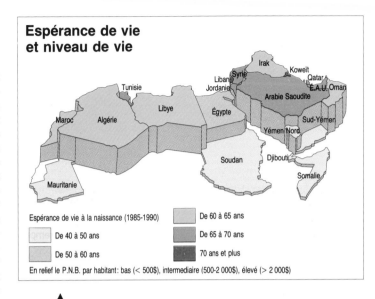

Espérance de vie et niveau de vie

Espérance de vie à la naissance (1985-1990)
- De 40 à 50 ans
- De 50 à 60 ans
- De 60 à 65 ans
- De 65 à 70 ans
- 70 ans et plus

En relief le P.N.B. par habitant : bas (< 500$), intermediaire (500-2 000$), élevé (> 2 000$)

▲
Espérance de vie et niveau de vie s'accordent mieux dans la pauvreté que dans la richesse : les pays les plus démunis devant la mort sont en effet pauvres sans exception, tandis que ceux où la santé est la plus accessible ne sont pas nécessairement les plus riches.

Prévenir et guérir, ou nourrir

Les progrès enregistrés depuis les années 50, où l'espérance de vie à la naissance s'étageait entre 35 et 55 ans selon les pays, reviennent en partie aux techniques médicales et sanitaires modernes. Depuis les actions préventives de masse, comme le programme élargi de vaccination (P.E.V. lancé en 1974 par l'O.M.S.) que tous les pays suivent, mais avec un succès variable, jusqu'aux équipements de pointe de certains hôpitaux des grandes capitales, la santé publique bénéficie de larges transferts technologiques qui épargnent à la région les lenteurs de toute étape expérimentale. L'élévation du niveau de vie des populations est cependant l'autre facteur clé de l'amélioration de leur santé. Un revenu supérieur permet non seulement de réduire l'incidence de la maladie par la prévention et d'atténuer ses conséquences par la médecine,

Densité médicale

Médecins pour 100 000 habitants (1985-1990)
- Moins de 25
- De 25 à 50
- De 50 à 100
- Plus de 100

LA SURMORTALITÉ DES FILLETTES

Garçons et filles ne partent pas avec les mêmes chances dans la vie. Tandis que la nature semble avoir favorisé les filles en les exposant à une mortalité moindre, les sociétés arabes ont établi l'ordre inverse, vraisemblablement en raison des soins préférentiels accordés aux garçons.
Durant la première semaine de la vie, la nature est presque seule à jouer, distribuant sa protection, sous forme de défense immunitaire transmise par la mère, sans considération du sexe. Pourtant, grâce à une constitution plus résistante, les petites filles meurent à cet âge moins que leurs frères chez les Arabes comme dans le monde entier.
Dès la deuxième semaine et surtout le deuxième mois, la mortalité arabe se distingue ; à ces âges où c'est la qualité des soins prodigués à l'enfant qui détermine ses chances de survie, le garçon prend l'avantage sur la fille. Il le conservera jusque vers 3 ou 4 ans, âge à partir duquel la nature reprend définitivement ses droits.
On n'a pas trouvé d'autre explication à cette situation particulière que la place primordiale réservée par la famille arabe à sa progéniture mâle.

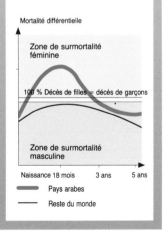

Mortalité différentielle

Zone de surmortalité féminine

100 % Décès de filles = décès de garçons

Zone de surmortalité masculine

Naissance 18 mois — 3 ans — 5 ans

— Pays arabes
— Reste du monde

◀ *Le Liban ou le Koweït, parmi les mieux lotis, comptent vingt fois plus de médecins que la Mauritanie ou la Somalie, pauvres entre les pauvres.*

52

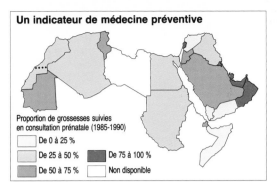

Un indicateur de médecine préventive

Proportion de grossesses suivies
en consultation prénatale (1985-1990)

☐ De 0 à 25 %
☐ De 25 à 50 %   ■ De 75 à 100 %
☐ De 50 à 75 %   ☐ Non disponible

▲
Inscrite par l'O.M.S. au fronton des programmes de soins de santé primaires, la protection de la mère et de l'enfant s'est très diversement popularisée.

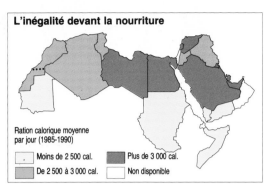

L'inégalité devant la nourriture

Ration calorique moyenne
par jour (1985-1990)

☐ Moins de 2 500 cal.   ■ Plus de 3 000 cal.
☐ De 2 500 à 3 000 cal.   ☐ Non disponible

◀ *Les tropiques n'ont sans doute jamais connu l'abondance méditerranéenne. Au moins jadis partageaient-ils avec la steppe désertique la frugalité de la chère. La coupure entre un monde où l'on a oublié l'époque des déficits alimentaires et un autre où rôde encore la menace de disette passe désormais au sud des champs pétrolifères.*

mais encore d'assurer une meilleure capacité de résistance de l'organisme, grâce à une alimentation plus riche.

Du scanner à la bétonneuse

▬▬▬ Vivant déjà à l'heure des maladies du troisième âge, troubles cardio-vasculaires et cancers, la pathologie des pays arabes les plus avancés relève d'une médecine sophistiquée pratiquée dans des hôpitaux coûteux, tandis que celle des moins favorisés peut encore reculer à pas de géant grâce à de simples actions préventives. Au Soudan, en Mauritanie, en Somalie et dans

le Sud arabique, on meurt à tout âge de maladies de l'enfance devenues bénignes sous des latitudes plus clémentes : diarrhées infectieuses, affections respiratoires, rougeole. Deux grandes endémies parasitaires continuent de sévir, affaiblissant l'organisme et affectant l'activité de l'individu avant d'entraîner, bien souvent, sa mort : le paludisme, dans la zone intertropicale, et la bilharziose, dans la vallée du Nil, ont résisté aux mesures encore insuffisantes pour empêcher que se reproduisent le moustique qui inocule le premier et le mollusque qui véhicule la seconde : pulvérisation d'insecticides et bétonnage des canaux d'irrigation.

UN BARRAGE CONTRE LE SIDA ?

L'épidémie de sida qui frappe les Amériques, l'Europe, l'Afrique noire et l'Océanie a, jusqu'à présent, miraculeusement épargné le monde arabe, comme la majeure partie de l'Asie. L'éthique rigoureuse de l'islam aurait-elle donc dressé un rempart contre ce fléau, réussissant là où la science est au contraire prise de court ? Voie privilégiée de la transmission en Occident, l'homosexualité existe certes dans la société arabe ; mais probablement s'y exerce-t-elle dans des cercles plus confidentiels, que le cloisonnement préserve de la contagion. La prostitution n'est pas non plus absente de la région ; mais le recours y étant sans doute beaucoup moins intense qu'au sud du Sahara, aucune promiscuité sexuelle favorable au rétrovirus n'en découle. Règle d'hygiène millénaire, la circoncision pourrait bien par ailleurs renforcer la

protection masculine. Les Arabes, enfin, ne dédaignent pas les drogues ; mais celles que par tradition ils affectionnent, du qât au haschisch, se mastiquent ou se fument, sans risque de s'introduire dans le sang en compagnie du germe mortel. Cependant, la statistique est infidèle ; encore difficile à dépister, le sida est honteux à déclarer à l'O.M.S. Le monde arabe ne se tiendra peut-être pas longtemps en marge de la pandémie. A la fin de 1987, on n'avait enregistré que 113 cas officiels. Dix-huit mois plus tard, leur nombre avait doublé. Ce n'était encore que la moitié du rythme de croissance observé à l'échelle mondiale, mais deux voies de pénétration se dessinent : le Maroc et la Tunisie, ouverts au tourisme occidental, et le Soudan, juste à l'aval des pays qui, aux sources du Nil, ont la prévalence la plus forte du monde.

La dernière des grandes endémies : le paludisme

▨ Zone impaludée avant 1946

◨ Zone encore impaludée en 1985-1990

▩ Zone où subsiste un risque limité de transmission

▲
Sévissant autrefois de manière endémique sur tout le pourtour méditerranéen, le paludisme en a été éradiqué notamment grâce aux pulvérisations préventives d'insecticides rémanents. Pendant ce temps, au sud du Sahara, se développe un germe résistant au traitement par la quinine, faisant de la malaria la première cause de décès.

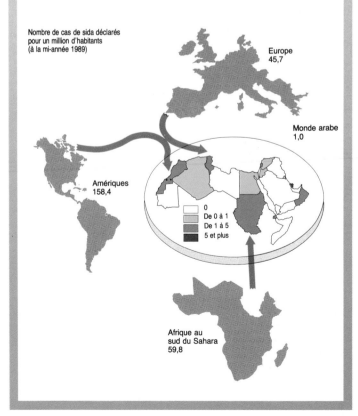

Nombre de cas de sida déclarés
pour un million d'habitants
(à la mi-année 1989)

Europe
45,7

Monde arabe
1,0

Amériques
158,4

☐ 0
☐ De 0 à 1
■ De 1 à 5
■ 5 et plus

Afrique au
sud du Sahara
59,8

LA MORTALITÉ INFANTILE

*O*n ne passe jamais aussi près de la mort que le jour de sa naissance. La première année de la vie est lourde de dangers. De nos jours, on sait beaucoup mieux lutter contre la mortalité de la petite enfance, mais, dans les pays en développement, la diffusion des progrès en ce domaine varie selon les ressources et, surtout, selon la capacité de la société à s'adapter à la modernité. C'est pourquoi le taux de mortalité infantile* est non seulement un indicateur de la fréquence des décès de nouveau-nés dans une population, mais aussi un critère général de développement, au même titre que le P.N.B. ou le taux d'alphabétisation. C'est même souvent l'indice le plus révélateur de l'avancée économique et sociale d'un pays. La région qui nous intéresse a enregistré une amélioration décisive au cours des trois dernières décennies. Néanmoins, les pays arabes demeurent sensiblement moins bien lotis que d'autres, de revenu équivalent. Ils ne constituent pas un ensemble homogène : les enfants naissent inégaux devant la mort. Ceux du Sud partent défavorisés sur ceux du Nord, et ceux du Maghreb sur ceux du Machrek.

Les différences observées reflètent largement une inégale condition de la femme : on le sait maintenant, la femme qui donne la vie peut aussi ne pas savoir la conserver.

La mortalité infantile

Maroc, Tunisie, Liban, Irak, Jordanie, Koweït, Bahreïn, Qatar, Algérie, Libye, Égypte, Arabie Saoudite, É.A.U., Oman, Mauritanie, Soudan, Yémen Nord, Sud-Yémen, Djibouti, Somalie

En 1985-1990

En 1950

Taux ‰
- Moins de 50
- De 50 à 75
- De 75 à 100
- De 100 à 150
- De 150 à 200
- Plus de 200

▲
Les enfants naissent inégaux devant la mort.
Les zones les plus sombres sont celles où elle menace lourdement la petite enfance. Le rivage du golfe Arabo-persique, le Croissant fertile et la Tunisie ont pris une nette avance dans cette course pour la vie.

Une avancée décisive...

Hier encore (1950), lorsque le monde arabe faisait ses premiers pas dans le cénacle des pays indépendants ou s'apprêtait à les faire, la mortalité infantile était voisine de 250 ‰. Un enfant sur quatre décédait donc avant d'atteindre son premier anniversaire. Un siècle de présence coloniale en Afrique ou dans les émirats n'avait pas su propager la santé. Seul le «Croissant fertile» connaissait alors une mortalité en déclin. La palme revenait au Liban avec un taux de 75 ‰. Aujourd'hui, l'«effet pétrole» s'est conjugué aux efforts des pays concernés et à l'aide internationale pour abaisser partout la mortalité infantile. Elle occupe néanmoins un large éventail : un enfant de Somalie ou du Yémen court un risque huit fois plus élevé qu'un petit Koweïtien de ne jamais entrer dans sa deuxième année. Ce dernier n'est plus bien loin du peloton de tête européen, tandis que les autres sont nés dans l'un des dix pays de plus forte mortalité. Parce que les villes regroupent l'essentiel des formations

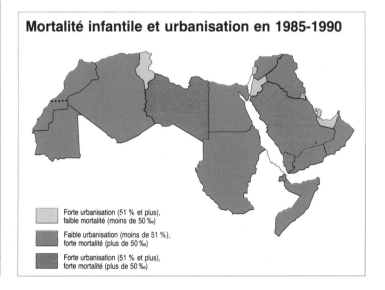

Mortalité infantile et urbanisation en 1985-1990

- Forte urbanisation (51 % et plus), faible mortalité (moins de 50 ‰)
- Faible urbanisation (moins de 51 %), forte mortalité (plus de 50 ‰)
- Forte urbanisation (51 % et plus), forte mortalité (plus de 50 ‰)

▲
Les pays dont les citadins représentent moins de la moitié de la population ont tous une mortalité infantile supérieure à 50 ‰; ceux où ils sont majoritaires ont une mortalité inférieure à 50 ‰, hormis trois pays pétroliers dont la superficie pourrait avoir freiné la diffusion des services médicaux.

54

Densité médicale et mortalité infantile

En relief: médecins pour 10 000 habitants
L'abondance du personnel médical n'a pas toujours l'effet escompté.

Équipement en eau potable et mortalité infantile

En relief: ménages ayant un accès direct à l'eau potable (%)
L'équipement sanitaire le plus efficace pour la protection de l'enfance.

Alphabétisation des femmes et mortalité infantile

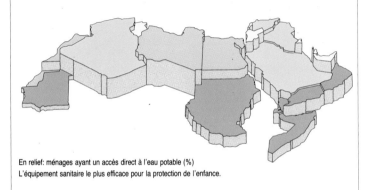

En relief: taux d'alphabétisation des femmes de 15 ans et plus (%)
Sans conteste, le facteur déterminant dans la lutte contre la mortalité infantile.

Taux ‰

Moins de 50	De 75 à 100
De 50 à 75	De 100 à 150

▲

Ces trois cartes ont une couleur commune : le taux de mortalité infantile. En relief figurent trois des acteurs de son déclin. La palme ne revient ni aux médecins ni aux équipements sanitaires, mais à toutes les mamans, pour peu que les États et la société leur aient donné les moyens de s'instruire.

sanitaires et des personnels médicaux et paramédicaux et que les citadins jouissent de conditions de vie meilleures, les villes sont toutes favorisées par rapport aux campagnes. Ce sont ainsi, en moyenne, les pays les plus urbanisés qui ont la mortalité infantile la plus faible.

Former des médecins ou éduquer les femmes?

▬▬▬ Grâce à quelles transformations de la société la mortalité infantile a-t-elle pu, au cours du dernier quart de siècle, traverser le déclin le plus spectaculaire de son histoire et pourquoi certains pays pauvres comme la Somalie ou riches comme l'Arabie ont-ils pris du retard dans le mouvement général?
Une cartographie combinant deux informations: le niveau actuel de mortalité infantile (en couleur) et une sélection de variables explicatives (en relief), désigne avec éloquence les facteurs décisifs.
La médecine moderne est bien sûr l'un des artisans de ce déclin. D'une manière générale, plus forte est la densité médicale, plus basse est la mortalité infantile. Arabie Saoudite, Libye et Oman font toutefois exception

avec une mortalité infantile qui résiste à l'abondance de médecins. A côté de cela, trois à quatre fois moins bien dotées en personnel médical, la Tunisie ou la Syrie offrent à leurs enfants de meilleures chances de survie.
L'eau potable, à côté d'autres équipements sanitaires, a joué un rôle primordial. Les civilisations du désert savent mieux que toute autre le prix de l'eau. Les pays qui ont consenti les efforts nécessaires pour la mettre à la disposition de la population s'en trouvent récompensés par une mortalité infantile plus basse. La distribution d'eau à domicile, ou à proximité, facilite la réhydratation de l'enfant malade; son assainissement le met à l'abri des maladies infectieuses et parasitaires que véhiculent les eaux stagnantes en saison chaude. La carte le montre bien, hormis l'Algérie, l'Arabie Saoudite, la Libye et l'Égypte.
La scolarisation des filles est sans conteste le plus efficace de tous les investissements pour la santé des enfants. La carte montre une corrélation parfaite : plus un pays est bas (alphabétisation réduite des femmes), plus sa couleur est sombre (mortalité infantile élevée). L'ouverture d'écoles aura donc été encore plus bénéfique que la construction d'hôpitaux.

55

* Probabilité de décéder entre 0 et 1 an, exprimée pour 1 000 naissances.

LA RICHESSE NE SUFFIT PAS À ASSURER LA SANTÉ

La Banque mondiale classe les pays du monde selon le P.N.B. par habitant. Dans chacune des catégories qu'elle retient, les pays arabes se distinguent par une mortalité infantile supérieure à la moyenne.

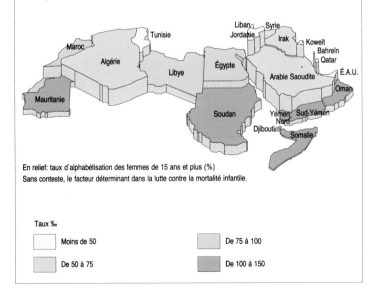

Catégories de la Banque mondiale	Dollars par habitant	Mortalité infantile (‰)	
		Tous pays	Pays arabes
Pays à faible revenu (sauf Chine et Inde)	200 $	106	123
Pays à revenu intermédiaire – tranche inférieure	750 $	77	91
Pays à revenu intermédiaire – tranche supérieure	2 000 $	50	84
Pays industriels à économie de marché ou exportateurs de pétrole à revenu élevé	10 000 $	9	62

LA FEMME

La femme est la face cachée du monde arabe. Promise par la coutume tribale à son cousin paternel, ibn al-'amm, *elle mourra souvent sans avoir côtoyé, sa vie durant, d'autres que ses parents de sang, ni jamais franchi le seuil de l'univers familial auquel la tradition l'a cantonnée. Milieu où ailleurs s'épanouissent les libertés, la ville a aliéné la femme arabe. Lorsque l'espace n'est peuplé que de proches, comme le campement bédouin, les femmes y évoluent en effet sans contrainte, soustraites par les immensités désertiques à tout risque de rencontre fortuite avec un étranger de l'autre sexe. Dans le village où plusieurs clans se côtoient, des trajets et des horaires rituels distincts, connus de tous, instituent des règles d'évitement tout en préservant une certaine liberté de mouvement. Mais l'anonymat et les multitudes de la cité font peser d'innombrables dangers; la femme ne les affronte que sous la protection du voile, qui la dérobe aux menaces de la rue. Elle quitte ainsi son foyer sans être vue par d'autres que les siens. Même s'il fut peut-être à l'origine une barrière entre deux hommes — le Prophète qui désirait s'isoler avec sa jeune épouse Zaynab et l'indélicat qui tardait à les laisser après la noce* [1] *—, le Hijâb symbolise la cloison qui sépare le dedans du dehors: la famille où la femme règne, du monde extérieur où elle n'a pas sa place. Dans sa longue quête d'une reconnaissance civile, en faisant tomber les barrières de l'école, la femme arabe de la fin du XXe siècle a déjà conquis le droit de savoir. Celle du prochain millénaire devra prendre deux autres citadelles: le travail et une part de pouvoir.*

Les droits des femmes

En désignant les rôles assignés à l'homme et à la femme, en distinguant les peines encourues par l'un et l'autre sexe dans des situations analogues — l'adultère, par exemple — ou en hiérarchisant leurs parts respectives d'héritage, le Coran fit œuvre révolutionnaire, pour la simple raison qu'il reconnaissait des droits aux femmes dans une société qui les leur déniait. Treize siècles plus tard, la *Sharî'a* continue de régir, en partie ou en totalité, le statut des personnes.
Les sociétés conservatrices de la Péninsule où, à l'exception de l'ex-Yémen démocratique, aucun code moderne n'est venu tempérer la *Sharî'a*, sont restées sourdes aux appels des instances internationales pour la reconnaissance des droits de la femme. Elles n'ont ratifié aucune des conventions de l'O.N.U., notamment celle de 1979 par laquelle les États s'engagent à éliminer toute forme de discrimination contre les femmes. Aux côtés de la Péninsule se rangent trois États africains, Djibouti et la Somalie, ainsi que l'Algérie, défenseur fervent des peuples opprimés de par le monde, mais non de ses femmes. Reprenant de nombreuses dispositions du

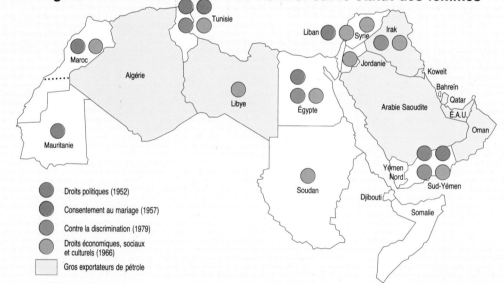

États signataires des conventions de l'O.N.U. sur le statut des femmes

- Droits politiques (1952)
- Consentement au mariage (1957)
- Contre la discrimination (1979)
- Droits économiques, sociaux et culturels (1966)
- Gros exportateurs de pétrole

droit islamique dans les domaines du mariage*, de la représentation légale, des successions et des dispositions testamentaires, le jeune Code algérien de la famille (1984) consacre l'inégalité des sexes [2] jusque dans l'intimité de la vie privée. C'est ainsi qu'il précise que «l'épouse a le droit de visiter ses parents *prohibés* et de les recevoir conformément aux usages et aux coutumes» (article 38), limitant donc implicitement ce droit de visite aux seuls hommes «prohibés»**, ceux de la famille avec qui le mariage est proscrit par l'islam. Ce même code enjoint à la femme d'«allaiter sa progéniture si elle est en mesure de le faire» (article 39), la confinant sans appel dans le rôle de mère et d'épouse que lui assigne la famille patriarcale.

---

* Notamment la tutelle matrimoniale: «la conclusion du mariage pour la femme incombe à son tuteur» (article 11 du code algérien).
** L'islam accepte la plupart des mariages consanguins, et n'interdit à la femme que d'épouser son père, ses frères, ses grands-pères, ses fils et petits-fils, les frères de sa mère et de son père et les fils de ses frères ou sœurs, à l'exclusion de tout autre.

▲
La moitié des pays arabes n'a signé aucune des principales conventions adoptées aux Nations unies pour défendre le droit des femmes. Seuls la Tunisie et le Yémen du Sud les ont toutes ratifiées. Les conventions relatives au consentement de la femme au mariage et à l'opposition à toute forme de discrimination soulèvent les plus fortes réticences, notamment auprès des sociétés pluriconfessionnelles.

A l'opposé, la Tunisie et le Yémen démocratique s'efforcent de moderniser la société par les textes juridiques. Ils ont l'un comme l'autre ratifié toutes les conventions internationales sur le statut des femmes, y compris celle qui stipule (1962) qu'«aucun mariage ne sera tenu pour légal sans le consentement plein et libre des deux parties», heurtant de front la *Sharî'a* qui reconnaît au contraire au père ou au frère de la jeune fille un droit de contrainte *(jabr)* sur la désignation de son futur époux. Ces deux pays sont les seuls à avoir aboli la procédure expéditive de répudiation, au profit du divorce à la demande de l'un des deux époux.

Ainsi, la rupture la plus radicale avec la loi islamique ne vient pas des États dont l'appareil productif est le plus moderne, mais au contraire de ceux qui, faute de pétrole, ont dû parier sur l'innovation sociale pour déclencher le processus du développement économique. Aucun membre arabe de l'O.P.E.P. ne figure d'ailleurs au nombre des signataires de la première convention sur les droits politiques.

Les plus à l'avant-garde ne se sont cependant pas aventurés à instaurer l'égalité des sexes en matière successorale, où aucun pays, à l'exception des communautés chrétiennes du Liban, n'a amendé la disposition coranique en vertu de laquelle l'héritier mâle reçoit une part double de celle des filles.

La lente conquête du savoir

De toujours, la petite fille arabe aura fait l'apprentissage de la soumission. C'est encore le cas à la campagne ou dans les quartiers populaires de nombreuses villes. A l'âge où ses frères sortent pour gagner l'école, il n'est pas rare qu'elle se voie consignée au domicile parental, privée pour toujours de l'accès à la culture écrite. En immergeant l'enfant dans un monde que la famille ne contrôle pas, l'école contrarie en effet les règles patriarcales d'éducation des filles, qui les préparent à leur future réclusion d'adulte. De plus,

en développant chez elles des connaissances identiques à celles de leurs futurs époux, elle risque d'éroder une hiérarchie fondée sur le sexe. Enfin, parce qu'une fois mariée la femme appartiendra à la famille de son conjoint, le père ressent l'éducation de ses filles comme un investissement en pure perte, surtout lorsque ses moyens sont comptés.

Dans un passé tout proche pour la Péninsule, la Libye, la Mauritanie et le Soudan, plus lointain pour le reste de l'Afrique du Nord et du Machrek et maintenant oublié au Levant, les enfants naissaient égaux devant l'éducation scolaire pour la simple raison que, garçons ou filles, ils n'y accéderaient point. C'était un nivellement par le bas. Seule une longue fréquentation de l'école coranique — surtout masculine — pouvait introduire une différence entre les sexes. On lui doit en partie les 7,6 % d'hommes alphabétisés au Yémen du Nord, contre seulement 1,6 % des femmes.

L'OUBLI DE L'ÉCRITURE

La lecture et l'écriture sont des acquis fragiles pour qui n'en fait pas un usage quotidien. Dans la population marocaine, l'alphabétisation progresse rapidement au cours du temps. Cependant, l'illettrisme regagne du terrain chez les personnes dont le séjour à l'école aura été trop bref pour laisser une marque indélébile. Entre les deux derniers recensements, de nombreuses femmes sont ainsi retournées à leur état antérieur d'analphabètes, tandis que ce mouvement a épargné les hommes.

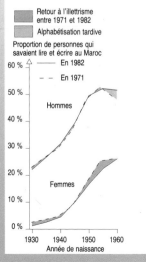

Retour à l'illettrisme entre 1971 et 1982
Alphabétisation tardive

Proportion de personnes qui savaient lire et écrire au Maroc
— En 1982
– – En 1971

Hommes
Femmes

Année de naissance

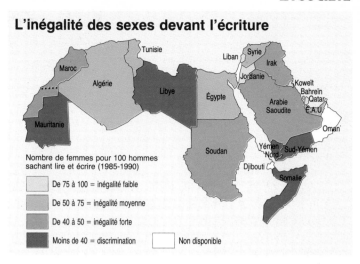

L'inégalité des sexes devant l'écriture

Nombre de femmes pour 100 hommes sachant lire et écrire (1985-1990)

De 75 à 100 = inégalité faible
De 50 à 75 = inégalité moyenne
De 40 à 50 = inégalité forte
Moins de 40 = discrimination   Non disponible

▲ *Cette carte résume un demi-siècle d'inégalités: les adultes qui savent aujourd'hui lire et écrire avaient fait partie, dans leur jeunesse, des élus pour l'école. La proportion de garçons parmi eux était d'autant plus forte que les classes étaient plus rares.*

Le poids des lycéennes

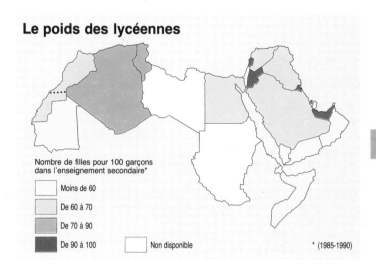

Nombre de filles pour 100 garçons dans l'enseignement secondaire*

Moins de 60
De 60 à 70
De 70 à 90
De 90 à 100   Non disponible   * (1985-1990)

▲ *Cette carte permet d'imaginer la composition par sexe de l'élite de demain. En négatif, elle reproduit presque la précédente, reflétant la reproduction tenace des structures patriarcales. Partout où l'enseignement secondaire reste un privilège rare, on le réserve aux garçons, comme autrefois l'enseignement primaire.*

C'est lors de la mise en place d'un système scolaire moderne que les disparités les plus aiguës se sont creusées, car les familles n'y envoyèrent que leurs fils. On en trouve la trace encore fraîche partout où l'enseignement de masse a été introduit récemment. En Arabie Saoudite, où l'école fut interdite aux filles jusqu'en 1960, ainsi que dans les deux Yémen, l'analphabétisme va régresser moins vite chez les femmes que chez les hommes, car, aujourd'hui encore, les filles sont deux à quatre fois moins scolarisées dans le primaire que les garçons.

La popularisation de l'enseignement primaire et l'élitisme du secondaire dessinent déjà les inégalités de demain. Gommant peu à peu l'illettrisme féminin, ils instaurent une coupure entre des hommes éduqués et des femmes simplement alphabétisées. Les sociétés de vieille tradition scolaire, en tête desquelles le Liban et la Jordanie (grâce au niveau éducatif élevé des Palestiniens), ainsi que les riches principautés pétrolières sont seules parvenues à une certaine équité, ouvrant également aux deux sexes les portes de l'éducation secondaire.

Une femme sur sept dans les pays arabes, contre une sur deux dans les autres pays en développement, fait partie de la population active. Dans la Péninsule, en Algérie et en Libye, la femme en est pratiquement absente, sinon exclue par la loi, comme si l'abondance pétrolière avait préservé la famille patriarcale, en lui fournissant des revenus suffisants pour maintenir la femme recluse. La Tunisie se pose en champion du statut de la femme moderne.

▶ **Taux d'activité féminine à 15 ans et plus***

Moins de 10 %
De 10 à 15 %
De 15 à 20 %
Plus de 20 %
Non disponible

*(1985-1990)

Le bastion professionnel

La famille patriarcale protège la femme par le mariage et la maternité, qui la placent sous la dépendance économique d'abord de son époux, puis de ses enfants mâles lorsque celui-ci vient à la laisser veuve. Nul besoin pour elle d'un emploi rémunérateur qui, au demeurant, ne saurait remplacer mari et progéniture que s'il était assorti d'avantages sociaux encore chichement dispensés dans les pays arabes : assurance maladie et retraite. Un salaire lui confé-

rerait en outre une parcelle d'autonomie et d'autorité, que le pouvoir absolu du mari ne peut concéder. Les chiffres sont implacables : les femmes forment 35 % de la main-d'œuvre dans le tiers monde, mais seulement 16 % dans les pays arabes.
Les instances internationales appellent à l'interprétation prudente de chiffres infamants pour les femmes. Ils sous-estiment leur contribution réelle à la production, car bon nombre exercent une constellation d'activités dont aucune n'est «principale», au sens administratif. En Égypte, deux femmes rurales sur trois élèvent des volailles pour le

commerce[3], mais le recensement les donne inactives à 95 %, parce qu'aux yeux des hommes elles sont femmes au foyer. Au Caire, les épouses employées dans l'atelier du mari se considèrent toutes inactives[4]. La statistique arabe de la main-d'œuvre ne renseigne ainsi pas tant sur l'économie que sur la mentalité collective.
L'arrivée en force des femmes sur le marché moderne du travail urbain se confirme en Tunisie et se dessine à Bahreïn, au Koweït, ainsi qu'en Irak, où une guerre de huit ans a mobilisé les hommes sur le front, et poussé l'État à créer des crèches afin de placer les épouses aux postes vacants.
Pour l'essentiel, l'emploi féminin reste cependant marginal, confiné à des secteurs à basse rémunération. La modernisation économique a parfois même revivifié la tradition : en Afrique du Nord, l'essor de l'industrie textile d'exportation repose sur le travail de femmes dont la machine à coudre reste vissée à la table familiale. En Arabie, la télévision et l'informatique domestique permettent de lever le voile : par écran interposé, les étudiantes écoutent un professeur qui ne les voit jamais et les secrétaires dialoguent avec un patron dont elles ignorent le visage. La modernité se glisse ainsi dans les interstices des coutumes ancestrales. Au Maroc, sous le Protectorat, des hommes tenaient les rôles féminins du théâtre populaire. Dans les années 60, la voix féminine fit ses premières sorties publiques sur les ondes de la radio. Aujourd'hui, les actrices n'hésitent plus à monter sur les tréteaux[5].

ÉLECTRICES, MAIS NON ÉLUES

«Ne connaîtra jamais la prospérité le peuple qui confie ses affaires à une femme.» Authentique ou apocryphe, ce hadith, remémoré lorsque la veuve du Prophète, Aïcha, s'enlisait dans la «bataille du chameau»[1], aura présidé aux destinées du pouvoir arabe durant treize siècles. Le droit de vote a été accordé aux femmes dans tous les pays arabes où l'on procède à des élections. Cette conquête ne les a pas pour autant rapprochées du pouvoir. Le corps électoral marocain est à 48,5 % féminin, mais la chambre législative à 100 % masculine[5]. La situation est pratiquement identique d'un bout à l'autre du monde arabe, où la loi semble ainsi en avance sur la société. Jusqu'à présent les femmes auront élu des hommes.

La femme du gouvernement*

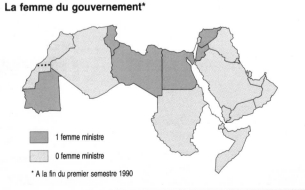

1 femme ministre
0 femme ministre

* A la fin du premier semestre 1990

LES ENTRAVES FAMILIALES AU TRAVAIL DE LA FEMME

L'abandon du travail pour cause de mariage chez les maronites et les sunnites du Liban*

	Femmes maronites	Femmes sunnites
Avaient un emploi avant le mariage	27,9 %	15,1 %
L'ont conservé après le mariage	8,1 %	5,7 %

* Avant la guerre civile

L'exercice d'une activité hors du domicile s'avère souvent incompatible avec les responsabilités familiales ; les femmes du monde entier le savent. Mais, tandis que sous toute autre latitude c'est surtout le temps consacré par la maman à élever ses enfants qui mord sur celui qu'elle voue au travail rémunérateur, dans les pays arabes, c'est plutôt le mari qui retient la femme à la maison. La barrière que le mariage dresse entre la femme et le monde du travail ne caractérise pas tant l'islam que le système patriarcal de toute la société arabe, musulmane ou chrétienne : les maronites du Liban sont un peu plus présentes dans le monde professionnel que leurs compatriotes sunnites. Elles partagent cependant une même contrainte maritale pour abandonner le travail à la veille des noces.

Taux d'activité en Syrie urbaine, selon le sexe et la situation familiale (30-34 ans en 1981)

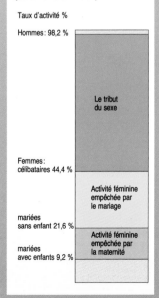

Taux d'activité %

Hommes : 98,2 %

Femmes : célibataires 44,4 %

Le tribut du sexe

Activité féminine empêchée par le mariage

mariées sans enfant 21,6 %

Activité féminine empêchée par la maternité

mariées avec enfants 9,2 %

LA CULTURE

L'ÉDUCATION

Vers l'école pour tous?

Le monde entier s'est mobilisé pour combattre l'illettrisme. L'U.N.E.S.C.O. a fait admettre l'idée que la diffusion de l'école primaire constitue une étape incontournable du développement, non seulement parce qu'elle élève la dignité des hommes, mais aussi parce que en valorisant les «ressources humaines» elle permet des gains rapides de productivité, y compris dans des activités manuelles au savoir-faire ancestral, l'agriculture par exemple. Les campagnes de l'organisation internationale ont trouvé un écho d'autant plus favorable auprès des jeunes États que ceux-ci étaient aux prises avec la définition de l'identité de leurs peuples: lieu privilégié de socialisation des enfants, l'école primaire s'est vu assigner la fonction politique primordiale d'unifier la langue là où elle ne l'était pas, de promouvoir une conscience nationale encore balbutiante, de diffuser

Taux de scolarisation en 1985-1990

Niveau primaire (6-11 ans)

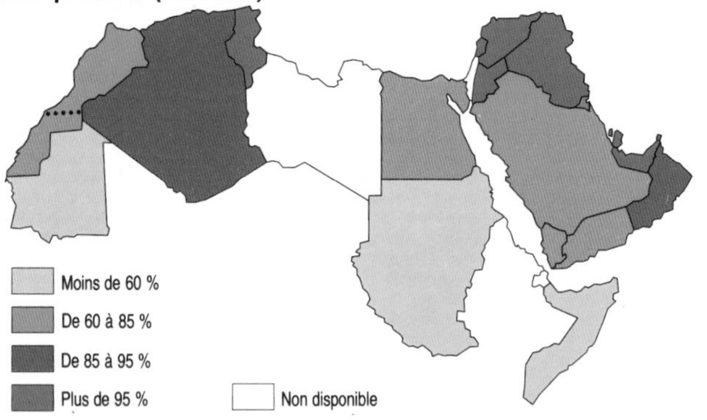

- Moins de 60 %
- De 60 à 85 %
- De 85 à 95 %
- Plus de 95 %
- Non disponible

Niveau secondaire (12-17 ans)

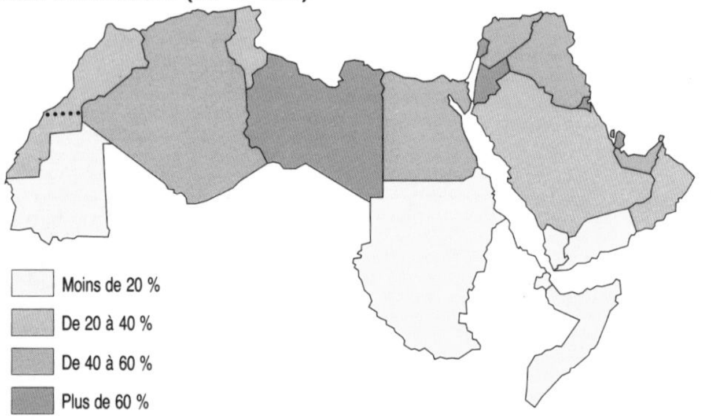

- Moins de 20 %
- De 20 à 40 %
- De 40 à 60 %
- Plus de 60 %

Niveau supérieur (18-23 ans)

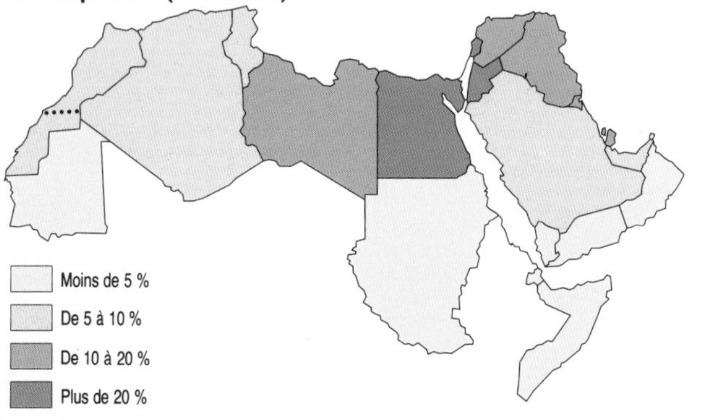

- Moins de 5 %
- De 5 à 10 %
- De 10 à 20 %
- Plus de 20 %

CENT ANS POUR JUGULER L'ANALPHABÉTISME

L'apprentissage de l'écriture se fait durant une courte période de la vie, passé laquelle demeureront illettrés ceux qui n'ont pas eu la chance de s'asseoir sur les bancs de l'école. Reflets du niveau et de l'évolution de la scolarisation primaire au cours du demi-siècle écoulé, ces cartes ne pourront se transformer que lentement, au fil du renouvellement des générations. Celle des hommes, fortement contrastée en raison de l'histoire plus ou moins longue de leur scolarisation, ira en s'homogénéisant par la disparition des poches d'analphabétisme, d'ores et déjà prévisible car l'éducation primaire des garçons est généralement bien engagée. La carte des femmes au contraire, dont l'uniformité provient d'un passé récent où la fille n'avait pas sa place à l'école, se contrastera d'abord, au fur et à mesure que se démarqueront les pays qui lui ont déjà largement reconnu le droit de savoir.

Taux d'analphabétisme

Hommes

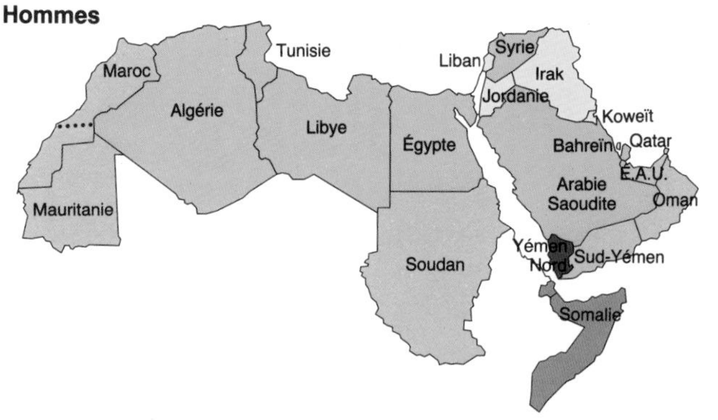

Femmes

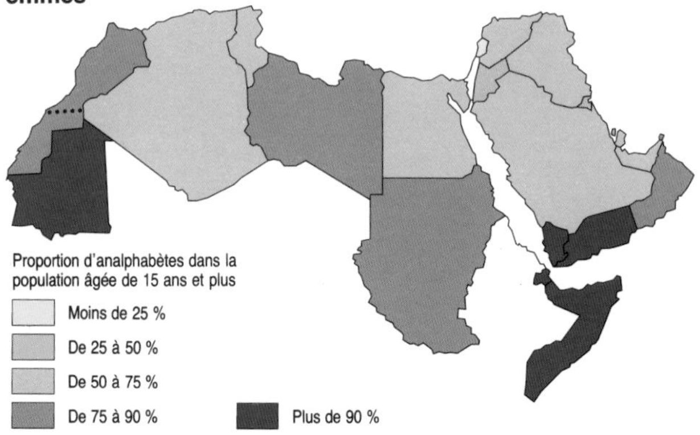

Proportion d'analphabètes dans la population âgée de 15 ans et plus

- Moins de 25 %
- De 25 à 50 %
- De 50 à 75 %
- De 75 à 90 %
- Plus de 90 %

◄ *Produit de base, l'enseignement de l'écriture et du calcul est maintenant distribué à plus de deux enfants sur trois. Le lycée demeure en revanche un produit de luxe. Encore très sélectif au Maghreb, l'enseignement supérieur montre quant à lui un potentiel intellectuel à l'avantage du Machrek.*

des idéaux patriotiques à la popularité parfois incertaine.

La lutte contre l'analphabétisme, on le savait dès le départ, sera de longue haleine, car, même si l'on parvient un jour à scolariser tous les enfants, il ne disparaîtra que lorsque se seront éteintes les générations nées du temps où les lettres étaient le quasi-monopole d'une minorité citadine fortunée. Cette époque est encore récente en Afrique du Nord et dans le Sud arabique, tandis que, tirant bénéfice d'une avance de plusieurs générations, le Liban a maintenant presque achevé de généraliser la lecture et l'écriture. La Jordanie, dont la population palestinienne est réputée pour son niveau éducatif élevé, les cités-États du Golfe, où le regroupement des habitants dans quelques villes a facilité la scolarisation de masse, voire l'Irak, lui-même très urbanisé, rejoindront bientôt le pays du cèdre. Les autres devront pour la plupart s'attaquer à un double retard, des campagnes sur les villes et des filles sur les garçons. Ce combat sur deux fronts distincts — l'éloignement de l'école pour de nombreux villageois et les préjugés qui retiennent les filles à la maison — est loin d'être gagné.

L'Égypte, berceau des compétences

Tandis que l'enseignement primaire tend lentement à se généraliser, le secondaire et le supérieur dessinent une carte des compétences fortement hié-

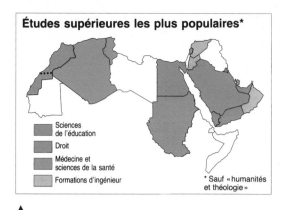

Comme pour rattraper le retard légué par des structures sociales archaïques, la Péninsule met l'accent sur la formation des maîtres. A ses frontières, les grands exportateurs de main-d'œuvre produisent les cadres que l'Arabie et le Golfe embaucheront.

Études supérieures les plus populaires*

Sciences de l'éducation
Droit
Médecine et sciences de la santé
Formations d'ingénieur

* Sauf « humanités et théologie »

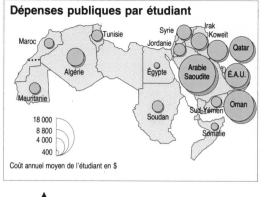

Dépenses publiques par étudiant

18 000
8 800
4 000
400

Coût annuel moyen de l'étudiant en $

Un étudiant coûte 410 dollars par an à l'État en Égypte, mais plus de 10 000 à Oman et en Arabie. Le système universitaire bien rodé d'Égypte, du Liban, voire des pays maghrébins, requiert moins d'investissements que les facultés à peine inaugurées du Golfe.

rarchisée : à peu près celle du niveau de vie. En effet, leur diffusion à grande échelle n'est pas à la portée des pays les plus pauvres, pour qui la culture générale dispensée au lycée peut même entraîner des effets pervers sur le marché du travail et décevoir des espoirs d'ascension sociale. Une formation générale malgré tout sommaire suffit à détourner de l'agriculture et des petits métiers de la ville, sans fournir les qualifications techniques dont l'économie aurait besoin.

Malgré un revenu par tête bas,

l'Égypte tranche curieusement : elle semble s'être fait une spécialité de la formation des cadres. Ce pays, dont un Arabe sur quatre est issu, fournit à la région la moitié de ses étudiants et compte les deux tiers de ses diplômés. Parce que, depuis les lois sociales du président Nasser, l'État garantit un emploi dans la fonction publique à tout détenteur d'un parchemin, l'Égypte en produit en excès. Contrainte par la surabondance des titres universitaires à multiplier des postes aussi mal rémunérés que faiblement productifs, elle en tire

pourtant une position stratégique dans un Moyen-Orient où l'offre d'emplois qualifiés, stimulée par l'embellie pétrolière, a pris de court les universités naissantes du Golfe, tout juste commandées clés en main au pays du Nil comme à l'Occident. Des 30 000 ingénieurs formés chaque année dans le monde arabe, plus du tiers sont diplômés des écoles égyptiennes, le reste provenant essentiellement de quatre pays : Syrie, Jordanie, Irak et Algérie[1].

Des cadres en surplus

Au lendemain des indépendances, lorsque les compétences faisaient encore défaut, les pays arabes, particulièrement ceux du Maghreb, firent appel à la coopération internationale pour encadrer leurs collèges et universités. A côté des ressortissants de l'ancienne métropole, des coopérants accoururent ainsi du Machrek et de l'Europe de l'Est pour reconstruire l'Algérie intellectuelle. Moins de trente ans auront toutefois suffi à satisfaire, et parfois saturer, un marché de l'emploi qualifié resté étroit. Le monde arabe produit aujourd'hui un savoir-faire qui excède globalement une demande qui n'a pas suivi[2] : la « fuite » vers l'Occident étant difficile maintenant qu'y sévit un chômage endémique des intellectuels, les cerveaux arabes sont ainsi condamnés en nombre croissant à accepter des emplois sous-qualifiés.

Par les divers actes d'allégeance des disciples aux maîtres, les échanges universitaires portent les alliances à venir, autant qu'ils révèlent celles du jour. Les Maghrébins restent largement fidèles à la francophonie, tandis que les riches pétroliers et les Libanais ont plutôt élu le monde anglophone. Les universités d'Arabie et d'Égypte ont une certaine vocation internationale. Au Liban, c'est en revanche la situation intérieure qui donne cette apparence cosmopolite : l'immense majorité des 30 000 porteurs étrangers d'une carte universitaire libanaise se recrute parmi la communauté palestinienne et les occupants syriens.

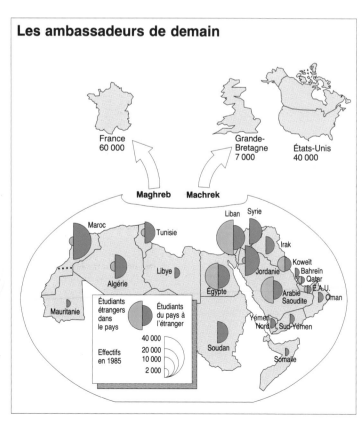

Les ambassadeurs de demain

France 60 000
Grande-Bretagne 7 000
États-Unis 40 000

Maghreb   Machrek

Étudiants étrangers dans le pays
Étudiants du pays à l'étranger

Effectifs en 1985
40 000
20 000
10 000
2 000

LES MÉDIAS

Dans leurs rêves les plus hardis, les pères de la Nahda, cette renaissance arabe à laquelle s'attelait un cénacle d'intellectuels à la fin du XIXᵉ siècle, n'auraient su prédire les 3 000 titres, quotidiens ou périodiques, qui s'impriment aujourd'hui en langue arabe, ni les 4 millions de personnes qui accèdent chaque année aux magies de sa lecture et de son écriture. Alors que Naguib el-Rihani les calligraphiait de sa plume malla, *comment le dramaturge égyptien (1891-1949) aurait-il pu imaginer que ses reparties essaimeraient de Sanaa à Tunis, que le théâtre arabe, malgré des heures difficiles sur les plan-* ches, *inonderait de séries télévisées les 46 chaînes que compte maintenant la région? Prenant toute la mesure des enjeux médiatiques, on alla jusqu'à lui offrir plusieurs satellites de télétransmission (Arabsat) pour gommer les frontières. Mais l'art de la communication ne s'improvise ni ne s'achète. Il n'a acquis ses lettres de noblesse que dans les pays qui furent précurseurs en la matière. Ailleurs, le support télévisuel ou cinématographique s'accommode mal d'une tradition millénaire de censure de l'image du vivant et d'une pesanteur politique et sociale qui peut brider la créativité.*

La presse maghrébine entre deux langues

■ Sur le terrain de la presse écrite, le Maghreb et le Machrek ont bien du mal à se retrouver. Écartelée entre trois cultures et moins alphabétisée, l'Afrique du Nord affronte un handicap qui épargne le Moyen-Orient. S'exprimant en dialecte arabe ou berbère, le Maghrébin doit souvent lire en français, ce qui dissuade le plus grand nombre et atténue l'impact des médias.

Grâce à des liens historiques plus étroits avec l'Orient, à un maillage colonial moins serré que dans l'Algérie française et à la faible composante berbère de sa population, la Tunisie n'a eu aucun besoin de clamer haut sa volonté d'arabiser les lettres. Les journaux en langue arabe y représentent les trois quarts des tirages de la presse quotidienne, dominée par *Al-Anouâr*. A Casablanca ou à Alger, en revanche, le français règne encore: *El Moudjahid* et *Horizons* totalisent 600 000 exemplaires, soit les trois quarts des tirages quotidiens en Algérie. *Le Matin du Sahara, L'Opinion* et quelques autres confrères francophones accaparent au Maroc une part identique du marché. Mais le fossé grandissant entre une jeunesse scolarisée en arabe et une presse francophone n'explique pas seul cette diffusion modeste. Les textes qui régissent la presse non plus. En Algérie, jusqu'à la

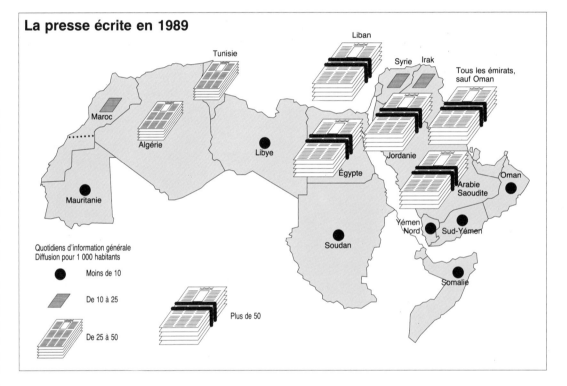

La presse écrite en 1989

Quotidiens d'information générale
Diffusion pour 1 000 habitants

● Moins de 10

▨ De 10 à 25

▧ De 25 à 50

▨ Plus de 50

promulgation du nouveau Code de l'information, l'État aura exercé un monopole absolu sur les médias, tandis qu'au Maroc 157 quotidiens et périodiques indépendants et le pluripartisme protégé par la Constitution promettaient un débat plus vif. Pourtant, la vie des médias est plus terne au Maroc qu'en Algérie. Dans le royaume chérifien, la profession n'est en effet servie que par 350 journalistes, dociles plus par isolement que par crainte des rigueurs politiques, cependant qu'un climat de contestation inspire depuis toujours une corporation algérienne bien organisée et cinq fois plus nombreuse. Elle a su préserver, malgré un discours officiel contraignant, une déontologie animée d'esprit critique et parfois même d'indépendance.

Langue de bois et rente sur papier glacé

■ Quels que soient les outils dont on dote les médias, leur influence politique et culturelle se mesure en dernier ressort à leur impact sur le public. Là où l'État a totalement asservi l'expression journalistique, il a du même coup émoussé son message et perdu ses lecteurs. Ainsi de l'Irak et de la Syrie, deux pays de tradition littéraire vénérable, placés aujourd'hui dans le peloton de queue de la statistique implacable des tirages de quotidiens. A peine un exemplaire vendu pour 50 habitants, soit une infime avance sur le Yémen et l'Oman des confins. Comment en irait-il autrement alors que la formation de journaliste est explicitement réservée aux membres du parti Baath au pouvoir en Irak et que la carte de presse n'est délivrée en Syrie qu'avec l'aval des services de renseignements? Dans le Golfe, le journal est un élément de train de vie parmi d'autres, où les cours du *brent* côtoient les annonces mondaines et sportives ainsi que les heures de prière : de nombreux quotidiens à petit tirage parviennent à assurer une couverture locale assez large.

Le métier d'informer

▬▬ Koweït se démarque de son environnement. Mariant l'opulence à la licence, il a su étendre son rayonnement médiatique bien au-delà de ses frontières, avec notamment cinq quotidiens tirant chacun à plus de 80 000 exemplaires et deux groupes de poids, *Al-raï al-'am* et *As-Siyâssa,* créés avec la collaboration de journalistes palestiniens et libanais. La crise politique qu'il traverse depuis 1986 a freiné cette embellie exemplaire. Pionniers dans le métier d'informer, le Liban et l'Égypte conservent une avance indéniable. Ce sont des émigrés libanais qui fondèrent en 1875, sur les rives du Nil, l'ancêtre de toute la presse arabe moderne, *Al-Ahram,* qui porta haut les couleurs de l'arabisme après sa nationalisation en 1958, sous la direction de Hassanein Heykal. Avec son hebdomadaire économique, *Al-Ahram Iqtissadi,* il tire à plus d'un million d'exemplaires. Couplé à un centre de recherches, il demeure la référence obligée pour toutes les affaires de la région. Loin de détruire la presse, la «guerre des bandes» qui déchire le Liban l'a simplement contrainte à reprendre les chemins de l'émigration, cette fois vers Paris et Londres, d'où elle s'adresse à tous les Arabes.

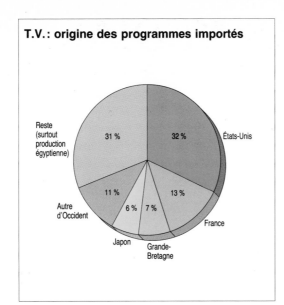

T.V. : origine des programmes importés

Reste (surtout production égyptienne) 31 %
États-Unis 32 %
France 13 %
Grande-Bretagne 7 %
Japon 6 %
Autre d'Occident 11 %

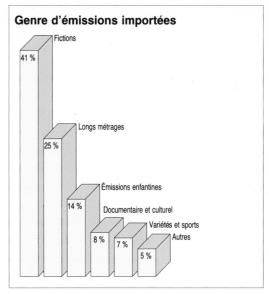

Genre d'émissions importées

Fictions 41 %
Longs métrages 25 %
Émissions enfantines 14 %
Documentaire et culturel 8 %
Variétés et sports 7 %
Autres 5 %

La télévision distraction

▬▬ La première expérience télévisuelle en terre arabe remonte à 1954, au Maroc (TELMA). Aujourd'hui, tous les pays disposent de la télévision, le plus souvent de plusieurs chaînes en couleurs : onze aux Émirats, où chaque émir en voulait au moins une.
Si la vocation de la presse écrite est d'informer, celle de la télévision est de distraire. Qu'on prône le socialisme ou la libre entreprise, qu'on appelle à l'effort ou au respect des traditions, la moitié des heures d'antenne sera toujours réservée aux séries de fiction. Cet important marché échappe toutefois aux talents locaux, surtout au Maghreb et dans le Golfe, où quatre programmes de distraction sur cinq sont de facture étrangère. L'Égypte elle-même importe comme la Syrie plus de la moitié des séries diffusées. La coopération entre les différentes chaînes nationales arabes est encore embryonnaire, mais elle se développe autour de la production, combien plus prolifique, de l'Égypte. A l'étranger, comme sur le reste de la planète, on se bouscule sur les cahiers de commande des séries américaines populaires : le puritanisme d'outre-Atlantique s'accorde à merveille avec les coutumes locales. Venant loin derrière les États-Unis, la France tient la deuxième place grâce aux émissions fournies gratuitement dans le cadre de sa politique de coopération.

63

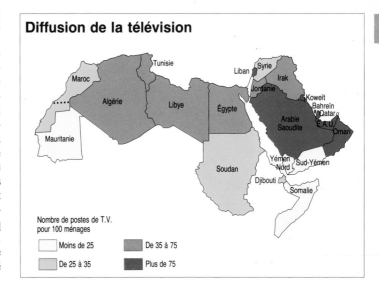

Diffusion de la télévision

Tunisie, Maroc, Algérie, Libye, Égypte, Liban, Syrie, Irak, Jordanie, Koweït, Bahreïn, Qatar, E.A.U., Arabie Saoudite, Oman, Mauritanie, Soudan, Yémen Nord, Sud-Yémen, Djibouti, Somalie

Nombre de postes de T.V. pour 100 ménages
Moins de 25
De 25 à 35
De 35 à 75
Plus de 75

Télévision, type de programme diffusé

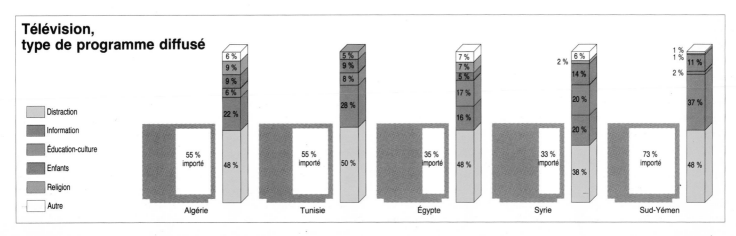

Distraction
Information
Éducation-culture
Enfants
Religion
Autre

Algérie : 55 % importé — 48 %, 22 %, 6 %, 9 %, 9 %, 6 %

Tunisie : 55 % importé — 50 %, 28 %, 8 %, 9 %, 5 %

Égypte : 35 % importé — 48 %, 16 %, 17 %, 5 %, 7 %, 7 %

Syrie : 33 % importé — 38 %, 20 %, 20 %, 14 %, 6 %, 2 %

Sud-Yémen : 73 % importé — 48 %, 37 %, 2 %, 11 %, 1 %, 1 %

RICHESSE DU PASSÉ

Six mille ans d'occupation citadine dans la vallée de l'Euphrate ont légué à l'humanité, avec Mari, les vestiges de ses plus anciennes villes. Les millénaires n'ont pas effacé les œuvres des peintres du Tassili algérien. Le temps et les civilisations guerrières qui se sont relayées dans l'Orient arabe et en Afrique du Nord ont enfoui l'histoire dans les strates du sol, mais ne l'ont pas irrémédiablement détruite : chaque jour, on en exhume des traces, tandis que l'on en poursuit de plus mythiques, comme les fastes de la reine de Saba qui dorment encore peut-être sous les sables de Marib. De Thoutmôsis II à Cléopâtre puis à Ibn Touloûn, de Nabuchodonosor à Haroun El-Rachîd ou de Volubilis à la Koutoubiya, aucune autre archéologie n'offre au visiteur une aussi longue succession de cultures. Les touristes qui, par millions,

font le «voyage en Orient», dans les pas de Lamartine ou de Nerval, à la recherche du soleil et du dépaysement, viennent à leur manière reconnaître un patrimoine commun. Les pays comptant les plus riches vestiges, Égypte et Maroc accueillent à eux deux plus de 57 % du tourisme européen en terre arabe. Mais ces grandes migrations de vacanciers sont aussi très sensibles au climat politique et à la volonté officielle d'ouverture. Ainsi, la Tunisie a su capter, plus par la qualité de son accueil que par la profusion de ses monuments, un afflux de devises provenant du tourisme — 8 % du P.N.B. — alors que la Syrie, malgré une exceptionnelle richesse architecturale et le fameux *Ahlan wa Sahlan* «Bienvenue!» qui court sur toutes les lèvres du petit peuple, l'a découragé par l'ostracisme de ses dirigeants.

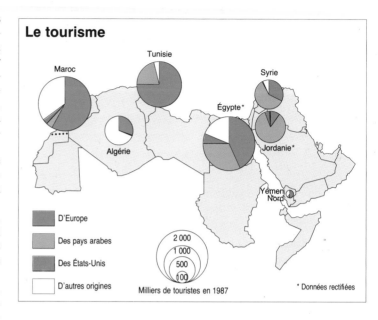

Le tourisme

D'Europe

Des pays arabes

Des États-Unis

D'autres origines

2 000
1 000
500
100

Milliers de touristes en 1987

* Données rectifiées

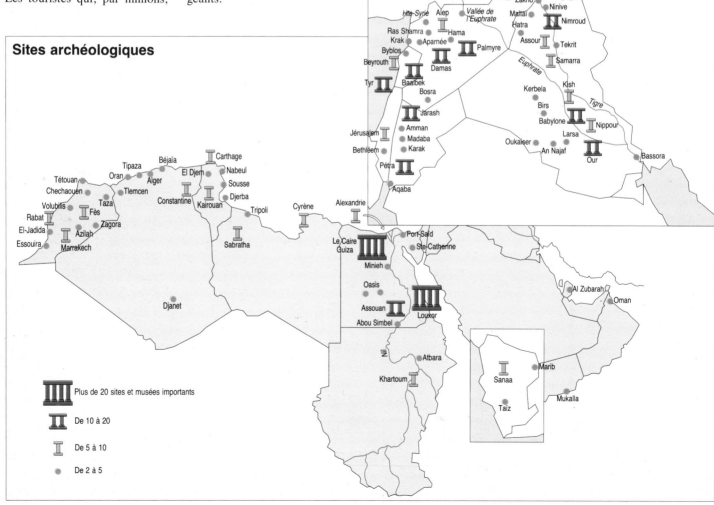

Sites archéologiques

Plus de 20 sites et musées importants

De 10 à 20

De 5 à 10

De 2 à 5

LA CITÉ

LES VILLES

L'avènement des villes restera comme l'une des mutations du siècle. Aux trois quarts rurales il y a cinquante ans, les populations arabes sont désormais à majorité citadine. D'un glorieux passé où les lieux du culte, de l'administration et du négoce s'ordonnaient en cet agencement si unique de la cité arabo-musulmane, seuls les centres-villes conservent parfois le souvenir. Les nouveaux périmètres d'affaires, les quartiers d'habitat sous-intégré et les extensions résidentielles qui enserrent partout les centres historiques portent la marque uniforme des architectures modernes, du gratte-ciel en aluminium au bidonville en tôle ondulée. L'afflux de ruraux dans les villes a d'abord suscité la frayeur des gouvernants et des instances internationales : il ne procédait pas, comme jadis en Europe, de l'appel d'une industrie en pleine éclosion, mais du rejet de la misère des campagnes. Au lieu de contribuer à la richesse nationale, il pesait sur un tertiaire à faible productivité, marginalisant la masse néo-citadine. On prédisait l'explosion urbaine. L'espace occupé par les villes «explosa», mais pas la société urbaine. On comprit alors que l'exode rural n'était peut-être pas un mal funeste, mais le résultat fatal d'un développement inégal entre secteurs d'activité. Avec l'émergence d'un marché national du travail et l'extension du salariat, il ouvrait des possibilités nouvelles à la production et au commerce. On commença à prêter attention au secteur «informel» qui absorbait le gros des néo-citadins, à la petite production marchande qui fleurissait en ville et dont on réalisa bientôt qu'elle était un rouage essentiel des économies arabes contemporaines.

Le temps de l'exode rural

Représentant environ 3,5 millions de personnes en 1900, les cités arabes auront connu, en cent ans, une multiplication par... cinquante. C'est vers le milieu du siècle, lorsqu'elles ne comptaient encore que 18 millions d'habitants, que le mouvement s'accéléra. Attirée par la ville qui concentrait tous les attraits de la modernité et laissait miroiter des opportunités de revenu monétaire pour les plus démunis, la paysannerie quitta en masse une campagne restée en marge du développement, gagnée par un sous-emploi croissant avec la pression démographique. L'exode rural atteignit une ampleur inédite. La poussée qui devait aboutir aux 106 millions de citadins d'aujourd'hui fut imputable pour moitié seulement à la croissance naturelle des villes, l'autre moitié revenant à la reclassification de villages en agglomérations urbaines au fur et à mesure qu'ils grossissaient et s'équipaient, mais surtout à l'afflux de ruraux vers les plus grandes cités.

A priori, rien de nouveau dans tout cela puisqu'au XIVᵉ siècle Ibn Khaldoun constatait déjà que les villes de l'Ifriqiya se gonflaient par l'apport d'une population aux mœurs campagnardes.

L'explosion urbaine

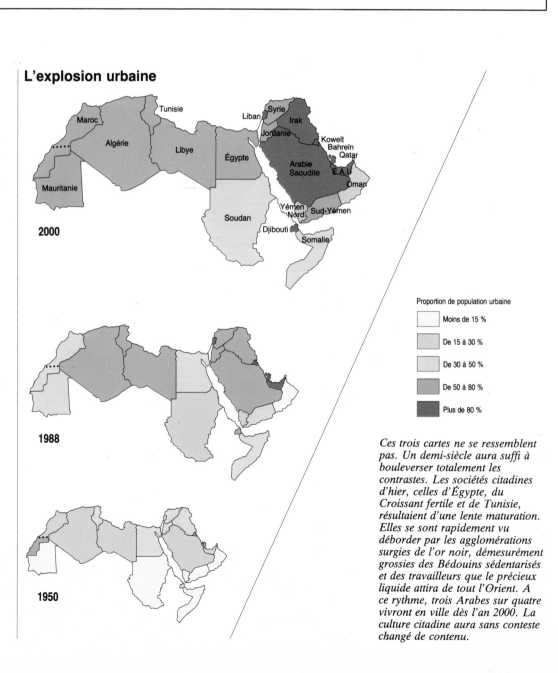

Proportion de population urbaine
- Moins de 15 %
- De 15 à 30 %
- De 30 à 50 %
- De 50 à 80 %
- Plus de 80 %

Ces trois cartes ne se ressemblent pas. Un demi-siècle aura suffi à bouleverser totalement les contrastes. Les sociétés citadines d'hier, celles d'Égypte, du Croissant fertile et de Tunisie, résultaient d'une lente maturation. Elles se sont rapidement vu déborder par les agglomérations surgies de l'or noir, démesurément grossies des Bédouins sédentarisés et des travailleurs que le précieux liquide attira de tout l'Orient. A ce rythme, trois Arabes sur quatre vivront en ville dès l'an 2000. La culture citadine aura sans conteste changé de contenu.

—— Limites des zones construites en 1982
(quartier de Guíza)

1

2

LE CAIRE

(Images du satellite SPOT, janvier 1988. Traitement FLEXIMAGE.)

En cinq ans, l'agglomération, jaillie de part et d'autre de la route [1] qui relie le centre du Caire (à l'est du Nil) aux pyramides de Guiza [2], s'est agrandie de 1 264 hectares, c'est ce que révèle la superposition de deux images satellitaires. Arpent par arpent, le béton stérilise ainsi inexorablement la myriade de vergers et de champs qui émaille

encore les abords de l'immense métropole. Pourtant, depuis 1976, la proportion de population urbaine n'augmente plus en Égypte, mais plafonne à 44 %. Ce sont les activités «urbaines», qui, se délocalisant vers de lointains pourtours, gagnent aujourd'hui des périmètres qui n'ont plus de «rural» que le rattachement administratif. Le déplacement des villes vers la campagne met ainsi l'agriculture devant un péril plus grand que ne l'avait fait, hier, l'exode des campagnards vers les villes.

Accroissement de la population urbaine

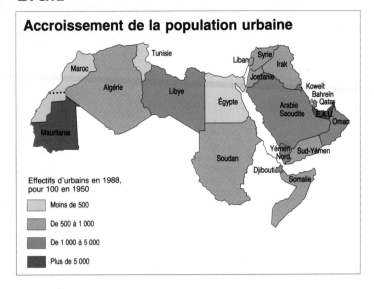

Effectifs d'urbains en 1988, pour 100 en 1950

- Moins de 500
- De 500 à 1 000
- De 1 000 à 5 000
- Plus de 5 000

▲

La poussée des villes arabes est l'une des plus vigoureuses du globe : pour 100 citadins en 1950, on en comptait, en 1988, entre 345 (Égypte) et 12 000 (Mauritanie). Se distinguent par leur exceptionnelle croissance urbaine les cités-États du Golfe, la Jordanie, où les exodes palestiniens successifs ont fait surgir de grandes agglomérations de réfugiés, la Mauritanie, le Soudan et la Somalie, où les populations pastorales frappées par les sécheresses récurrentes du Sahel ont fui la catastrophe écologique.

Concentration dans la capitale

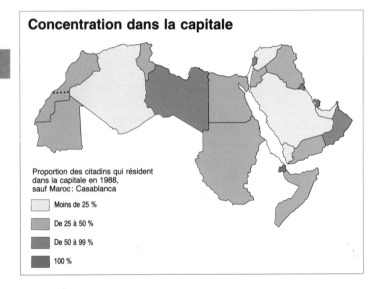

Proportion des citadins qui résident dans la capitale en 1988, sauf Maroc : Casablanca

- Moins de 25 %
- De 25 à 50 %
- De 50 à 99 %
- 100 %

▲

Généralement seule héritière des administrations ottomanes puis coloniales, la capitale partit dans la course démographique avec l'avantage des investissements publics. Tous les signes d'une différence avec les campagnes y miroitaient : abondance du souk, écoles, hôpitaux et cinémas, mais d'abord omniprésence du plus suggestif des symboles, les mouazzafîn, ces fonctionnaires qui ont personnifié les aspirations sociales du petit peuple de toutes les jeunes nations.

Par leur vigueur, les migrations contemporaines sont pourtant exceptionnelles.

Les grandes villes arabes sont doublement prédatrices : nourries d'exode rural, elles grossissent aux dépens des campagnes, parfois au péril de l'agriculture, avec laquelle la concurrence pour la terre et l'eau peut devenir impitoyable dans cette région aride. Ainsi, l'Égypte « utile », réduite à l'étroit cordon de la vallée du Nil, est le théâtre d'une rivalité millénaire entre deux exigences fondamentales de l'homme : production vivrière et habitat. Depuis le XIXe siècle, la pression croissante des populations sur un espace inextensible a continuellement poussé à intensifier l'agriculture en même temps qu'à densifier les sites habités. Faute de pouvoir multiplier les points de peuplement dans le désert, l'explosion démographique a de longue date gonflé les agglomérations de la vallée et du delta, grignotant ainsi peu à peu un capital non reproductible. De manière moins dramatique, l'expansion de Damas mord sur la Ghouta, terre la plus généreuse de Syrie, celle de Marrakech sur une palmeraie en péril. A Alger, l'alimentation des citadins en eau potable se fait au détriment de l'irrigation des champs de la Mitidja, dont la production est elle-même destinée à la capitale. L'arbitrage impossible entre les besoins en eau et les besoins en produits vivriers contraint à rechercher de plus en plus loin une eau de plus en plus onéreuse.

La capitale d'abord

▬▬▬ Dans une première étape, une seule ville dans chaque pays capta le gros des flux ruraux. Ce furent partout les capitales, vers lesquelles convergeaient les investissements de l'État, sauf au Maroc où Casablanca comptait quatre fois plus d'habitants que Rabat lors de l'indépendance. Les taux de croissance enregistrés dans les années 60 entraînèrent un doublement de la population en moins de dix ans à Beyrouth, Khartoum, Rabat-Salé et Nouakchott, ainsi que dans toutes les capitales du Golfe. Seuls les États providences des émirats pétroliers purent aller au-devant de la demande correspondante en équipements urbains. Dans les autres pays, les infrastructures et le parc de logements ne parvinrent pas à s'étendre au rythme de la démographie. Progressivement désertées par les

DES MÉGALOPOLES POUR FAIRE PEUR

Pour planifier l'emploi, la santé, l'école ou le logement dans une ville, il est indispensable d'évaluer sa population à venir. Établi par une prévision démographique peu contestable dans sa mécanique, le résultat revêt aux yeux du non-spécialiste un caractère inéluctable. Pourtant, parce qu'elle met en jeu des hypothèses, notamment dans le domaine capricieux des migrations, la prévision n'est qu'un scénario parmi d'autres, souvent la projection dans le futur des fantasmes du présent.

En 1980, les Nations unies ont ainsi calculé des perspectives d'accroissement de la population des grandes villes du monde à l'horizon 2000. Dix ans à peine ont suffi aux évolutions réelles pour leur apporter un démenti sans appel. A l'exception des capitales du Golfe et de Sanaa, dont on ne pouvait raisonnablement pas prévoir l'ampleur du boom immobilier, l'erreur fut toujours dans le même sens : on avait surestimé la croissance urbaine, pour la simple raison qu'on en avait peur.

Les erreurs de prévision en dix ans

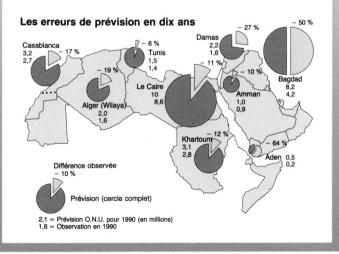

Différence observée – 10 %

Prévision (cercle complet)

2,1 = Prévision O.N.U. pour 1990 (en millions)
1,6 = Observation en 1990

Médina
Faubourgs de la médina et nouvelle médina
Quartiers des affaires
Quartiers résidentiels aisés
Quartiers résidentiels de moyen standing
Quartiers résidentiels populaires
Quartiers mixtes : habitat et activités

Roches noires

Port

Médina

Zone

industrielle

Centre ville

sud

Gautier

Palais
royal

Anfa

Hippodrome

Maarif

Palmier

Nouvelle

médina

Hay Drissia

Beauséjour

El Fida

Autoroute

Hay Hassani

Polo

Ifriquia

Oasis

Aïn Chock

Les Crêtes

Aéroport

CASABLANCA

(Images du satellite SPOT, décembre 1987. Traitement FLEXIMAGE.)

Contenue à l'aube de la colonisation dans les limites d'une modeste médina, Casablanca s'est déployée par demi-cercles concentriques à partir de ce noyau initial, au fur et à mesure qu'elle prenait les commandes de l'économie marocaine. Les époques se juxtaposent faute de s'être succédé, aucune restauration d'ensemble n'étant venue effacer les traces de l'histoire.
Les quartiers d'habitat, les anciens et nouveaux districts d'affaires et la zone portuaire et ferroviaire s'y intriquent en un tissu dense et compliqué. Seuls le desserrent les complexes industriels qui regroupent, sur les 8 500 hectares de l'agglomération casablancaise, 60 % des ouvriers du pays[1]; car contrairement à leurs voisins algériens, les pouvoirs publics n'ont pas ici fondé le développement régional sur la décentralisation industrielle. Encore en chantier sur cette image, la grande mosquée de la mer symbolise déjà la position dirigeante incontestée de la ville. La hiérarchie abrupte qui s'établit entre les quartiers résidentiels, des somptueuses avenues ombragées d'Anfa à la voirie confuse des petits bidonvilles du pourtour, renvoie l'image d'une société elle-même fortement stratifiée.

riches, qui abandonnèrent leurs demeures du centre-ville pour les nouvelles périphéries résidentielles, les médinas se taudifièrent en se densifiant: les *foundouks,* auberges traditionnelles, s'y subdivisèrent en minuscules appartements rudimentaires et suroccupés. Les quartiers d'habitat précaire se multiplièrent, au pourtour et parfois au cœur même des districts d'affaires.

L'imagination constructive

C'est ainsi que les toits du centre administratif du Caire et les cimetières mamelouks de la ville se peuplèrent de néo-citadins. Là, ils construisirent à la hâte des logements sommaires sur les terrasses d'anciens immeubles bourgeois, tandis qu'ici ils transformèrent en habitations permanentes les *hoch,* ces oratoires destinés à l'origine à héberger, le temps d'un recueillement, une famille auprès de ses nobles défunts. Le déficit de logements, touchant particulièrement les classes populaires, paraît avoir culminé dans les années 70. En Algérie, il s'éleva à 552 000 appartements manquants: un ménage citadin sur quatre ne trouvait pas à se loger. Moins aiguë en Tunisie, la pénurie toucha cependant plus d'un ménage sur dix (80 000 logements manquants) [2].

A quelque chose malheur est bon. La crise du logement a vite fait de créer de nombreux emplois, depuis le tâcheron et le maçon, jusqu'à l'indispensable *simsâr,* cet agent immobilier ambulant sans l'aide duquel toute recherche d'un toit est vouée à l'échec, tant la croissance a opacifié le marché. Reposant sur des initiatives privées, la construction parvint ainsi en un second temps à rattraper son retard sur la population, dans la plupart des capitales. Au Caire par exemple, le dernier recensement (1986) fait état de plusieurs centaines de milliers de logements vacants. Bien sûr, l'excès de l'offre sur la demande ne concerne que l'habitat de luxe, tandis que l'habitat spontané est de plus en plus précaire et bondé. Tributaires des finances publiques, les infrastructures élémentaires n'ont pas suivi. On manque à présent, dans les capitales arabes, moins d'appartements que d'eau, d'électricité, de voirie ou d'écoles pour équiper les nouveaux périmètres urbains.

Réactivation des solidarités familiales

Non seulement les grandes concentrations de population altérèrent l'harmonie du paysage urbain, mais elles affectèrent l'organisation de la société. La recherche de plus en plus difficile d'un emploi réactiva pour un temps d'anciennes solidarités. En effet, l'abandon de la campagne remonte généralement une filière familiale, villageoise ou tribale. Accueilli par ses proches qui l'avaient précédé en ville, le nouvel arrivant est intégré dans un réseau d'activités «informelles», grâce auquel il jouira vite de revenus supérieurs à ceux qu'il pouvait escompter en restant au village. Le jeune campagnard hébergé par l'oncle de la capitale, puis engagé dans l'atelier du cousin, est un personnage classique du cinéma de l'Égyptien Salah Abou Seif, de l'Algérien Bou Ammari ou du Marocain El-Maamouni. Son fils, en revanche, aura fréquenté l'école et nourri des ambitions de carrière que l'échoppe familiale ne pourra généralement plus satisfaire. En gagnant les secondes générations de citadins, le chômage glisse ainsi insensiblement vers des professions toujours plus qualifiées, ce qui limite le recours aux solidarités traditionnelles.

Des villes à la campagne

Les grandes villes perdirent de leur éclat. Non seulement on n'y trouva plus de travail, mais le logement devint inaccessible. Dans presque toutes les capitales, la floraison de nouveaux districts d'affaires et d'administration sur d'anciens quartiers d'habitat entraîna une flambée des prix du terrain et des loyers qui contraignit les citadins d'extraction modeste à s'éloigner et dissuada les nouveaux arrivants.

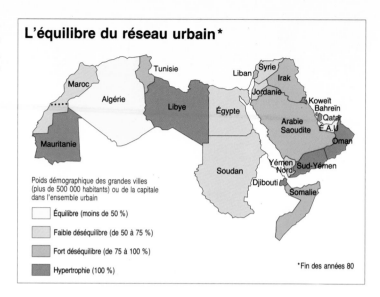

L'équilibre du réseau urbain*

Poids démographique des grandes villes
(plus de 500 000 habitants) ou de la capitale
dans l'ensemble urbain

☐ Équilibre (moins de 50 %)

☐ Faible déséquilibre (de 50 à 75 %)

☐ Fort déséquilibre (de 75 à 100 %)

☐ Hypertrophie (100 %)

*Fin des années 80

▲

Les pays les plus peuplés présentent un réseau urbain mieux équilibré, où de nombreuses grandes villes (de 100 à 500 000 habitants) atténuent l'emprise de(s) la mégalopole(s). C'est l'Algérie, dont la capitale n'abrite que 13 % des citadins et dont les deux villes de plus d'un demi-million d'habitants, Alger et Oran, regroupent seulement 45 % de la population des grandes villes, qui offre le réseau le plus dense de villes secondaires. Les efforts des États ont pesé dans le redéploiement urbain.

▼

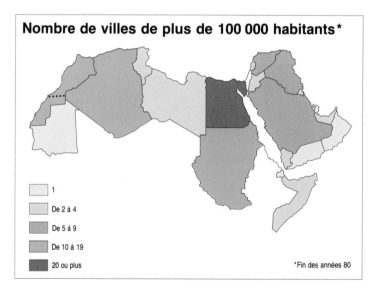

Nombre de villes de plus de 100 000 habitants*

☐ 1

☐ De 2 à 4

☐ De 5 à 9

☐ De 10 à 19

☐ 20 ou plus

*Fin des années 80

Des cités satellites commencèrent à essaimer dans des campagnes toujours plus lointaines, voire dans le désert, comme les *new settlements* des environs du Caire. Grâce au développement des transports péri-urbains, l'exode rural laissa bientôt la place aux déplacements quotidiens entre un village dortoir et la capitale. Demain, peut-être, les nouveaux moyens de communication en plein essor, téléphone et informatique, détrôneront-ils à leur tour ces migrations journalières. On évalue aujourd'hui entre cinquante et cent kilomètres le rayon d'attraction de Casablanca, d'Alger, de Tunis ou du Caire, à l'intérieur duquel activités et déplacements sont polarisés par une mégalopole où l'on ne réside pas. Cette dynamique résidentielle a revivifié l'emploi rural, de nouvelles activités dans les transports et le bâtiment coexistant maintenant avec l'agriculture. Dans ces campagnes où les prix du foncier n'ont pas encore flambé, on peut construire de plain-pied. Le tissu bâti étant lâche, on aboutit ainsi au paradoxe qu'en demeurant rurale la population pèse plus sur l'espace agricole que si elle était venue grossir la ville.

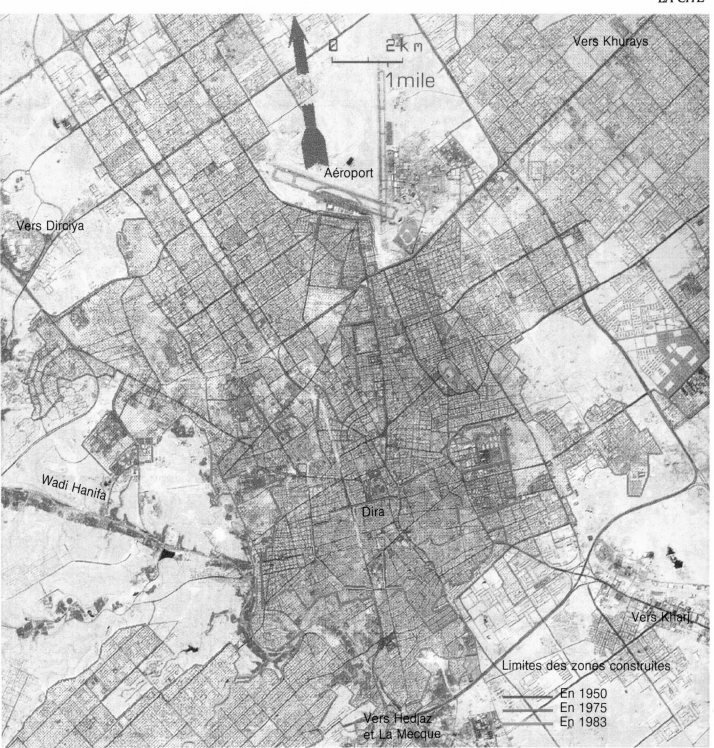

Vers Khurays

Aéroport

Vers Dirciya

Wadi Hanifa

Dira

Vers Kharj

Limites des zones construites

En 1950
En 1975
En 1983

Vers Hedjaz
et La Mecque

RIYAD

(Images du satellite SPOT, juin 1988. Traitement FLEXIMAGE.)

Forteresse d'où Ibn Saoud lança ses cavaliers à la conquête du royaume, Riyad ne franchit ses murailles que dans les années 30. Dès le départ les « beaux quartiers » s'étirèrent vers le nord et l'ouest, gravitant autour de palais satellites construits chacun par une branche de la famille royale, tandis que le sud, à l'air moins salubre, accueillait le petit peuple et bientôt les immigrés de tout l'Orient[3]. La petite oasis qui bordait les enceintes érigées par le prince wahhabite est maintenant immergée dans le tissu urbain. Ville royale, Riyad est aussi la cité du désert et de l'économie pétrolière. La volonté du prince d'ériger une cité prestigieuse et celle de ses frères de ne point s'y concurrencer trouvèrent dans des ressources foncières et financières quasi illimitées les moyens d'une occupation monumentale de l'espace. Le pétrole permit de le traverser par d'immenses axes intra-urbains. Contemporaines de l'explosion de la rente et peu contraintes par un terrain aux faibles aspérités, les extensions de la ville présentent toutes le même quadrillage presque parfait d'un urbanisme à l'américaine.

L'intervention de l'État

■■■■ Dans le même temps, les États adoptaient diverses mesures de développement rural et de décentralisation urbaine, pour tenter soit de retenir à la campagne les candidats à l'exode, soit d'orienter vers les petites villes ceux qui partaient néanmoins. Certains projets d'irrigation réalisèrent la symbiose des deux politiques; ainsi, en Syrie, la ville de Raqqa dut au barrage construit sur l'Euphrate, dans le site tout proche de Tabqa, de connaître vingt années durant la croissance démographique la plus forte du pays. Ne comptant que 14 500 habitants au recensement de 1960, elle dépasse maintenant largement les 100 000. L'État parfois employa la manière forte pour enrayer l'urbanisation incontrôlée : en Algérie par exemple, il alla jusqu'à raser des quartiers entiers d'habitat spontané aux portes de la capitale (1984), renvoyant purement et simplement dans leur village d'origine ceux qui avaient occupé les lieux sans permis de construire.

Dès les années 70 au Maghreb, dix ans plus tard au Machrek, la montée des villes secondaires allégea la pression sur les mégalopoles. En Algérie, le redéploiement de la population vers les villes de l'intérieur renversa la tendance initiale à une concentration exclusive sur le littoral : pour la première fois, les grands pôles, Alger, Oran, Annaba et Constantine, eurent un solde démographique inférieur à leur croissance naturelle [4]. On assiste maintenant à l'éclosion d'un solide réseau de villes moyennes : entre les deux derniers recensements, de 1977 à 1987, le nombre d'agglomérations urbaines a augmenté de 112 %, passant de 211 à 447, tandis que celui de la population urbaine n'a augmenté que de 36 %. Au Maroc, la dynastie alawite a accompli de longue date une décentralisation originale. Organisées en un réseau unique au Maghreb comme au Machrek, cinq agglomérations d'un demi-million d'habitants ou plus, dont quatre ont le rang de *Makhzen,* villes impériales, Casablanca, Rabat-Salé, Fès,

Les agglomérations de plus de 100 000 habitants

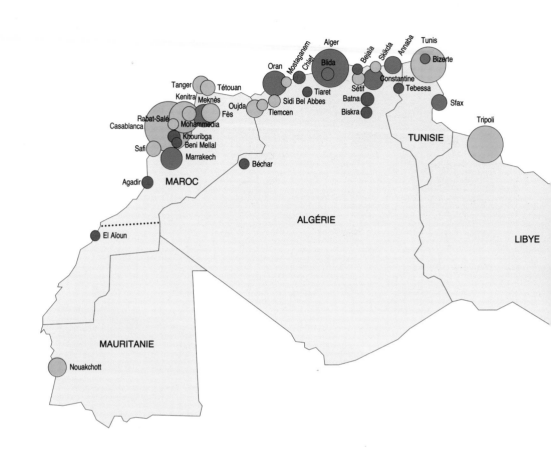

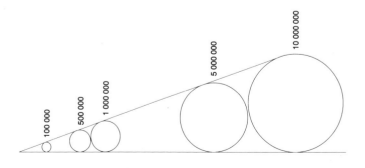

Taille des villes en population en 1988

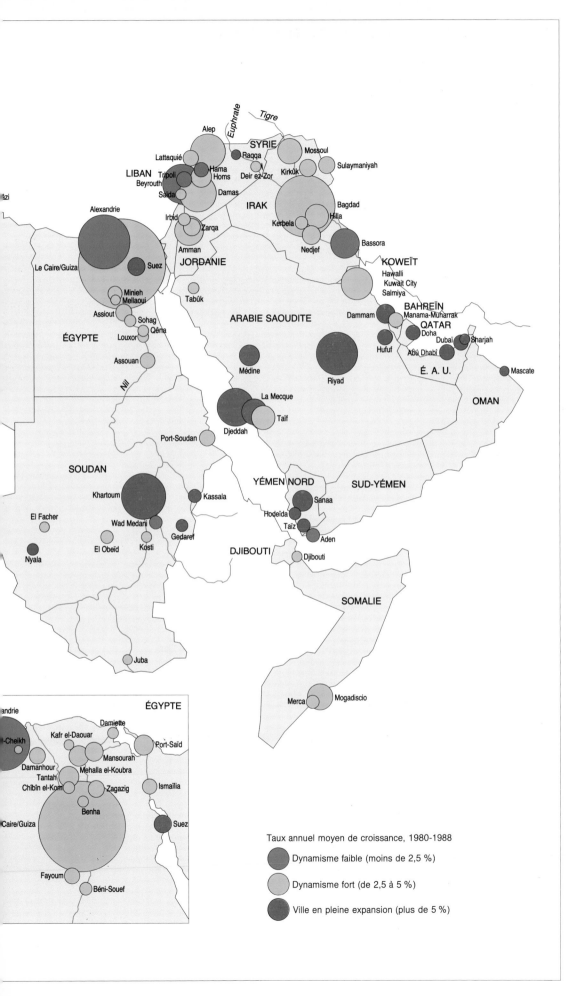

Marrakech et Meknès, déploient dans un rayon de moins de trois cents kilomètres l'une des formes les plus achevées de l'urbanisme arabe.

Ce mouvement de redéploiement urbain n'a toutefois pas encore gagné tous les pays. En Tunisie, Sfax parvient difficilement à s'imposer derrière Tunis. Khartoum, qui a crû au taux de 8 % par an entre les deux derniers recensements (1973-1983), demeure sans conteste la plus attractive des villes soudanaises[5]. Au Yémen, le poids démographique de Sanaa a continué de croître, passant de 39 % de la population urbaine en 1975 à 47 % en 1986, tandis que celui des deux villes suivantes, Taïz et Hodeïda, chutait de 24 et 20 % à 21 et 17 % respectivement. On pense maintenant qu'il faut s'attaquer à réduire les inégalités entre groupes sociaux et entre personnes, plus encore qu'entre régions ou entre villes et campagnes, si l'on veut harmoniser la répartition spatiale de la population.

73

Taux annuel moyen de croissance, 1980-1988

Dynamisme faible (moins de 2,5 %)

Dynamisme fort (de 2,5 à 5 %)

Ville en pleine expansion (plus de 5 %)

◀ *Cent quinze agglomérations de plus de 100 000 habitants: la moitié a franchi la barre en moins d'une génération; les principales se distribuent le long du littoral ou des grands fleuves, mais un rééquilibrage vers l'intérieur paraît se dessiner.*

LES NOMADES ET LA VILLE

*L*e mode de vie bédouin a largement façonné l'idéal arabe. Valeurs prisées entre toutes, l'honneur, l'indépendance et l'ascétisme ont trouvé leur inspiration dans la razzia et ses codes, dans l'autarcie et le dénuement de la vie du désert. Jusque dans la cité contemporaine, la famille élargie traditionnelle, au sein de laquelle se noue l'essentiel des relations sociales, est un legs toujours présent du clan bédouin, que la solitude des steppes contraignait à un perpétuel repli sur soi. Décrié déjà par Ibn Khaldoun, pour qui « la vie nomade est contraire aux progrès de la civilisation » [1], suscitant dès le XVIIIe siècle la défiance des ultra-conservateurs wahhabites méprisants des rites anté-islamiques qu'il perpétuait, le nomadisme fut enfin pourfendu par les États modernes, pour son antagonisme avec le développement. Il vit aujourd'hui ses heures les plus difficiles.

Les caravanes sont passées

Les nomades se répartissent traditionnellement entre les pasteurs montagnards qui pratiquent l'élevage en symbiose forte avec un environnement paysan, et les Bédouins du grand désert, transporteurs qui reliaient autrefois des sociétés lointaines commerçant entre elles et n'entraient qu'en contact sporadique avec les paysans des oasis.

Tous éleveurs de dromadaires, les caravaniers furent détrônés dès que la marine marchande emprunta régulièrement la route du Cap, puis le canal de Suez. Le camion acheva de les marginaliser, en les concurrençant sur leur propre terrain. Ils ont maintenant quasiment disparu des déserts syrien et arabique, et ne subsistent que dans le Sahara central, en Mauritanie et au Soudan. Les 15 000 Touareg reconduits en 1986 à la frontière du Mali, deux ans après s'être réfugiés en Algérie par suite de la sécheresse qui avait décimé leurs troupeaux, donnent une image de leur détresse présente.

En liberté surveillée

L'interdépendance croissante des activités du monde moderne avait sérieusement entamé l'autarcie nomade, lorsque les jeunes États prirent des mesures pour accélérer la sédentarisation. Aux considérations de politique intérieure — resserrement du maillage administratif — se conjuguèrent presque toujours des motifs de politique extérieure : les tribus ignorantes des frontières, tels les Chammar qui avaient coutume de transhumer entre le Nedjd saoudien et la Djésireh irakienne, devraient désormais adopter une nationalité et limiter leurs déplacements à leur nouveau territoire national. C'est ainsi que l'Arabie Saoudite prit à partir de 1964 diverses mesures pour inciter les Bédouins à se muer en paysans sur les nouveaux périmètres irrigués. La Syrie est allée plus loin que les autres, puisque sa Constitution précise que tous les nomades doivent être sédentarisés (article 158). Au dernier recensement (1981), elle n'en comptait d'ailleurs plus que 20 000. Beaucoup d'entre eux étaient passés directement de la *Badia* aux faubourgs de la ville, sans détour par l'agriculture. Les nomades n'ont peut-être pas partout épuisé leur capacité d'adaptation à la modernité. En Arabie, les éleveurs de moutons ont appris à domestiquer le camion : sa rapidité de déplacement leur offre de nouveaux moyens pour s'adapter aux caprices des points d'eau comme à ceux de la demande urbaine de viande d'abattage. La machine qui avait tué leur commerce devient ainsi l'instrument de la reconversion grâce à laquelle leur mode de vie se perpétue.

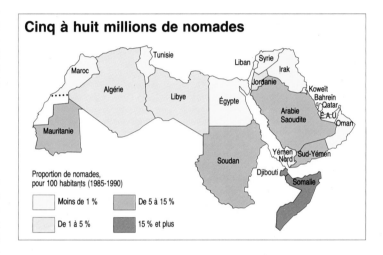

Cinq à huit millions de nomades

Proportion de nomades, pour 100 habitants (1985-1990)

- Moins de 1 %
- De 1 à 5 %
- De 5 à 15 %
- 15 % et plus

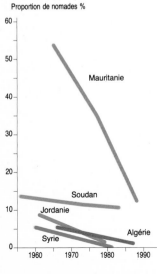

L'irrésistible extinction d'un mode de vie millénaire

Proportion de nomades %

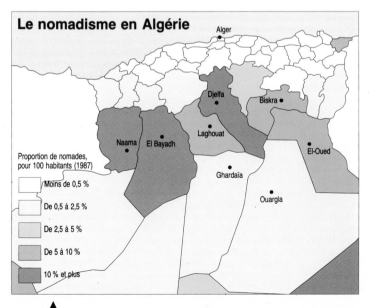

Le nomadisme en Algérie

Proportion de nomades, pour 100 habitants (1987)

- Moins de 0,5 %
- De 0,5 à 2,5 %
- De 2,5 à 5 %
- De 5 à 10 %
- 10 % et plus

▲ *Les steppes sont les véritables zones de prédilection du nomadisme algérien. Le cœur du désert, trop aride pour les transhumances pastorales, est peut-être également trop stratégique pour être laissé à l'errance des Bédouins.*

L'AGRICULTURE

SE NOURRIR EN L'AN 2000

L'autosuffisance alimentaire, gage de l'indépendance nationale. Ce mot d'ordre, qui traverse les pays arabes comme l'ensemble du monde en développement, se justifie ici d'autant plus que cette région importe à l'heure actuelle la moitié de sa consommation alimentaire, alors que la production vivrière locale couvrait encore globalement ses besoins jusque dans les années 50. Aujourd'hui, plus de la moitié des importations alimentaires nettes du tiers monde sont destinées aux pays arabes, absorbant l'essentiel des recettes d'exportations en Égypte, en Jordanie, ou au Soudan. Au cours des dix dernières années, les achats de céréales à l'étranger ont été multipliés par deux en Algérie et en Égypte, par trois au Maroc et par quatre au Soudan, pays qui ont tous perdu leur réputation millénaire de «greniers à blé».

Il a fallu que le déficit agricole s'aggrave au point d'atteindre 33 milliards de dollars par an pour que les gouvernants réalisent la puissance de l'«arme alimentaire» dont disposent les grands exportateurs de produits vivriers. Tout comme les contrats militaires, les ventes de blé se négocient dans l'atmosphère feutrée des ambassades et des banques multinationales, loin de la terre et des paysans. Ces tractations restent à l'écart des feux de l'actualité jusqu'à ce qu'éclatent des «émeutes pour le pain», comme au Caire (1977), à Tunis, à Casablanca (1982), à Alger (1988) ou à Ma'an (1989), qui déstabilisent les régimes et ensanglantent le petit peuple des villes dont le pouvoir d'achat ne peut pas endosser les recommandations du Fonds monétaire international (F.M.I.): assainir les finances publiques en réduisant les subventions de l'État aux produits de première nécessité.

La rareté des terres arables, l'accroissement de la population et l'intensité de l'exode rural ne suffisent pas à expliquer l'irrésistible détérioration de la balance agricole. Certes l'explosion démographique a engendré plus de consommateurs (dans les villes) que de producteurs (dans les campagnes), certes le progrès technique est lent à se diffuser parmi une paysannerie pauvre lui faisant perdre inexorablement un marché local dont les céréaliers et les éleveurs occidentaux se sont désormais emparés, mais les facteurs politiques occupent tout de même le devant de la scène: échec des réformes agraires, concentration de l'effort d'équipement au profit des services et de l'industrie, incitations à l'accroissement et à la diversification de la consommation alimentaire *per capita* pour garantir la paix sociale, effets pervers d'une aide internationale de nature à décourager la production locale et à créer une dépendance nouvelle en modifiant les habitudes alimentaires.

76

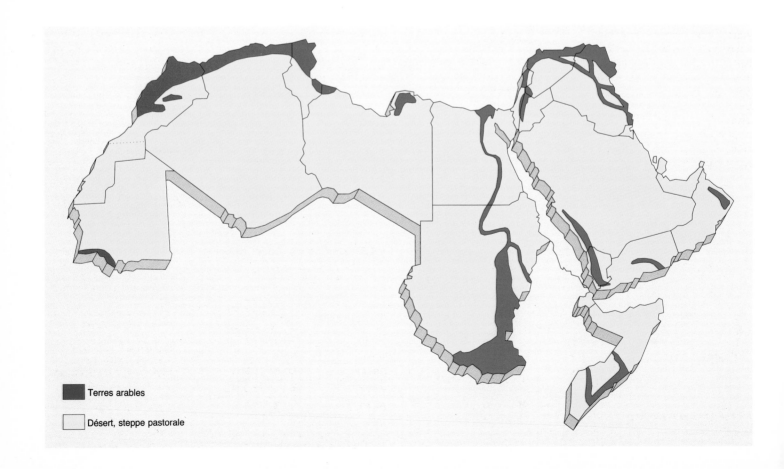

■ Terres arables

□ Désert, steppe pastorale

LA POLITIQUE AGRAIRE

A l'indépendance, les jeunes États procédèrent à une remise en question, parfois radicale, de l'ordre colonial. Certains se défirent d'une monoculture qui les enchaînait aux marchés internationaux des matières premières, à la fluctuation de leurs cours et à la dégradation continuelle des termes de l'échange. D'autres tentèrent de démanteler les structures sociales sur lesquelles le colon s'était appuyé dans les campagnes. Presque tous privilégièrent l'industrie et les services qui allaient accaparer le plus fort des énergies et des ressources locales. L'indépendance nationale, le progrès, la modernité, pensait-on à cette époque, étaient à ce prix. Bien qu'inscrits au fronton des plans de développement, l'agriculture et le monde rural furent négligés. Ils représentaient le passé; aurait-on pu y déceler l'avenir? Certes de grands travaux furent entrepris en leur nom, dans le domaine hydraulique en particulier. C'est cependant l'industrie et la consommation citadine qui en tirèrent les principaux bénéfices.

L'époque des réformes agraires

A l'honneur il y a une trentaine d'années, les réformes agraires revêtirent un contenu différent selon qu'avait existé ou non une propriété coloniale de la terre.

Les réformes d'Égypte et d'Irak eurent pour objectif principal de détruire les pouvoirs féodaux sur lesquels avaient reposé les monarchies destituées. Héritée de son union avec l'Égypte (1958), la première réforme syrienne fut fatale à l'éphémère République arabe unie: la résistance des féodalités terriennes dépossédées en Syrie provoqua la rupture de 1961. En 1963, prenant à son tour le pouvoir, le parti Baath restaura la réforme. L'État s'appropria des terres dont il redistribua ou revendit la moitié à de petits exploitants[1].

Ce furent les terres des colons français que l'on expropria au Maghreb, par la loi du 12 mai 1964 en Tunisie et par les redistributions successives auxquelles procéda la couronne alawite au Maroc. Incontestablement, l'Algérie alla plus loin que les autres pays dans la collectivisation: à l'issue de la Révolution agraire, les coopératives d'État inspirées du modèle kolkhozien contrôleront la moitié des champs, les meilleurs, ceux qu'avaient accaparés les pieds-noirs. Ni au Machrek ni au Maghreb, l'entrée de l'État dans le secteur agricole ne répondit aux espoirs qu'elle avait suscités. Il se désengagea progressivement. Ainsi l'Égypte qui consacrait 17 % de son budget à l'agriculture en 1967-1968 l'amputera graduellement de moitié; il en sera de même en Algérie et au Maroc. Les réformes agraires avaient obéi à des considérations politiques plutôt qu'économiques.

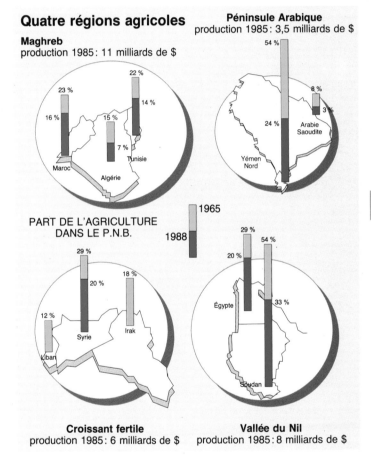

Quatre régions agricoles

Maghreb
production 1985: 11 milliards de $

Péninsule Arabique
production 1985: 3,5 milliards de $

23 % — 22 % — 16 % — 15 % — 14 % — 7 % — Maroc — Tunisie — Algérie

54 % — 8 % — 3 % — 24 % — Arabie Saoudite — Yémen Nord

PART DE L'AGRICULTURE DANS LE P.N.B.

1965 — 1988

Croissant fertile
production 1985: 6 milliards de $

29 % — 20 % — 18 % — 12 % — Syrie — Irak — Liban

Vallée du Nil
production 1985: 8 milliards de $

29 % — 54 % — 20 % — 33 % — Égypte — Soudan

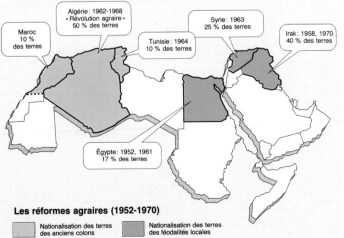

Les réformes agraires (1952-1970)

Maroc 10 % des terres

Algérie: 1962-1968 «Révolution agraire» 50 % des terres

Tunisie: 1964 10 % des terres

Syrie: 1963 25 % des terres

Irak: 1958, 1970 40 % des terres

Égypte: 1952, 1961 17 % des terres

Nationalisation des terres des anciens colons
Nationalisation des terres des féodalités locales

PART DE L'AGRICULTURE DANS LE BUDGET DE L'ÉTAT

	Années 1960	Années 1980
Algérie	4,3 %	3,4 %
Maroc	7,7 %	5,0 %
Tunisie	4,0 %	6,0 %
Égypte	16,8 %	8,0 %
Syrie*	17,0 %	19,0 %

* Il s'agit du budget dans le plan quinquennal 1981-85 comparé à celui du plan 1986-1990.

▲ *Le paysan est sans doute le laissé-pour-compte du développement. Il a été victime en quelque sorte des succès enregistrés dans le secteur des hydrocarbures. Son potentiel d'inertie, l'ingratitude des récoltes auraient poussé les responsables à privilégier des investissements à rendement immédiat, à s'intéresser aux activités urbaines aux dépens de celles du monde rural.*

Les réveils douloureux

La sécheresse qui a affecté la production céréalière du Middle West américain à la fin des années 80 a pesé sur les cours mondiaux des céréales Cependant, c'est une crise antérieure, celle de 1972-1974, qui révéla les insuffisances des réformes. Elle imposa de redonner la priorité à l'économique sur le politique. Les cours mondiaux du blé et du riz bondirent respectivement de 60 à 200 dollars et de 130 à 500 dollars la tonne. Les engrais accusèrent une hausse encore plus spectaculaire, passant de 50 à 300 dollars la tonne. Or les céréales représentent la première source d'énergie pour les hommes, particulièrement ceux du tiers monde. Blé, riz et maïs fournissent près des trois quarts des calories consommées. Certes le choc pétrolier de 1973 compensa très largement, mais seulement pour les pays producteurs de pétrole à faible population, le surcoût de la facture céréalière. Il permit d'ailleurs aux plus riches d'entre eux d'acquérir dans l'*agro-business* une place que l'on n'aurait pas pu imaginer quelques années auparavant. Bien que l'envolée des cours céréaliers prît fin en 1976, l'alerte avait durement éprouvé les pays sans pétrole. Leurs dirigeants y répondirent par l'*infitah*, ouverture économique, c'est-à-dire libéralisation, ainsi que par une attention nouvelle portée au secteur paysan. L'Égypte montra la voie en redonnant l'initiative au secteur privé. L'Irak suivit d'abord timidement. Aujourd'hui, l'ensemble des fermes d'État est retourné au secteur privé et c'est au tour de l'Algérie d'amorcer une réflexion sur le bien-fondé des options adoptées au moment de l'indépendance.

Regain d'intérêt pour le pétrole vert

Avec l'ensemble du tiers monde, les pays arabes ont maintenant pris conscience de l'importance des enjeux agricoles. En augmentant la part de ce secteur dans son dernier plan quinquennal (1986-1990), la Syrie espère compenser les mauvaises récoltes dues au déficit pluviométrique des années 80, dont le Maghreb fut également victime. Cependant, les facteurs naturels n'expliquent pas seuls les mauvais rendements, qui se situent entre 985 et 1 350 kg à l'hectare pour le blé, contre une moyenne mondiale de 2 220 kg, et n'atteignent pas le tiers des performances mondiales pour l'orge[3]. Rares sont les pays dont la production a pu suivre la cadence de la démographie.

La rente pétrolière et l'abondance de ressources d'origine non agricole profitent également au monde rural. Ainsi le paysan libyen dispose-t-il d'un tracteur par famille ; mais avec seulement un tracteur pour quinze familles, c'est néanmoins son confrère marocain qui s'impose sur les marchés européens. L'Arabie Saoudite offre en ce domaine l'exemple le plus frappant de modernité : la profusion d'une énergie bon marché et les capitaux disponibles ont permis d'y développer une irrigation ultra-moderne, grâce à laquelle, peut-être au péril de la nappe artésienne, le désert le plus aride de la Terre exporte annuellement depuis 1985 plus d'1 million 500 000 tonnes de blé. La production de céréales y a été multipliée par 16 ... en six ans. Mais au prix fort : à lui seul le coût de l'infrastructure nécessaire à l'irrigation s'élève à 5 600 dollars par tonne de blé et l'office céréalier en charge de la commercialisation est allé jusqu'à payer aux producteurs locaux un prix six fois supérieur aux cours mondiaux[4].

Réservées aux plus riches, ces réalisations prestigieuses ne doivent pas occulter les actions plus modestes et de longue haleine. Les programmes de vulgarisation mis sur pied dans les pays de

Évolution de la production agricole par habitant
(années 80 par rapport aux années 70)

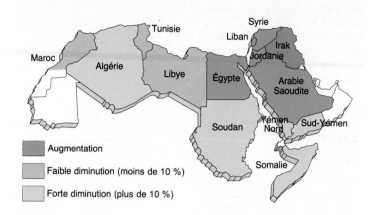

- ■ Augmentation
- ■ Faible diminution (moins de 10 %)
- ☐ Forte diminution (plus de 10 %)

Part des exportations nécessaire au règlement de la facture agricole

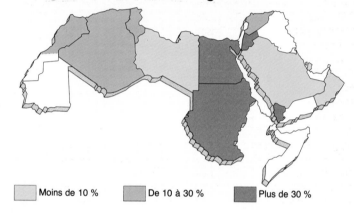

- ☐ Moins de 10 %
- ■ De 10 à 30 %
- ■ Plus de 30 %

ET L'AVENIR ?

Les chances sont très inégales face à l'avenir de la sécurité alimentaire. Seul l'Irak dispose de la capacité de nourrir sa population future grâce à ses programmes d'irrigation. Six autres pays y parviendront en faisant porter l'effort également sur les cultures pluviales. Les quatorze restants trouveront dans d'autres ressources les moyens de financer leurs importations agricoles[2].

Capacité d'autosuffisance alimentaire à l'horizon 2000

- ☐ Pays dont les projets d'irrigation peuvent assurer l'autosuffisance alimentaire.
- ■ Pays ne pouvant escompter l'autosuffisance qu'à travers un accroissement des rendements des cultures sèches.
- ■ Pays qui ne peuvent escompter l'autosuffisance étant donné l'accroissement démographique et le manque de dotations naturelles.

78

tradition agricole, la sélection des semis, l'utilisation rationnelle des engrais et de l'eau, les méthodes culturales modernes adaptées au milieu et à l'environnement social ont donné, dans les champs de démonstration, des résultats prometteurs pour l'avenir[5].

Les grands barrages

▆▆▆ L'irrigation est la réponse millénaire des hommes à la parcimonie de la nature en terres et en précipitations. En Égypte, le plus vieil État du monde se forgea autour du contrôle de l'eau. Sa réalisation contemporaine la plus colossale, le haut barrage d'Assouan, inauguré en 1974, est l'aboutissement de 4000 ans d'efforts pour maîtriser le fleuve. Sur l'Euphrate, la Syrie construisit à la même époque le barrage de Tabqa; l'Irak, ceux de Mossoul (Tigre) et de Haditha (Euphrate). Ces grands ouvrages apportèrent les centrales hydro-électriques indispensables à l'habitat et à l'industrie. Pour l'agriculture, leur bilan fut plus mitigé. Les surfaces conquises grâce à l'irrigation n'eurent pas toujours l'ampleur escomptée* tandis que des contre-effets écologiques se firent parfois sentir. L'accroissement des surfaces irriguées au cours des trente dernières années permit toutefois une avancée incontestable, y compris dans les pays sans ressources fluviales abondantes, où l'on exploita intensément les nappes: 325 000 hectares supplémentaires furent ainsi irrigués au Maroc, 135 000 en Arabie Saoudite**.

Que le désert fleurisse!

▆▆▆ L'avenir est chargé de projets ambitieux techniquement réalisables, quoique souvent aléatoires selon l'avis des agro-économistes. Quatre-vingts barrages à construire d'ici à l'an 2000 ont été répertoriés, auxquels s'ajoutent d'audacieux programmes de dessalement dans le Golfe, d'exploitation des nappes souterraines ou de modification du cours des fleuves. Les

Les grands projets d'irrigation à l'horizon 2000

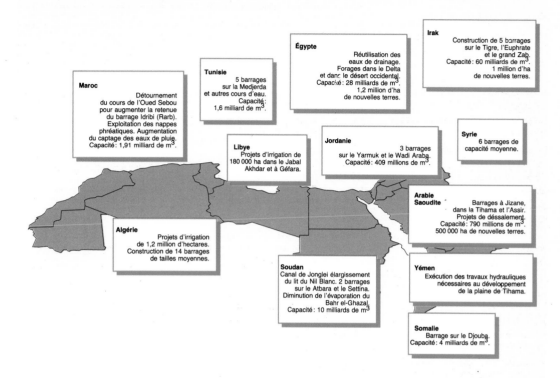

quantités d'eau disponibles auront doublé à l'aube du prochain millénaire.

Toutefois, selon les spécialistes occidentaux, l'investissement pourrait en certains cas se porter plus utilement sur l'amélioration des rendements des zones déjà cultivées et l'utilisation plus rationnelle de l'eau actuellement exploitée, que sur la conquête de nouvelles terres. Pour spectaculaire qu'elle soit, l'irrigation n'assure que le quart de la production agricole. Hormis l'Égypte, les pays arabes dépendent d'abord des cultures sèches, généralement praticables là où la pluviométrie dépasse 400 mm par an. Au-dessous de ce seuil, la terre ne se prête plus qu'à la transhumance des nomades. Mais comment régulariser une culture pluviale lorsque les pré-

▲

De grands travaux pour dompter le cours des fleuves. Une exploitation intense des nappes artésiennes. Mais l'avenir appartient à une meilleure exploitation des ressources existantes.

cipitations sont aussi capricieuses que sur la rive sud de la Méditerranée, où, d'une année sur l'autre, le bilan pluviométrique est susceptible d'être amputé des deux tiers? Au péril de la balance des paiements, c'est aujourd'hui le marché céréalier international qui évite les disettes. L'avènement du marché commun atténuera-t-il demain la dépendance alimentaire de pays que les aléas climatiques ne frappent pas tous au même moment?

Accroissement des surfaces irriguées entre les années 60 et les années 80

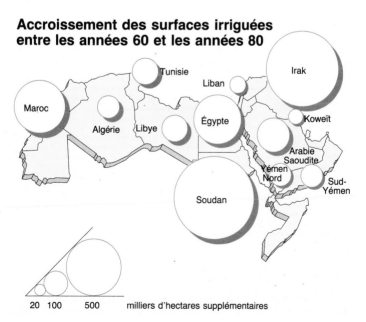

20 100   500   milliers d'hectares supplémentaires

* Au lieu du million d'hectares initialement projeté, le barrage d'Assouan n'irrigue que 300 000 hectares. En Syrie, le cinquième plan quinquennal ramena à 188 000 hectares une prévision de 240 000 hectares; les rapports de la Banque mondiale font état de réalisations trois fois moindres (I.R. Manners et T.S. Nejad: *Agricultural Development in Syria*, p. 261).
** A l'heure actuelle, l'agriculture saoudienne utilise par an 7430 millions de mètres cubes de ses nappes non renouvelables.

LES PAYSANS OUBLIÉS

L e désert occupe 96 % de la terre arabe. L'imagerie d'Épinal de l'Occident la représente peuplée de campements nomades, de derricks et de cités commerçantes. Dans la réalité, le monde arabe demeure pourtant profondément paysan. La population agricole, 73 millions d'âmes, exploite 55 millions d'hectares cultivables. Sur un espace agricole à peine double de celui de la France se concentre une paysannerie vingt-cinq fois plus nombreuse. De l'Atlantique à l'Euphrate, se tenant aux marges du désert, le voyageur ne traversera nulle part une terre fertile inexploitée ou une steppe sans berger. Il retirera plutôt l'impression d'une densité rurale toujours forte, parfois insoutenable. La géographie, en effet, a dessiné la carte des terres, tandis que l'histoire a façonné celle du peuplement; l'une et l'autre ne sont pas parfaitement tombées d'accord.

Terres et hommes

La pression démographique sur la terre est très inégale. L'Égypte connaît la densité agricole la plus forte du monde : avec une population paysanne de huit personnes par hectare cultivable, elle dépasse le Bangla Desh. La visitant à la fin du XVIIIe siècle, Volney y avait pourtant rencontré une population clairsemée : «Si l'on observe que les terres (d'Égypte) ne se reposent jamais et qu'elles sont toutes fécondes, on conviendra que cette population est très faible en comparaison de ce qu'elle a été et de ce qu'elle pourrait être[1].» Deux pays où les cultures se limitent aux oasis subissent une pression presque aussi forte, la Mauritanie (5,6 personnes par hectare) et le Yémen du Sud (3,9). Seuls les paysans de Tunisie, de Syrie et du Liban disposent en moyenne d'un hectare ou plus par membre de la famille. La densité de population rurale est un indicateur insuffisant : on évalue les rendements à l'hectare des terres méditerranéennes d'agriculture pluviale au quart de ceux des vallées du Nil ou de l'Euphrate. En outre, malgré les réformes agraires des années 1950-1960, une paysannerie sans terre subsiste à côté des grands propriétaires.

Les sociétés les plus paysannes se rencontrent au sud. Avec trois personnes sur quatre employées dans l'agriculture ou l'élevage, Somalie, Soudan, Yémen du Nord et Mauritanie figurent parmi les pays les plus ruraux du globe. A l'autre extrême, point

Les paysans : où sont-ils ?

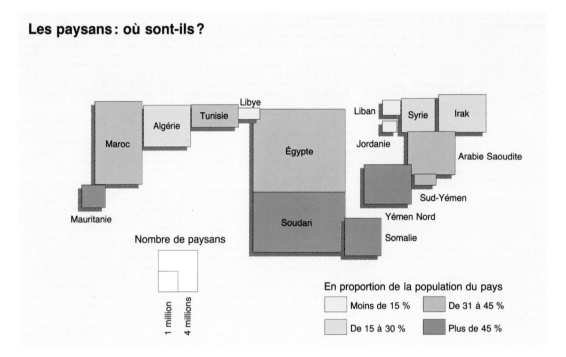

Nombre de paysans

1 million
4 millions

En proportion de la population du pays

Moins de 15 %　De 31 à 45 %

De 15 à 30 %　Plus de 45 %

Les terres arables : où sont-elles ?

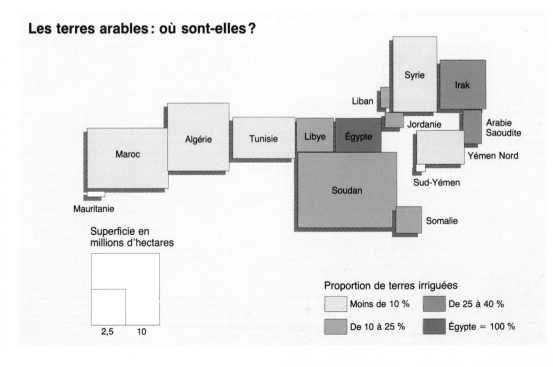

Superficie en millions d'hectares

2,5　10

Proportion de terres irriguées

Moins de 10 %　De 25 à 40 %

De 10 à 25 %　Égypte = 100 %

de paysannerie dans les sables des principautés du golfe Arabopersique*. Les pays où l'emploi demeure principalement agricole sont en effet ceux qui ne profitent d'aucune manière de la rente pétrolière. Dépourvus d'or noir et incapables de mobiliser, à travers les services ou l'industrie, les retombées de la rente d'un État frère, ils n'ont pas eu d'autre choix. Gageons que le Yémen du Nord, premier exportateur de main-d'œuvre vers l'Arabie, quittera bientôt, si ce n'est déjà fait**, la catégorie des pays les plus ruraux.

Le revenu du paysan

Le revenu du paysan se laisse mal mesurer : son travail lui apporte toute une production autoconsommée (nourriture, logement) qui échappe aux comptes de la nation. Ceux-ci s'appuient sur les prix du marché agricole, très variables d'un pays à l'autre. La carte du revenu agricole moyen met ainsi en évidence les variations de la masse monétaire dont les paysans disposent, autant que des disparités de bien-être. Avec plus de 500 dollars par tête, la Tunisie et la Syrie se dégagent à côté de trois pays d'agriculture fortement subventionnée (Algérie, Jordanie, Libye). En Arabie Saoudite, où le revenu moyen par habitant est de 12 000 dollars, celui du paysan n'excède pas 400 dollars. Cette différence reflète bien sûr des inégalités de niveau de vie au sein de la société saoudienne, mais aussi la diversité d'origine du revenu effectif des paysans dans les pays pétroliers : parmi les agriculteurs, nombreux sont ceux qui exercent simultanément une autre activité, ou qui bénéficient de l'aide financière de parents employés hors de l'agriculture. Dans la région de Chelif (Algérie), on a

ainsi observé que les trois quarts des agriculteurs travaillaient également dans d'autres secteurs[2].

Désaffection de l'agriculture

Le fils du paysan arabe ne fait pas exception à l'évolution qui a gagné toutes les sociétés rurales. Il a tendance à délaisser le métier de son père. Lorsqu'il ne se sent plus d'avenir, il émigre en ville. Mais la ville n'est pas toujours hospitalière. Le fellah égyptien vient ainsi de rompre avec 4000 ans de sédentarité, pour s'embarquer à pleins charters vers les basses terres d'Irak. Plus d'un million d'agriculteurs ont quitté la vallée du Nil pour les bords du Tigre et de l'Euphrate, réalisant en quelque sorte la symbiose moderne du sédentaire et du nomade.

La désaffection de l'agriculture pourrait frapper les terres les plus denses : en comparant les cartes correspondantes, on voit bien que ce n'est pas le cas. Elle exprime plutôt les options politiques d'États qui s'avèrent d'autant plus enclins à négliger leur agriculture qu'ils sont producteurs de pétrole.

Victime de la prospérité pétrolière, le paysan paie aussi le plus lourd tribut aux catastrophes naturelles et aux guerres. En Mauritanie, les sécheresses successives des années 70 et 80 sont responsables de l'abandon brutal de l'élevage et du regroupement hâtif de populations sinistrées autour de Nouakchott, désormais ceinturée de « kébés », campements de toile et bidonvilles plantés en plein désert. Une situation similaire s'est produite lors des inondations qui ont affecté le nord du Soudan au cours de l'été 1988. Le sort s'acharne sur cet immense pays : malgré ses treize millions d'hectares arables, de grandes réserves hydrauliques et une abondante pluviosité au sud, on y meurt encore de faim. Un million et demi à deux millions de paysans et de pasteurs, fuyant la même année [3] le Bahr el-Ghazal et le Haut-Nil en proie à la guerre, sont venus crier leur famine aux portes de Khartoum ou dans les camps de réfugiés dressés en Éthiopie.

---

* Le chiffre officiel de 4,672 millions de paysans en Arabie Saoudite a quelque chose d'insolite : c'est plus que n'en peuvent supporter les oasis du Nedjd et du Hedjaz et les collines de l'Assir. Comme d'autres données démographiques sur ce pays, celle-ci apparaît exagérée.
** Les statistiques de la F.A.O. concernant la population agricole du Yémen du Nord sont sujettes à caution mais impossibles à redresser, faute de données issues du recensement de 1986.

Revenus des paysans

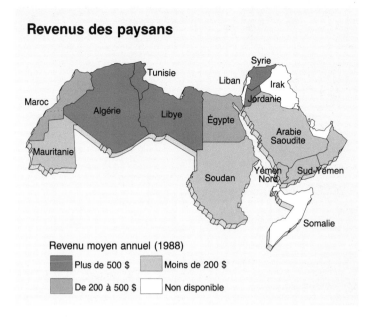

Revenu moyen annuel (1988)

- Plus de 500 $
- De 200 à 500 $
- Moins de 200 $
- Non disponible

Mécanisation de l'agriculture

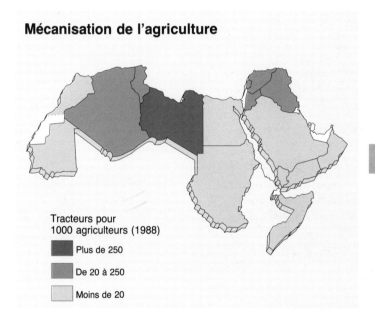

Tracteurs pour 1000 agriculteurs (1988)

- Plus de 250
- De 20 à 250
- Moins de 20

Désaffection de l'agriculture

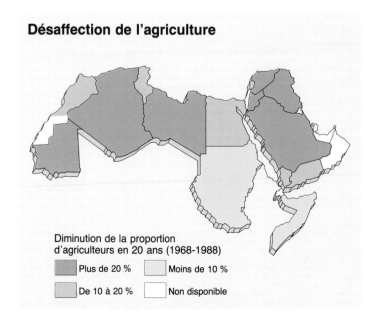

Diminution de la proportion d'agriculteurs en 20 ans (1968-1988)

- Plus de 20 %
- De 10 à 20 %
- Moins de 10 %
- Non disponible

LA SÉCURITÉ ALIMENTAIRE

La sécurité alimentaire, al-amn al-ghiz'i, se réduit à la sécurité «céréalière». Chez les Arabes, les déficits de production affectent tout particulièrement les produits clés de l'alimentation de l'homme et de son bétail : blé, orge et maïs. Depuis que l'Asie du Sud a équilibré sa balance céréalière, que les achats soviétiques et chinois se sont stabilisés, que la demande solvable de l'Afrique s'est évanouie et qu'à l'autre bout de l'échiquier les cinq grands exportateurs (États-Unis, Canada, Communauté économique européenne, Argentine et Australie) poursuivent leur course au rendement, le marché est excédentaire malgré les aléas des dernières récoltes. Le sud de la Méditerranée et le golfe Arabo-persique sont devenus le champ de bataille privilégié des céréaliers. Crédits et subventions à l'exportation, aide alimentaire, tout est bon pour emporter des contrats consistants.

La guerre des céréaliers

Dominer le marché par un approvisionnement abondant et à bas prix tout en utilisant l'«arme alimentaire», telle est, depuis la Seconde Guerre mondiale, la stratégie adoptée par les États-Unis pour consolider leur position de superpuissance. C'est ainsi que le blé fut une pièce maîtresse du cheminement

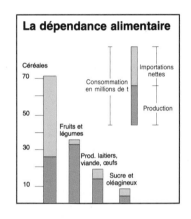

La dépendance alimentaire

LA C.E.E. À DOUZE, UN DÉFI POUR LE MAGHREB

Le Maroc est le seul pays arabe qui ait avec la C.E.E. une balance agricole largement excédentaire : 600 millions de dollars d'exportations pour 100 millions d'importations en 1987. L'entrée de l'Espagne et du Portugal dans la Communauté européenne représente une menace pour ses exportations. C'est ce qui explique qu'il ait demandé son admission au sein de la Communauté européenne.

Exportation de produits agricoles vers la C.E.E.

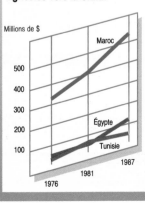

vers la paix égypto-israélienne, qui aboutit aux accords de Camp David. Les exportations de blé américain furent un moyen de pression sur l'Égypte, qui devint après ces accords, de tous les pays du monde, le premier bénéficiaire de cette aide : 1 million 500 000 tonnes de blé par an réglé en monnaie locale, remboursé sur vingt voire trente ans, à des taux d'intérêt nettement plus bas que ceux du marché. Les États-Unis accordèrent, de plus, à l'Égypte, des périodes de franchise.

Entre-temps, l'éclipse américaine avait laissé la France s'infiltrer sur le marché du Moyen-Orient. Une ère de concurrence économique entre l'Europe et l'Amérique succédait à l'époque du *wheat for freedom*.

Du blé contre du pétrole

Afin de conserver ses positions, la C.E.E. dispose d'un atout de poids : elle est le premier client du pétrole et du gaz locaux. C'est d'ailleurs chez les partenaires arabes de l'O.P.E.P.,

Exportation des produits alimentaires de la C.E.E. vers les pays arabes

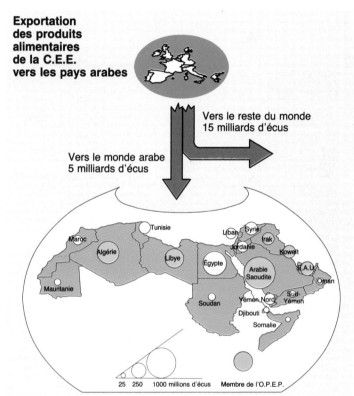

Vers le reste du monde
15 milliards d'écus

Vers le monde arabe
5 milliards d'écus

25 250 1000 millions d'écus Membre de l'O.P.E.P.

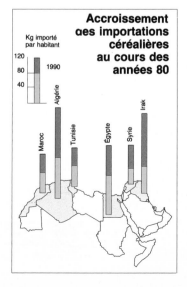

Accroissement des importations céréalières au cours des années 80

Kg importé par habitant

lors de la flambée des cours du brut, qu'elle a réalisé ses meilleures performances. Pour rivaliser avec la C.E.E., les États-Unis ont déclenché une guerre des prix, à point nommé pour soulager la balance commerciale des pays consommateurs.

Mais l'avenir demeure fragile et la marge de manœuvre des négociateurs arabes se resserre depuis que l'Occident est parvenu à réduire sa dépendance à l'égard de leur pétrole, tandis que la plus vieille culture du monde, le blé, retrouve un bain de jouvence pour se placer au fronton de la liste des produits stratégiques de l'an 2000.

LE PÉTROLE
ET L'INDUSTRIE

OIL STORY

Habitués depuis l'antiquité à s'éclairer à la flamme d'un étrange liquide, le «naphte», qui polluait leurs cultures, les paysans de Mésopotamie observaient avec étonnement ces étranges prospecteurs bottés venus, au début du siècle, le recueillir comme un trésor. Dès les années 20, le pétrole fut exploité à l'échelle industrielle, mais le monde arabe dut attendre une cinquantaine d'années pour acquérir un véritable contrôle sur sa principale ressource. L'Organisation des pays exportateurs de pétrole — O.P.E.P. — régna en maître durant quelque temps sur les cours du brut et inquiéta même les équilibres économiques du reste de la planète.

Le retour du balancier survint dans les années 80, lorsque les lois du marché et la réplique de l'Occident mirent fin à la domination des grands exportateurs, sans toutefois entamer la valeur stratégique de leur produit.
Tous les Arabes, citoyens ou non d'un pays producteur, voient leur destin lié à celui des hydrocarbures. Les structures sociales elles-mêmes, jusqu'aux plus constantes, auront réagi à l'abondance ou à la pénurie pétrolière. Substitut du développement avant d'en devenir l'instrument, l'or noir prend parfois l'aspect d'un miroir aux alouettes, dopant l'économie mais la fragilisant, dynamisant la société tout en la déstabilisant.

Domination des «sept sœurs»

En 1901, William Know d'Arcy obtenait une concession d'exploitation pétrolière sur la presque totalité de l'Empire perse pour la somme de 20 000 livres sterling. Les sables bitumineux n'avaient pas encore acquis leurs titres de noblesse. Peu après pourtant, lors des combats navals de la Grande Guerre, le pétrole détrôna le charbon, et lord Curzon, secrétaire d'État britannique aux Affaires étrangères, put déclarer à l'armistice : «L'avenir proclamera que les Alliés ont vogué à la victoire sur une vague de pétrole.»
Mal en avait pris aux Ottomans de courir à cette défaite, sans laquelle ils auraient bientôt dirigé le plus grand empire pétrolier. L'aventure de lord d'Arcy devait en effet donner à la Grande-Bretagne l'intuition du potentiel énergétique de la Mésopotamie qui jouxtait la Perse. La victoire sur les puissances de l'axe accordait à la France le mandat sur la région de Mossoul qu'elle rétrocéda bientôt à l'Angleterre pour prix de sa participation à ce que devait devenir l'*Irak petroleum company*.
Plus au Sud, un champ gigantesque était découvert en 1938 à Burgan, dans la petite principauté du Koweït. Mais les plus grandes réserves dormaient dans l'immense Arabie d'Ibn Saoud et les États-Unis détenaient là de solides appuis. Le conquérant wahhabite, les jugeait moins présents et moins pressants que les Britanniques. Avec les découvertes des années 30, la région supplantait progressivement le golfe du Mexique.

Accord de la «ligne rouge»

▲
Par l'«accord de la ligne rouge» de 1928, la Péninsule fut proclamée chasse gardée des Majors. On avait oublié le Koweït, où devait être découvert le plus grand champ pétrolifère du monde.

◄ *Deux barils sur trois exportés par le cartel de l'O.P.E.P. sont tirés du sous-sol arabe.*

Les pays exportateurs* de brut

Norvège
Grande-Bretagne
U.R.S.S.
Mexique
Iran
Tunisie
Irak
Koweït
Algérie
Libye
Égypte
Arabie Saoudite 170
Qatar
E.A.U.
Oman
Venezuela
Équateur
Nigeria
Gabon
Indonésie

○ Membre de l'O.P.E.P.
○ Producteur indépendant N.O.P.E.P.

– de 10   10-25   25-50   50-75   + de 75
Millions de tonnes de brut exportées par an

* Exportateurs nets en 1989

1973-1983: dix belles années pour l'O.P.E.P.

L'O.P.E.P. naquit à Bagdad, où se réunirent en 1960 cinq pays — tous arabes, sauf le Venezuela —, qui produisaient 82 % des exportations mondiales de brut. Privés de tout moyen d'action sur les quantités extraites de leur sous-sol et sur les prix, ils ne percevaient que 9 % des recettes. Les multinationales contrôlaient en effet toute la chaîne de production, transport, raffinage et distribution. L'O.P.E.P. allait encourager peu à peu ses membres, devenus treize au fil des adhésions, à assurer eux-mêmes, en amont, la production et la commercialisation, et à ne laisser aux compagnies, en aval, que le transport,

La hausse des prix a d'abord stimulé toutes les économies pétrolières, puis réduit la consommation mondiale. Les exportations de l'O.P.E.P. firent seules les frais de cette réduction. La baisse des prix qui s'en est suivie ne porte préjudice qu'aux petits exportateurs. En assainissant le marché, elle stimule une demande à laquelle les gros répondent en priorité.

▼

le raffinage et la distribution. Cette prise de contrôle, conjuguée aux craintes de pénurie, provoqua la flambée des prix en 1973 (quatrième guerre israélo-arabe) et en 1979 (proclamation de la République islamique d'Iran), grâce auxquelles les pays producteurs récupérèrent finalement 36 % des recettes pétrolières.

Allers et retours du balancier

La consommation mondiale d'hydrocarbures s'accroissait régulièrement depuis les années 50, au point que les experts craignaient le tarissement des ressources de la planète en un demi-siècle, lorsque survinrent les chocs pétroliers de 1973 et 1979. Entre cette dernière date et 1986, année où les prix atteignirent un plancher, elle ne baissa que de 10 %. Les transactions internationales de brut, elles, fléchirent de 30 %. Dans l'intervalle, en effet, plusieurs pays, tels la Chine, l'Inde, le Brésil ou le Cameroun, avaient découvert de nouveaux gisements, réduisant ainsi leurs importations. Par crainte des pénuries qui se profilaient, l'O.P.E.P. avait d'ailleurs subventionné leurs efforts de prospection.

Ce n'est pourtant ni de 10 ni de 30 % que les exportations de l'O.P.E.P. furent amputées au cours de ces années difficiles, mais d'une franche moitié. Cet effritement additionnel est dû aux percées technologiques de l'exploration offshore de la mer du Nord ainsi qu'à la politique commerciale agressive des indépendants, les N.O.P.E.P., nouveaux exportateurs — Grande-Bretagne et Norvège — ou producteurs traditionnels, tel le Mexique, qui dérégulèrent le marché, libres qu'ils étaient des contraintes imposées par l'O.P.E.P. à ses membres.

Troisième choc pétrolier?

L'effondrement de la demande, couplé à la chute des cours du brut, atteignit de plein fouet les pays arabes exportateurs de pétrole : les trois quarts de la rente s'envolèrent en quelques années. Mais aujourd'hui, la ligne de partage ne se situe plus tant entre O.P.E.P. et N.O.P.E.P. qu'entre les producteurs disposant d'importantes réserves et ceux dont le sous-sol n'est pas aussi riche. Le temps joue contre ces derniers et les pousse à négocier leurs dernières réserves au prix le plus élevé possible. A la rigueur espèrent-

ils qu'un pétrole onéreux encouragera la prospection ou rentabilisera des gisements à coût d'exploitation élevé. Les premiers, en revanche, ont une stratégie de long terme : en prônant une politique de prix modéré, ils espèrent conserver au pétrole sa compétitivité face aux énergies de substitution et s'assurer un bel avenir d'exportateurs.

Il n'est pas d'année où ne soient révélées aux quatre coins du monde de nouvelles nappes fossiles. L'abondance a succédé à la crainte de pénurie. Au cours des vingt dernières années, le volume des «réserves prouvées» de la planète a doublé. Deux barils sur trois ont été découverts dans le sous-sol arabe. A elle seule, l'Arabie Saoudite possède des ressources supérieures à celles des deux Amériques et de la mer du Nord réunies. Hormis les petits producteurs du Golfe ainsi que l'Égypte, l'Algérie, la Syrie et la Tunisie, les pays pétroliers de la région sont assurés, au rythme de production actuelle, de traverser le vingt et unième siècle sans risque d'assèchement. Étant donné que les «réserves prouvées» des États-Unis ou de la mer du Nord amènent difficilement à l'an 2000, le pétrole arabe jouit encore d'un avenir radieux, à moins bien sûr d'une révolution dans le secteur de l'énergie.

85

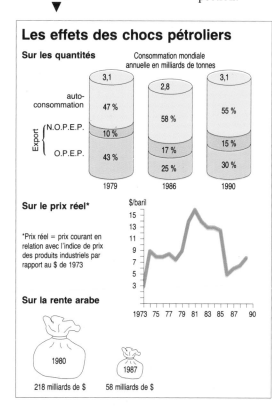

Les effets des chocs pétroliers

Sur les quantités

Consommation mondiale annuelle en milliards de tonnes

	1979	1986	1990
	3,1	2,8	3,1
auto-consommation	47 %	58 %	55 %
Export N.O.P.E.P.	10 %	17 %	15 %
Export O.P.E.P.	43 %	25 %	30 %

Sur le prix réel*

*Prix réel = prix courant en relation avec l'indice de prix des produits industriels par rapport au $ de 1973

$/baril

Sur la rente arabe

1980 : 218 milliards de $

1987 : 58 milliards de $

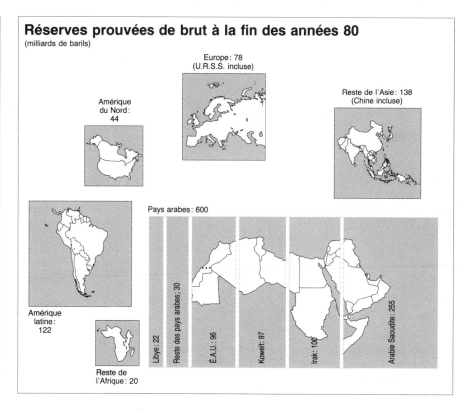

Réserves prouvées de brut à la fin des années 80

(milliards de barils)

Europe : 78 (U.R.S.S. incluse)

Amérique du Nord : 44

Reste de l'Asie : 138 (Chine incluse)

Pays arabes : 600

Amérique latine : 122

Reste de l'Afrique : 20

Libye : 22
Reste des pays arabes : 30
E.A.U. : 96
Koweit : 97
Irak : 100
Arabie Saoudite : 255

STRATÉGIE PÉTROLIÈRE

Puissants parce que faibles

Les chapelets de derricks fumant dans le désert, les plates-formes démesurées émergeant de la mer et les enchevêtrements d'oléoducs courant interminablement sur les sables symbolisent mieux que toute autre image la modernité arabe. Pourtant, d'autres parties du monde sont également grosses productrices de pétrole. Mais aucun sous-sol n'est aussi riche que celui-là et bien peu proposent des coûts d'extraction aussi faibles : 75 % des ressources mondiales accessibles à moins de 4 dollars le baril sont situées dans le Golfe. Cette immense capacité de production se conjugue à une faible consommation interne, pour offrir aux cinq continents une exceptionnelle disponibilité à l'exportation. C'est son pouvoir d'irriguer, à moindre frais, l'ensemble de la planète qui confère au Moyen-Orient et à l'Afrique du Nord la place stratégique qu'ils occupent dans le dispositif géopolitique de l'Occident.

A notre époque où modernité et richesse des nations se jaugent au développement d'une industrie grande dévoreuse d'énergie, l'importance stratégique du pétrole arabe se trouve justement renforcée par la modestie des équipements industriels de la région. Dans ce dernier domaine, en effet, seule l'Afrique au sud du Sahara accuse un retard encore plus aigu.

Ce bilan n'est, bien entendu, pas vrai pour tous. Les complexes pétrochimiques de la péninsule Arabique et de l'Algérie ont connu, ces dernières années, un essor appréciable. C'est ainsi que la consommation de pétrole brut par habitant de certains de ces pays a même dépassé les moyennes des vieilles nations industrielles : entre 3 et 8 t en Arabie Saoudite ou dans les Émirats, contre 2 aux États-Unis. Mais leurs frères arabes démunis de ressources pétrolières, tels le Maroc ou la Jordanie, pour ne pas citer les cas extrê-

mes du Soudan, de la Somalie et des deux Yémen, doivent se contenter de quantités frugales. Face à eux, l'Europe, la Communauté économique européenne en particulier, affronte, dans une situation diamétralement opposée, un déficit énergétique patent. Les rives nord et sud de la Méditerranée se trouvent ainsi, dans ce domaine plus encore que dans d'autres, vouées à dialoguer au plus haut niveau. Car ici, la géographie est implacable. Aucune autre région du monde n'est en mesure de fournir à la C.E.E. les quantités de pétrole qu'elle achète aux Arabes.

Gros producteurs, petits consommateurs

Amérique du Nord 546 / 864
Europe occidentale 198 / 594
Reste de l'Asie et Australie 412 / 600
Monde arabe 767 / 184
Amérique du Sud 341 / 228
Reste de l'Afrique 122 / 33

Production / Consommation
Millions de tonnes en 1989

Une région capable d'irriguer par ses surplus l'ensemble de la planète. C'est aussi la différence entre les niveaux de sa production et ceux de sa consommation qui lui confère son importance stratégique.

LE GAZ ÉCOLOGIQUE

A mesure que la défense de l'environnement acquiert la dimension d'un enjeu planétaire, sa faible teneur en soufre et en autres produits polluants appelle le gaz à prendre une importance grandissante. Au stade actuel de la prospection, le sous-sol arabe semble moins riche en gaz qu'en pétrole. Il recèle tout de même de 15 à 20 % des réserves prouvées et contribue à 10 % de la production mondiale. A elle seule, l'Algérie produit près de la moitié du gaz arabe. Ses gisements de Hassi R'mel et de Rhourde Nouss figurent parmi les plus riches du monde. Le port méthanier d'Arzew et le gazoduc qui la relie à l'Europe continentale par la Sicile assurent l'exportation de plus de 70 millions de tonnes (équivalent pétrole) par an.

Le gaz : un produit d'avenir

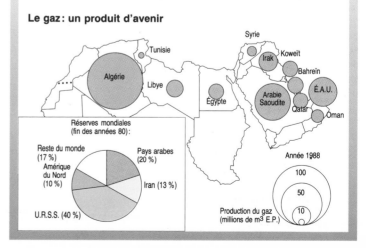

Réserves mondiales (fin des années 80) :
Reste du monde (17 %)
Amérique du Nord (10 %)
U.R.S.S. (40 %)
Pays arabes (20 %)
Iran (13 %)

Année 1988
Production du gaz (millions de m3 E.P.)
100 / 50 / 10

Syrie, Tunisie, Algérie, Libye, Égypte, Irak, Koweït, Bahreïn, Arabie Saoudite, Qatar, É.A.U., Oman

Vendre à ses voisins

Le commerce international des matières premières énergétiques fut de tout temps pris trop au sérieux pour que les gouvernements le laissent aux mains des seuls marchands. Toutefois l'ouverture récente de marchés libres, sur lesquels les contrats se négocient au gré de l'offre et de la demande, pourrait avoir bouleversé un système d'échanges où les États désignaient jadis les partenaires. Force est de constater, pourtant, que la carte des flux pétroliers n'a pas beaucoup varié.

Que l'Europe voisine constitue le partenaire privilégié, qui en aurait douté? Ce n'est pas simple affaire de proximité. Grâce aux liens qu'elles ont su préserver avec leurs anciennes colonies, les puissances impériales de naguère se sont muées en clients privilégiés. En portent témoignage l'importance des accords gaziers liant la France à l'Algérie ou l'interdépendance de la Libye et de l'Italie, cette dernière lui achetant bon an mal an 14 millions de tonnes de brut, et assurant à elle seule l'écoulement du tiers des exportations de la Jamahiriya.

Le négoce international engage les peuples à se connaître et à tenir compte les uns des autres. Les hydrocarbures ont, à leur manière, instauré compréhension et amitié, sinon entre les populations elles-mêmes, du moins entre les initiés des cénacles diplomatiques et militaires. Au sein du Conseil de l'Europe, les deux meilleurs clients du brut arabe, l'Italie et la France, se révèlent aussi des rapporteurs bienveillants des dossiers du rapprochement euro-arabe, ceux qui accordent l'écoute la plus attentive aux causes que défendent les Arabes, la Palestine par exemple. Tracer la carte des flux pétroliers revient souvent à esquisser celle des alliances militaires et politiques.

Plus de 30 milliards de dollars d'exportation de produits pétroliers vers la C.E.E. Demain, le Japon et les nouvelles puissances économiques d'Asie pourraient devenir les principaux clients.

UN DÉPLACEMENT DE LA ZONE SENSIBLE

Depuis 1988, le canon s'est tu sur le Chatt al-'Arab, les pétroliers ne sont plus la cible des missiles lors de la traversée du détroit d'Ormuz. Avant la guerre entre l'Iran et l'Irak, 45 % des exportations mondiales de brut transitaient par cette voie d'eau. Elle pourrait avoir irrémédiablement perdu son importance stratégique. Afin de n'être plus à la merci de l'Iran, l'Arabie Saoudite et l'Irak ont en effet construit un réseau d'oléoducs débouchant au port saoudien de Yanbou. Ces gigantesques ouvrages d'art, auxquels le Koweït envisagerait de se joindre, permettront aux deux puissances arabes du Golfe d'acheminer par la mer Rouge, à l'horizon 1995, l'essentiel de leurs exportations. Le canal de Suez et le passage du Bab el-Mandeb pourraient en retrouver leur splendeur d'antan.

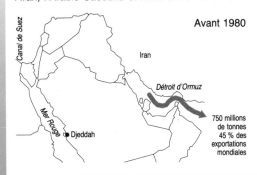

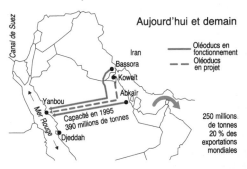

La connivence des très grands

Politique, commerce et histoire s'accordent au mieux pour éclairer les relations privilégiées que les États-Unis entretiennent avec l'Arabie Saoudite. En leur assurant plus de 50 millions de tonnes par an, la lointaine Arabie dépasse en effet le voisin mexicain. Les liens multiples tissés avec le royaume wahhabite depuis sa naissance se prolongent tout naturellement dans des accords pétroliers qui permettent aux États-Unis de satisfaire les deux conditions qu'ils se fixent, maintenant qu'ils renoncent à l'autosuffisance énergétique: leurs partenaires doivent être capables d'assurer des fournitures importantes à prix stable et prêts à consentir un traitement de faveur aux compagnies pétrolières américaines.

Avec le Japon et les nouveaux «Dragons» d'Asie, le commerce n'avait aucun héritage historique à faire valoir: la géographie reprend ses droits et ces puissances s'approvisionnent d'abord sur les marchés des principautés du Golfe, immédiatement ouvertes, sur l'océan Indien.

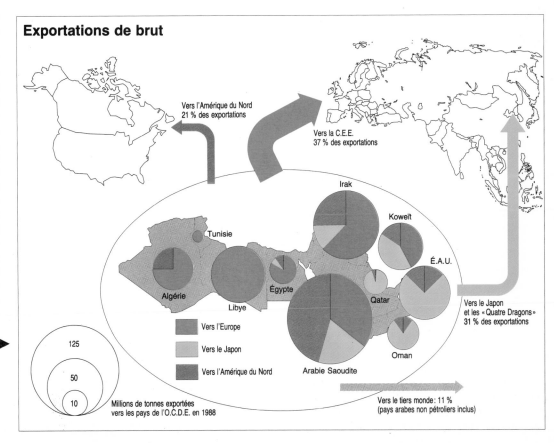

Exportations de brut

UNE ÉCONOMIE DU PÉTROLE

Détenteurs d'une forte unité linguistique et religieuse, les Arabes posséderaient-ils, avec le pétrole, les bases d'une économie régionale intégrée? Tout pays arabe n'est pas producteur de pétrole, mais tous, sans exception, profitent d'une manière ou d'une autre de la rente: par leurs exportations s'ils sont les heureux propriétaires d'un sous-sol fécond, par les remises d'épargne de leurs travailleurs émigrés s'ils sont pauvres en ressources mais riches en main-d'œuvre, par l'aide qu'ils reçoivent de «pays frères», comme soutien militaire, s'ils sont suffisamment forts pour peser sur l'échiquier, ou au titre du développement s'ils n'ont rien d'autre à offrir qu'une misère honteuse. De l'Atlantique au Golfe, l'économie vibre au diapason des cours du brut, la société tout entière en tire les fruits et en subit les caprices. Les flux financiers se déplacent au gré des tensions. Que l'épicentre des conflits quitte les frontières d'Israël pour gagner les rives du Golfe, l'argent du pétrole le suivra. Il aura en fin de compte autant consolidé certains régimes politiques qu'assaini leur économie.

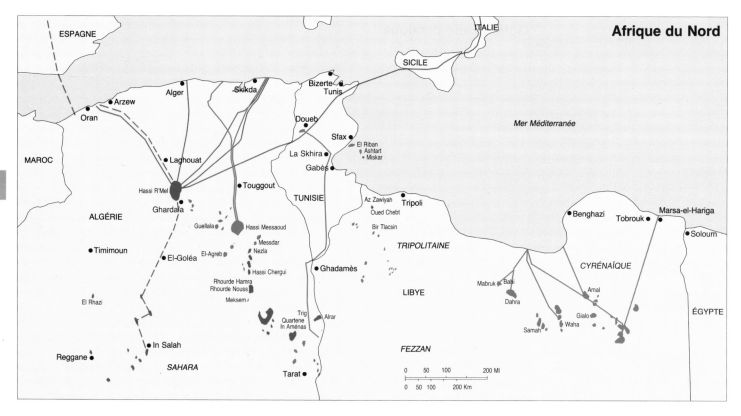

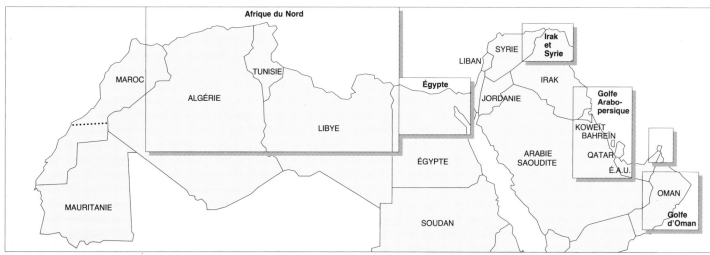

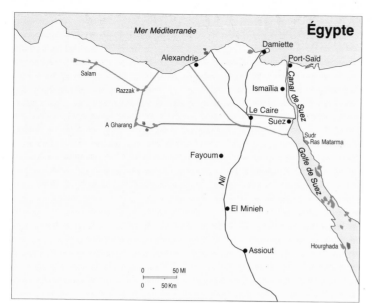

Égypte

Mer Méditerranée

Damiette
Alexandrie
Port-Saïd
Salam
Ismaïlia
Razzak
Le Caire
A Gharang
Suez
Sudr
Ras Matarma
Fayoum
Nil
El Minieh
Canal de Suez
Golfe de Suez
Assiout
Hourghada

0   50 MI
0   50 Km

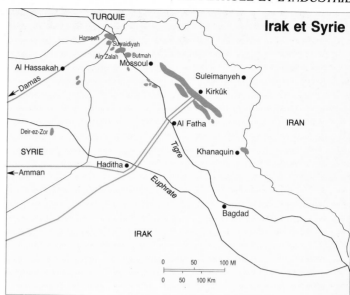

Irak et Syrie

TURQUIE
Hamaeh
Suwaidiyah
Ain Zalah
Butmah
Al Hassakah
Mossoul
Damas
Suleimanyeh
Kirkûk
IRAN
Deir-ez-Zor
Al Fatha
SYRIE
Khanaquin
Haditha
Tigre
Amman
Euphrate
Bagdad
IRAK

0   50   100 MI
0   50   100 Km

Golfe Arabo-persique

IRAK
IRAN
Bassora
Abadan
Zubair
Fao
KOWEÏT
Koweït
Qaisumah
Rimthan
Burgan
Khafji
Jauf
Marjan
Safaniya
Manifa
Abou Sa'Fah
BAHREÏN
Manama
Golfe Arabo-persique
QATAR
Sassan
Dukhan
Ghawar
Nasr
Doha
Riyad
Zubbaya
É.A.U.
Asab
ARABIE
SAOUDITE
Maghrib
Shaybah

0   50   100 MI
0   50   100 Km

Le pétrole et le gaz

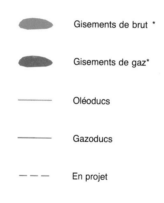

Gisements de brut *

Gisements de gaz*

Oléoducs

Gazoducs

En projet

* Pour faciliter la lecture, les gisements figurant sur les trois cartes : Égypte, Irak et Syrie ainsi que celle du Golfe d'Oman sont agrandis par rapport à leurs échelles.

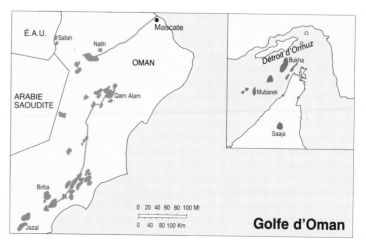

É.A.U.
Safah
Natih
Mascate
OMAN
Détroit d'Ormuz
Bukha
ARABIE
SAOUDITE
Qarn Alam
Mubarek
Birba
Saaja
Jazal

0 20 40 60 80 100 MI
0 40 80 100 Km

Golfe d'Oman

89

Une gradation dans la dépendance

▆▆▆ Aucun pays n'échappe à une certaine dose de dépendance vis-à-vis du pétrole. A une extrémité se trouvent pêle-mêle la Libye avec ses 1,7 million de km² et les petites principautés de l'ancienne côte des Pirates, Qatar, Oman et les Émirats arabes unis. Leur sujétion au pétrole est totale. Il représente non seulement la quasi-totalité des exportations, mais souvent plus de la moitié du P.N.B., les activités marchandes et les équipements directement induits par la prospérité pétrolière formant le reliquat. A côté de ces cités-États, l'Arabie Saoudite fait figure de continent : par sa taille, par le volume de sa population et par la diversité de ses ressources, elle exprime des besoins et offre des perspectives de développement d'une tout autre échelle. L'avenir économique du royaume n'en demeure pas moins vissé au même socle unique des hydrocarbures.

Différente est la situation du Koweït ou de l'archipel de Bahreïn. Ils naquirent eux aussi du pétrole, mais surent investir dans des activités connexes : la prestation de services pour toute la région dans le cas de Bahreïn, la prise de participation sur les marchés financiers internationaux dans celui du Koweït, qui en tire des dividendes équivalents à ses exportations pétrolières. Cette diversification des sources de revenu leur a permis d'aborder mieux que d'autres la période critique de l'effritement de la rente : pendant que les ressources chutaient du quart au Koweït, elles s'effondraient de moitié en Arabie Saoudite et des trois quarts en Libye.

Avant l'avènement de l'ère pétrolière, l'Irak et l'Algérie vivaient d'une agriculture relativement prospère. Aujourd'hui, les hydrocarbures fournissent 90 % de leurs devises, mais à peine plus de 15 % du P.N.B. (30 % en Algérie, en comptant le gaz). Malgré une dépendance accrue à l'égard de l'or noir, dont la providence nourricière a poussé à négliger d'autres secteurs de l'économie, ces États ont une

La redistribution de l'argent du pétrole

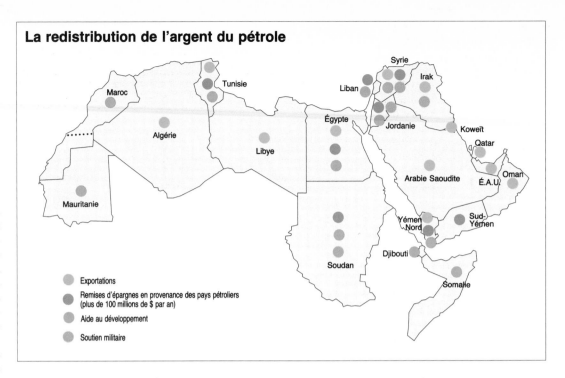

- ⬤ Exportations
- ⬤ Remises d'épargnes en provenance des pays pétroliers (plus de 100 millions de $ par an)
- ⬤ Aide au développement
- ⬤ Soutien militaire

▲

Producteurs ou non, tous les pays arabes bénéficient d'une part la rente.

Part des hydrocarbures dans l'ensemble des exportations

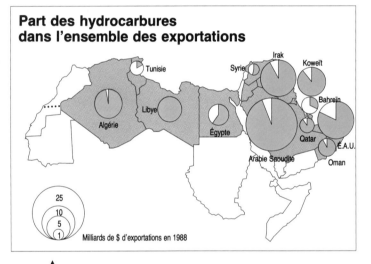

Milliards de $ d'exportations en 1988

▲

Le pétrole constitue la quasi-totalité des exportations des grands producteurs. Sa contribution au P.N.B., se dilue dans des activités non pétrolières d'autant plus importantes et diversifiées qu'une population nombreuse élargit le marché intérieur.

▼

Contribution au P.N.B. des exportations pétrolières

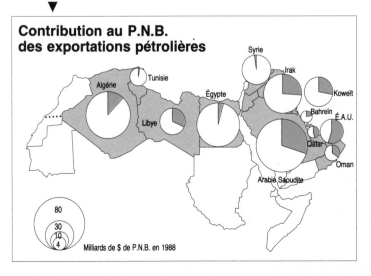

Milliards de $ de P.N.B. en 1988

population trop importante pour se reposer uniquement sur l'exploitation du sous-sol.

Pour les petits producteurs indépendants, Égypte, Tunisie et Syrie, l'énergie fossile représente diverses sources de revenu, depuis les recettes d'exportation jusqu'aux remises d'épargne des émigrés, en passant par les droits de passage perçus au débouché des pipe-lines et du Canal.

Redistribution de la rente

▆▆▆ Les remises d'épargne des émigrés sont la forme privilégiée que prend la rente pour parvenir aux pays frères. L'aide au développement en est une autre, octroyée pour l'essentiel par le plus grand pétrolier, l'Arabie Saoudite.

La solidarité financière arabe est née de la guerre de 1973 avec Israël. Loin du champ de bataille, les princes du pétrole apportèrent leur contribution financière à la «cause sacrée» qui se transforma bientôt en un système permanent d'assistance au développement, coordonné notamment par le Conseil de la coopération des pays du Golfe. Tandis que les membres du «club des riches», l'O.C.D.E., se sont fixé comme objectif de réserver 0,7 % du P.N.B. à l'aide au tiers monde, l'Arabie Saoudite et le Koweït, plus généreux, lui accordent d'ores et déjà une part cinq fois plus importante : 100 milliards de dollars en quinze ans, si l'on ajoute aux subventions directes des États les contributions de la Banque islamique et des autres caisses régionales. Cette solidarité ne

Aide de l'O.P.A.E.P.

(moyenne annuelle des années 1980)

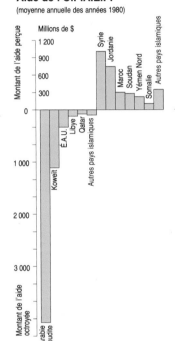

▲ *Pour son action « dissuasive » — er-radaa — au Liban et sa position en « première ligne sur le front israélien », la Syrie est le principal bénéficiaire de l'aide arabe au développement.*

SOLIDARITÉ ET INÉGALITÉS

Les pays riches consomment plus d'énergie que les pays pauvres, c'est une loi générale. Mais, dans une région où ce sont les ressources pétrolières qui font la richesse des uns et leur absence la pauvreté des autres, les nantis paient leurs hydrocarbures moins cher que les démunis. La part de la rente qui est redistribuée entre les pays ne suffit pas à empêcher les inégalités de se creuser entre eux.

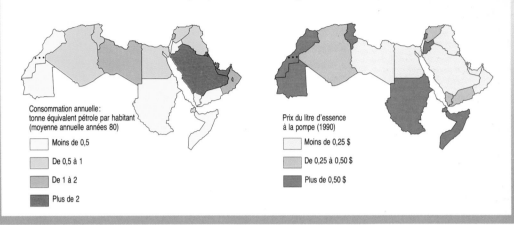

Consommation annuelle :
tonne équivalent pétrole par habitant
(moyenne annuelle années 80)

- Moins de 0,5
- De 0,5 à 1
- De 1 à 2
- Plus de 2

Prix du litre d'essence
à la pompe (1990)

- Moins de 0,25 $
- De 0,25 à 0,50 $
- Plus de 0,50 $

Rente pétrolière par habitant

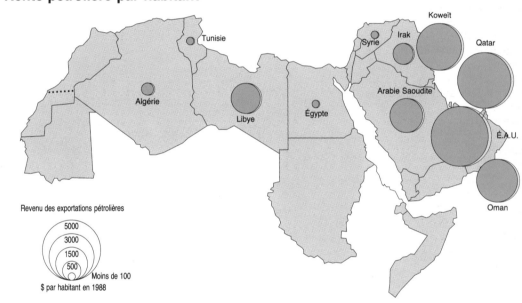

Revenu des exportations pétrolières

5000
3000
1500
500
Moins de 100

$ par habitant en 1988

LE DÉVELOPPEMENT DE L'INDUSTRIE PÉTROLIÈRE

Une fois acquis le contrôle du pompage, les Arabes devaient relever un second défi : proposer sur les marchés internationaux des produits raffinés et non plus seulement du brut. Pour atteindre cet objectif, il ne suffisait pas de consentir de gigantesques investissements pétrochimiques ; il fallait en outre mettre en place des réseaux de distribution capables d'affronter les Majors sur leur propre terrain, au cœur même de l'Occident. L'Algérie et le Koweït y sont parvenus avec excellence, exportant aujourd'hui plus de la moitié de leurs hydrocarbures après raffinage. A l'opposé, l'Irak, en raison de sa longue guerre avec l'Iran, partage le retard des pays qui n'ont pas su s'imposer sur les marchés, la Libye et les petits émirats.

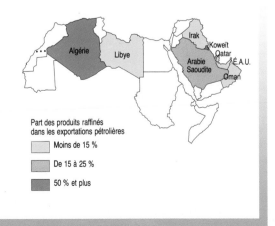

Part des produits raffinés
dans les exportations pétrolières

- Moins de 15 %
- De 15 à 25 %
- 50 % et plus

s'est pas démentie lors de la guerre des prix qui fit chuter la rente, la ponction sur les recettes du pétrole au profit des pays tiers conservant son niveau.

Attribuée à parité aux Arabes et aux pays musulmans d'Afrique et d'Asie, l'aide des pétroliers n'est pas innocente d'une triple volonté de prosélytisme, d'influence politique et d'apaisement des turbulences qui secouent le Levant. Les multiples redistributions auxquelles il donne lieu font du pétrole un nouveau fédérateur du monde arabe ainsi qu'un instrument moderne de l'expansion de l'islam.

91

L'ESPOIR INDUSTRIEL

*P*ar trois fois, les aspirations arabes à une grandeur retrouvée s'incarnèrent dans l'industrie. Dès la première moitié du XIXᵉ siècle, Muhammad Ali comprit que, pour placer l'Égypte parmi les puissants du monde, il lui fallait d'ambitieux projets manufacturiers. Elle manqua de peu son décollage économique. La dette, contractée notamment pour acquérir des équipements dispendieux, précipita au contraire l'Égypte du khédive Ismaïl sous la coupe britannique. La période coloniale qui s'ouvrait de l'Euphrate à l'Atlantique vit la ruine progressive d'ateliers d'échelle artisanale, perdants face à la concurrence des géants européens. Aucune usine, aucune classe d'entrepreneurs arabes n'eut pratiquement la force d'émerger. Lorsque sonna l'heure des indépendances, les jeunes nations investirent l'essentiel de leurs espoirs dans des programmes d'industrialisation. La puissance publique y consacra la meilleure part de ses plans d'investissements et dicta les orientations de production. Là où une lutte violente avait opposé les forces nationalistes aux armées de la métropole, l'élan industriel eut en outre la mission de créer une classe ouvrière qui porterait le flambeau du «combat contre l'impérialisme». Cette seconde vague industrialisante gagna sous une forme bien différente les rives de la péninsule Arabique, lorsque le boom pétrolier suggéra aux princes de l'or noir de convertir partiellement en projets industriels une rente devenue gigantesque. Par suite des difficultés que les finances publiques affrontent depuis les années 80, les États ont tous pris conscience qu'ils ne sauraient assister indéfiniment l'économie. La dette publique à nouveau inaugure l'étape suivante, où le privé se voit réhabilité dans ses prérogatives d'entrepreneur et où les programmes de format modeste jouissent de toutes les faveurs.

Le chaînon manquant

Aucun État arabe n'a rejoint le club des nouveaux pays industriels qui émergent çà et là du «tiers» monde. Pour que s'épanouisse une industrie novatrice, quatre conditions doivent en effet être réunies. Il faut d'abord posséder en propre, ou à défaut jouir d'un accès privilégié à du capital et à des matières premières. En second lieu, la main-d'œuvre doit présenter le volume et le savoir-faire requis par chaque niveau de la fabrication. Par l'importation massive de bras et de compétence, le Golfe a toutefois montré comment le capital permet de pallier la pénurie de nationaux. Un marché solvable est la troisième condition. Lorsque la demande intérieure est suffisante, ce qui est le cas des pays arabes de plus de 10 millions d'habitants à l'exception du Soudan, la fabrication de produits de substitution aux importations peut devenir prioritaire. Mais, lorsque la population est trop peu nombreuse ou trop pauvre, la recherche d'avantages comparatifs sur des marchés extérieurs — faibles coûts salariaux de la Tunisie ou du Liban, énergie bon marché du Golfe — ouvre la voie à une stratégie d'exportation. Il faut enfin une élite clairvoyante pour organiser la société en sorte que les trois facteurs précédents se fécondent mutuellement.

Présents tour à tour dans divers pays arabes, ces ingrédients tous nécessaires ne le sont simultanément dans aucun. Le monde arabe pris en bloc ne les possède pas non plus, privé qu'il est d'une classe politique fédérative et d'un milieu d'affaires supranational. La région est au contraire le champ de rivalités entre élites nationales.

La puissance industrielle

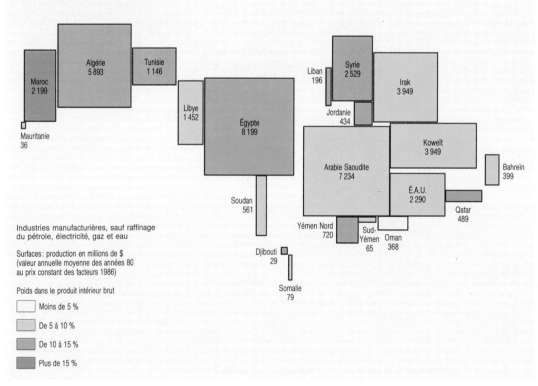

Industries manufacturières, sauf raffinage du pétrole, électricité, gaz et eau

Surfaces: production en millions de $ (valeur annuelle moyenne des années 80 au prix constant des facteurs 1986)

Poids dans le produit intérieur brut

- Moins de 5 %
- De 5 à 10 %
- De 10 à 15 %
- Plus de 15 %

▲
L'industrie ne pèse pas lourd dans l'économie arabe. La toute nouvelle montée de la pétrochimie a pourtant hissé la Péninsule au rang de l'Égypte et de l'Algérie, à la tradition industrielle plus ancienne.

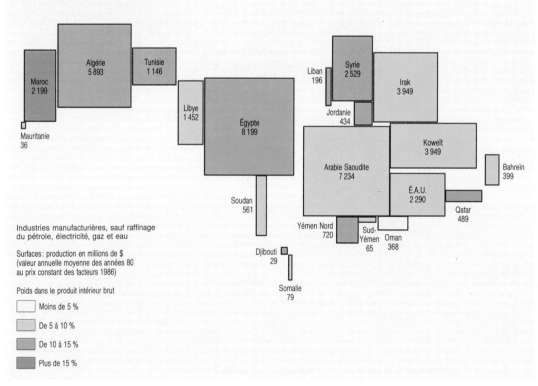
Maroc 2 199 · Mauritanie 36 · Algérie 5 893 · Tunisie 1 146 · Libye 1 452 · Égypte 8 199 · Soudan 561 · Liban 196 · Syrie 2 529 · Irak 3 949 · Jordanie 434 · Arabie Saoudite 7 234 · Koweït 3 949 · Bahreïn 399 · É.A.U. 2 290 · Qatar 489 · Yémen Nord 720 · Sud-Yémen 65 · Oman 368 · Djibouti 29 · Somalie 79

Le modèle des industries lourdes

Les premières manufactures naquirent dans les pays de tradition agricole. Le fruit du sol fut transformé par les filatures et tissages de Mehalla El-Kobra, ou par la *Khoumassiya* de Damas. Ouvrant un débouché au coton local, ces industries, qui permirent certaines expériences syndicales précoces[1], jaillirent près de leurs travailleurs : à proximité des grandes villes. Ce n'est que plus tard que de petites agro-industries furent implantées au cœur des campagnes, dans l'espoir que les liens ainsi noués entre l'usine et le champ renforceraient l'un et l'autre et stimuleraient le développement régional.

Le sous-sol fut l'objet des paris les plus audacieux. Les présidents Nasser et Boumediene chargèrent chacun l'industrie lourde d'entraîner dans son sillage le développement de la société et de l'économie tout entières. Proclamée centre de gravité de l'espace délimité par le minerai de la haute vallée, le coke débarqué à Alexandrie et la main-d'œuvre du Caire, la coquette villégiature d'HéIouan fut érigée en pôle sidérurgique de l'Égypte. Dressés sur le littoral, loin d'une capitale menacée d'hypertrophie, les complexes d'Arzew, Skikda et Annaba accueillirent

avec la toute-puissante Sonatrach, une pétrochimie et une sidérurgie investies de la lourde mission d'« industries industrialisantes » : exploiter le sous-sol algérien, induire de nombreuses activités en aval et offrir un modèle général d'organisation du travail, y compris à l'agriculture. Ces fleurons de l'industrie lourde arabe ne font cependant plus école. Tentée à la fin des années 60 par la voie algérienne, la Tunisie abandonna très vite l'expérience des « industries de base ».

Produire pour consommer

Un objectif d'apparence plus modeste fut bientôt assigné à l'usine : répondre en priorité à la demande de la population, afin de réduire la dépendance vis-à-vis de l'étranger. La stratégie de substitution aux importations se mit en place en deux temps. On fabriqua d'abord localement des produits destinés à la consommation des ménages, alimentation et matériaux de construction. Il n'est plus un pays qui ne possède ses conserveries et ses fabriques sous licence de Pepsi-Cola ou autres boissons gazeuzes. Dans une seconde étape, l'Algérie au Maghreb, l'Égypte, l'Irak et la Syrie au Machrek mirent en place des usines destinées à remplacer également les biens

Les ouvriers

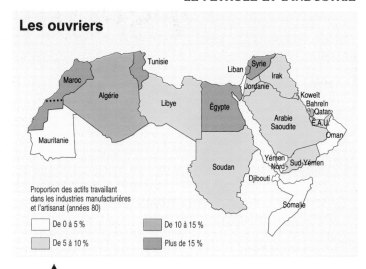

Proportion des actifs travaillant dans les industries manufacturières et l'artisanat (années 80)

De 0 à 5 %	De 10 à 15 %
De 5 à 10 %	Plus de 15 %

▲
L'ouvrier a une présence faible dans la société arabe. Passé sans transition du champ au comptoir de sa boutique ou à sa chaise de fonctionnaire, le fellah d'hier a fait l'économie de l'étape industrielle. Les chantres de l'industrie en attendaient la résorption du chômage, mais, sauf en Tunisie, elle emploie partout moins de 20 % des actifs.

Les potentialités industrielles*

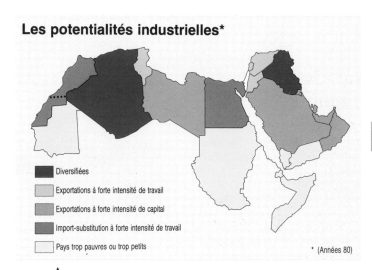

■ Diversifiées	
Exportations à forte intensité de travail	
Exportations à forte intensité de capital	
Import-substitution à forte intensité de travail	
Pays trop pauvres ou trop petits	

* (Années 80)

▲
Le pétrole trace le clivage principal entre deux types d'industrie : mobilisation de capital et d'énergie sans création d'emplois dans la Péninsule et en Libye, mobilisation de travail dans les pays non pétroliers. Conditionnant main-d'œuvre et marché solvable, la démographie et le niveau de vie dessinent une seconde ligne de partage entre substitution aux importations et exportation.

intermédiaires jusqu'alors importés. Tandis que Renault assemble encore au Maroc des pièces fabriquées en France, les fonderies d'Héulouan fournissent tout chauds les éléments qui seront montés sur les chaînes égyptiennes de Fiat et ceux qui donneront des canons pour l'Irak.
En Tunisie et au Maroc, une fois que la consommation des ménages fut assez largement couverte par la production locale, on mit l'accent sur les exportations. Les rémunérations pratiquées, de dix à vingt fois plus basses qu'en Europe, permirent de se placer

avantageusement sur les marchés du Vieux Continent, celui du prêt-à-porter entre autres ; elles incitèrent maintes entreprises du Nord à délocaliser des ateliers de montage gros employeurs de main-d'œuvre. Comme si l'étroitesse de son marché intérieur lui imposait l'économie de l'étape de la substitution aux importations, la Jordanie se spécialisa d'emblée dans l'industrie d'exportation, engrais phosphatés pour ses voisins et ciment pour le Golfe. En cela, elle s'apparente déjà aux économies de la Péninsule.

93

LE PRÊT-À-PORTER : UNE INDUSTRIE SUR MESURE

Les textiles arabes commencent à se tailler une place dans la confection. Mobilisant un faible capital mais une main-d'œuvre nombreuse, pour l'essentiel des femmes travaillant à temps partiel à domicile — pour le bon-

heur du mari et la fortune du patron —, les vêtements et la bonneterie compteront peut-être dans les industries du futur. Ils forment en tout cas à eux seuls près des deux tiers des exportations industrielles de la Tunisie.

Part des textiles dans le secteur manufacturier en Tunisie (1982-1988)

59 % de l'emploi total	
94 % de l'emploi féminin	
91 % de l'emploi à temps partiel	
27 % de la production au coût des facteurs	
14 % de l'investissement	
69 % des exportations de produits finis	

L'INDUSTRIE NOUVELLE

La pétrochimie du Golfe

La mentalité marchande a de tout temps préféré les rendements de court terme offerts par l'immobilier et le commerce à l'aventure industrielle. C'est ainsi que la Péninsule, où l'État se confond partout avec la famille régnante, a longtemps négligé l'opportunité financière, pourtant unique dans les pays en développement, de s'industrialiser. La crainte que le pétrole tarisse, ou soit bientôt détrôné comme jadis le charbon, poussa les princes les plus riches de la planète à prendre conscience du danger qu'ils encouraient à consommer un trésor non renouvelable et de l'urgence à le transformer en capital d'entreprise. Recherchant tous à mobiliser d'immenses réserves financières et à pousser l'avantage d'une énergie à faible coût pour concurrencer les multinationales de l'Occident, prêts à offrir de hauts salaires à des cadres performants mais se défiant d'une classe ouvrière nombreuse d'où fuserait la contestation, les grands pétroliers optèrent unanimement pour les mêmes industries à forte intensité de capital, pétrochimie et engrais azotés. Les sites industriels furent érigés au sortir de la nappe pétrolière (Jubayl) ou au plus près des voies maritimes (Yanbou). Disposant d'atouts identiques, mais aussi d'un handicap commun, l'absence de marché proche, ces petits pays devinrent rivaux sur les places commerciales d'Europe. Censée les protéger des caprices de la demande mondiale de pétrole, l'option industrielle ne les affranchit toutefois pas des facteurs exogènes: non seulement l'entretien de l'usine repose sur le prix de vente du brut, mais son chiffre d'affaires tient exclusivement à la demande étrangère. C'est pourquoi le Koweït s'est engagé plus frileusement dans l'industrie, préférant investir directement sur les marchés financiers d'Europe et des États-Unis. Bahreïn, premier à traiter l'aluminium dans l'usine Alba, put s'assurer quant à lui une certaine antériorité sur le marché local. Une institution nouvelle, le Gulf Cooperation Council, tente maintenant de promouvoir une stratégie industrielle régionale.

Le temps des déceptions

L'objectif de la «décennie de la stratégie du développement industriel» proposé par les Nations unies, une croissance de 9 % par an du produit manufacturier du tiers monde, a été atteint par la moitié des pays arabes. L'Algérie commence à récolter les fruits de ses investissements de très long terme. L'Égypte a su stimuler ses ventes à l'étranger en dévaluant sa livre et profiter à la fois de la paix à ses frontières et de la guerre dans le Chatt al-'Arab pour exporter sa production d'armement. La Syrie a tiré bénéfice de la mise à l'écart du Liban. Venant de loin, de petits États, Oman et le Yémen, doivent quant à eux leur progrès à l'inexistence de toute entreprise industrielle digne de ce nom avant les années 70.

Un climat empreint de circonspection règne cependant dans les cercles industriels. Il fait suite à une période de croissance financière, où la rente et les emprunts internationaux avaient porté les États et leurs administrés à acheter toujours plus de produits manufacturés. Dix ans de faveurs dans les plans d'investissement du Golfe et plusieurs lustres ailleurs ont tout juste permis à l'industrie de maintenir globalement la place qu'elle occupait dans l'économie de la région à la veille du premier boom pétrolier. Certes l'industrie arabe a dû affronter une conjoncture internationale peu favorable. La crise des économies développées a fait chuter la demande de pétrole arabe et de ses dérivés et monter les protections douanières d'Europe et d'Amérique, réduisant d'un seul coup la capacité d'investissement et les débouchés des jeunes industries des pays pétroliers. Les autres se sont heurtés à la concurrence des nouveaux pays industriels, particulièrement vive sur le terrain des textiles. Mais le monde arabe sécréta lui-même diverses entraves à son industrie. La concurrence régionale au lieu de la complémentarité, la dépendance en pièces de rechange, la

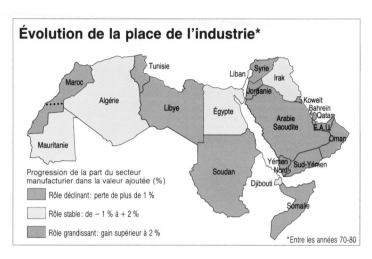

Évolution de la place de l'industrie*

Progression de la part du secteur manufacturier dans la valeur ajoutée (%)

- Rôle déclinant: perte de plus de 1 %
- Rôle stable: de − 1 % à + 2 %
- Rôle grandissant: gain supérieur à 2 %

*Entre les années 70-80

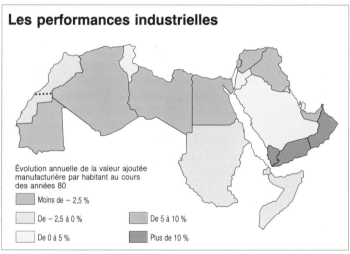

Les performances industrielles

Évolution annuelle de la valeur ajoutée manufacturière par habitant au cours des années 80

- Moins de − 2,5 %
- De − 2,5 à 0 %
- De 0 à 5 %
- De 5 à 10 %
- Plus de 10 %

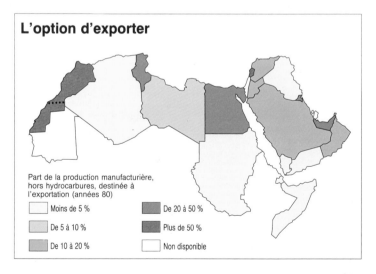

L'option d'exporter

Part de la production manufacturière, hors hydrocarbures, destinée à l'exportation (années 80)

- Moins de 5 %
- De 5 à 10 %
- De 10 à 20 %
- De 20 à 50 %
- Plus de 50 %
- Non disponible

faiblesse des services après-vente et la négligence à prospecter de nouveaux marchés affectent toutes les industries des pays pétroliers[1]. Les usines agro-alimentaires et textiles du Croissant fertile et du Maghreb souffrent pour leur part des négligences dont l'agriculture fut constamment victime. Plus encore peut-être, la manufacture pâtit d'un contrôle de qualité qui manque souvent de rigueur. Par ailleurs, l'ouverture de divers pays aux investisseurs étrangers, Égypte et Tunisie en tête, n'a pas eu sur l'industrie l'effet escompté, mais a plutôt drainé des capitaux vers les services et le tourisme. Les guerres, enfin, ont sérieusement freiné la croissance industrielle de l'Irak et anéanti le potentiel du Liban, dont la production avait traversé dix années d'extraordinaire essor entre 1965 et 1975[2].

Couverture de la consommation de produits manufacturés par l'industrie nationale*

Importations

Production nationale

Consommation ($/hab./an)

5 000
2 500
1 000
500
100

* Moyenne des années 80

Renforcer les structures existantes

L'ère des grands projets financés par l'État déclina dès que montèrent l'inquiétude pétrolière dans la Péninsule, et la dette ailleurs. La priorité va désormais à une meilleure utilisation des usines déjà en activité plutôt qu'au soutien d'initiatives nouvelles.

L'industrie ne détient plus sa place d'antan dans les programmes d'investissement. Ainsi, le plan quinquennal égyptien (1988-1992) comporte encore une ligne pour la modernisation de l'équipement des entreprises publiques créées par les plans précédents, mais prévoit que celles-ci n'émargeront plus à l'avenir au budget de l'État et devront s'autofinancer ou se procurer elles-mêmes des prêts bancaires.

Pour renforcer les industries nationales, des mesures douanières sont prises qui les protègent de la concurrence étrangère tout en préservant leur accès aux biens intermédiaires importés. En Syrie par exemple, les droits de douane à l'importation s'élèvent à 5 % pour les matières premières, mais atteignent jusqu'à 51 % pour les produits semi-finis et de 35 à 130 % pour

les biens de consommation, lorsque ces derniers ne sont pas tout simplement prohibés[3]. Dans le même temps, divers organismes officiels sont institués pour promouvoir les exportations par du démarchage ou des facilités de crédit, par exemple celles qu'accorde la Banque d'exportations en Égypte.

Stimuler la petite entreprise

L'un après l'autre, les États non pétroliers appellent l'entrepreneur privé à prendre la relève industrielle. En Égypte, où la dénationalisation revêt des allures d'alternance, les P.M.E. réalisent déjà le tiers de la valeur ajoutée et près de la moitié de l'emploi du secteur secondaire. En Jordanie, le plan prévoyait qu'en 1986-1990 l'investissement serait assuré à 87 % par le privé. Du Maroc à la Syrie, on redécouvre les vertus du petit format : il permet de créer de l'emploi avec un investissement réduit ; sa dimension modeste se prête à la décentralisation ; son infrastructure légère est généralement très économe d'énergie ; sa production, souvent livrée sur le marché à prix compétitif, répond bien aux possibilités

d'achat de la population. Il n'est pas jusqu'au Golfe lui-même, dont les projets titanesques sont désormais mis en veilleuse, où l'on ne chante les mérites du *small is beautiful*. Peu à peu semble s'imposer l'idée que, pour qu'une industrie arabe privée s'épanouisse, il reste à ouvrir des places boursières, à développer les complémentarités régionales, mais par-dessus tout à créer une classe d'entrepreneurs.

▲
Seules l'Égypte et la Syrie couvrent par leur production plus de la moitié de leur consommation, au demeurant relativement faible, à l'image du niveau de vie. Les riches pétroliers, en revanche, produisent moins du quart de ce qu'ils consomment, confirmant ainsi leur vocation rentière.

95

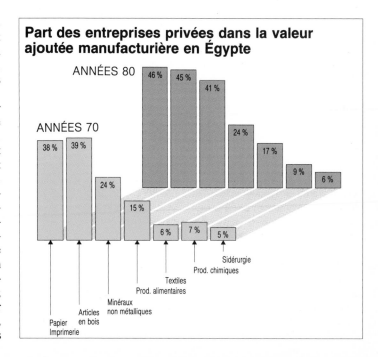

Part des entreprises privées dans la valeur ajoutée manufacturière en Égypte

ANNÉES 80

ANNÉES 70

46 % 45 % 41 % 38 % 39 % 24 % 24 % 17 % 15 % 9 % 6 % 6 % 7 % 5 %

Papier Imprimerie
Articles en bois
Minéraux non métalliques
Prod. alimentaires
Textiles
Prod. chimiques
Sidérurgie

L'ARTISANAT

Le bâtiment d'abord...

En marge de l'industrie, des métiers exercés à main nue apportent à la production manufacturière le gros de ses recettes. Plus facilement qu'à l'usine, le jeune échappera au sous-emploi grâce au bâtiment ou à la foison d'activités auxquelles s'adonnent artisans et compagnons des petits ateliers qui, débordant sur les trottoirs, occupent des quartiers entiers de la cité arabe. Fraîchement débarqué à la ville, c'est à un *moallem* — maître d'œuvre — que le novice de la campagne loue d'abord ses services ; à sa descente d'avion, c'est un chantier qui attend le Pakistanais ou le Syrien venu chercher « fortune » dans le Golfe. L'un et l'autre inaugurent leur vie professionnelle par un emploi de plâtrier ou de peintre. Chez tous les grands exportateurs de pétrole, le bâtiment et les travaux publics ont employé une main-d'œuvre plus nombreuse que toutes les industries manufacturières réunies. Partout en effet, y compris là où une pénurie de population autochtone a orienté l'État vers des options industrielles à forte intensité de capital, la construction requiert abondance d'hommes. Quelque réduit que soit le nombre des futurs ouvriers d'une usine, les maçons auront été pléthore à en ériger les murs. C'est parce que les industries de la Péninsule achèvent tout juste cette phase préliminaire où elles se sont construites que le B.T.P. y regroupe encore les deux tiers (Arabie), voire 96 % (Oman) des activités productives. Il en est allé de même des deux pays les plus tributaires des retombées de la rente, Yémen du Nord et Jordanie. Mais le déclin a maintenant sonné : en Arabie, le plan 1985-1990 a fixé à − 3 % par an la régression de son chiffre d'affaires. Au bout du processus, l'Égypte, construite depuis quatre mille ans, se suffit d'un B.T.P. modeste — le quart de l'activité industrielle — pour développer son parc immobilier et ses infrastructures.

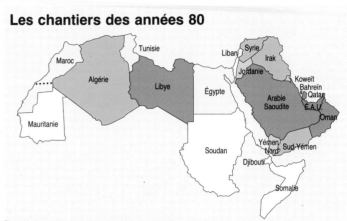

Les chantiers des années 80

Place de la construction dans le secteur secondaire :

	Place dans l'emploi	Place dans la valeur ajoutée	Phase dominante
	< 60 %	< 40 %	Entretien du patrimoine
	> 60 %	< 40 %	Extension du parc immobilier
	< 60 %	> 40 %	Création d'infrastructure (T.P.)
	> 60 %	> 40 %	Grands chantiers, villes champignons
	Non disponible		

... L'artisanat toujours

Pratiquée avec des machines d'un autre temps dans des locaux sommaires ou, le climat aidant, en plein air — l'emballage d'un paquet de cigarettes pour toute feuille de comptes esquivant le fisc comme les lois toutes neuves sur le travail salarié —, l'activité informelle suscita d'abord le dédain des jeunes bureaucraties. Pourtant, elle se maintint florissante : en Tunisie, l'artisanat de production regroupait 77 % de l'emploi manufacturier en 1956, c'est-à-dire avant l'avènement de la grande industrie, mais encore 46 % au début des années 80[1]. Sa vitalité, comme les contre-performances de l'industrie d'État, amenèrent vite à reconsidérer l'informel avec des égards. Là où l'on s'était obstiné à voir la survivance d'une tradition rebelle au progrès, on comprit qu'il y avait une modernité alternative. Aussi folkloriques qu'ils apparaissent au touriste, les artisans du souk d'Alep ou de la médina de Casablanca pratiquent en effet un art inconnu de leurs pères, qui ignoraient les téléviseurs dont ils tournent les pièces de rechange.

Plus encore, l'artisan offre à l'industrie un poumon nécessaire — le service après vente — et à tout le petit peuple un accès à des produits manufacturés moins coûteux. C'est la faible rémunération de ses collaborateurs, parents ou fils du voisin embauchés comme apprentis, qui permet à l'artisan d'être compétitif. Pour le *moallem* comme pour ses aides, l'atelier est souvent le point de départ d'une accumulation de savoir-faire et de capital, dont naîtra, *si Dieu le veut*, une entreprise plus grande.

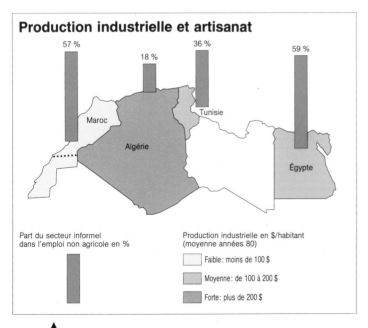

Production industrielle et artisanat

57 %   18 %   36 %   59 %

Maroc   Algérie   Tunisie   Égypte

Part du secteur informel dans l'emploi non agricole en %

Production industrielle en $/habitant (moyenne années 80)
- Faible : moins de 100 $
- Moyenne : de 100 à 200 $
- Forte : plus de 200 $

▲ *La production manufacturière varie en raison inverse de la place de l'artisanat. Ne tenant pas de livres, celui-ci échappe à la comptabilité nationale, qui sous-estime d'autant les ressources réelles de la population. Grâce aux activités « informelles », les Marocains maintiennent un niveau de vie honorable à côté des Algériens, malgré un revenu par habitant cinq fois plus bas.*

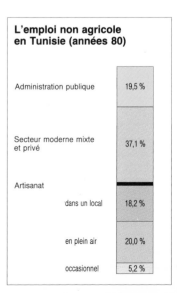

L'emploi non agricole en Tunisie (années 80)

Administration publique	19,5 %
Secteur moderne mixte et privé	37,1 %
Artisanat	
dans un local	18,2 %
en plein air	20,0 %
occasionnel	5,2 %

L'INTÉGRATION RÉGIONALE

UNE OU VINGT-DEUX NATIONS ?

Une nation unique, dotée d'un message unique! Le nationalisme arabe a compté jusqu'à présent plus de théoriciens que de bâtisseurs. Dès le début du XXᵉ siècle dans le Croissant fertile, plus tard en Égypte et au Maghreb, un mouvement national affirma face au colonialisme — turc, puis anglo-français — une unité fondée sur la langue. Dans l'union sacrée contre l'envahisseur, la conscience arabe fut exaltée, puis mobilisée pour créer les institutions politiques de l'unité. La Ligue des États arabes vit le jour en 1945, à l'instigation de la Grande-Bretagne il est vrai. Treize ans plus tard naissait, avec la République arabe unie (R.A.U.), la première fusion de deux États souverains, l'Égypte et la Syrie. Trois années suffirent à la R.A.U. pour s'effondrer, et avec elle beaucoup d'espoirs. Les indépendances, en effet, avaient renforcé les frontières. Taxés de l'épithète honteuse d'*iqlîmiya*, «régionalisme», des nationalismes centrifuges, jamais clamés, étaient à l'œuvre. Le cadre réel dans lequel la vie matérielle des hommes s'organisa fut celui des vingt et un États et non d'une nation mythique. Leur sous-développement les poussa à rechercher des partenaires économiques, non parmi des frères qui n'avaient pas en main les cartes manquant à leur propre jeu, mais avec le monde industriel, tout naturellement d'abord l'ancienne métropole. C'est pourquoi les échanges interarabes comptent aujourd'hui si peu dans le commerce international de la région, capté presque pour moitié par l'Europe. Les tentatives qui suivirent l'éphémère R.A.U. échouèrent toutes en cours de gestation. Dans les années 80 s'imposa cependant peu à peu le sentiment qu'avant de proclamer des mariages politiques, comme les deux Yémen en 1990, il fallait faire tomber les rivalités régionales et développer à leur place des interdépendances économiques. C'est dans l'esprit de «marchés communs» que se regroupèrent à l'est les États du Conseil de coopération du Golfe et à l'ouest ceux de l'Union du Maghreb arabe. Pour les premiers, il devenait impératif d'élargir des espaces économiques nationaux trop étroits et, pour les seconds, d'exploiter les complémentarités régionales — hydrocarbures algériens et libyens et agroéconomies tunisienne et marocaine. La circulation de la main-d'œuvre et des compétences représente cependant le seul renforcement tangible de l'interdépendance au Machrek. Un siècle après avoir lancé l'idée panarabe, le Levant aura de nouveau fait les premiers pas vers l'intégration. Du Nil à l'Euphrate, avec la Péninsule pour pivot, se dessine peut-être l'espace arabe de demain.

98

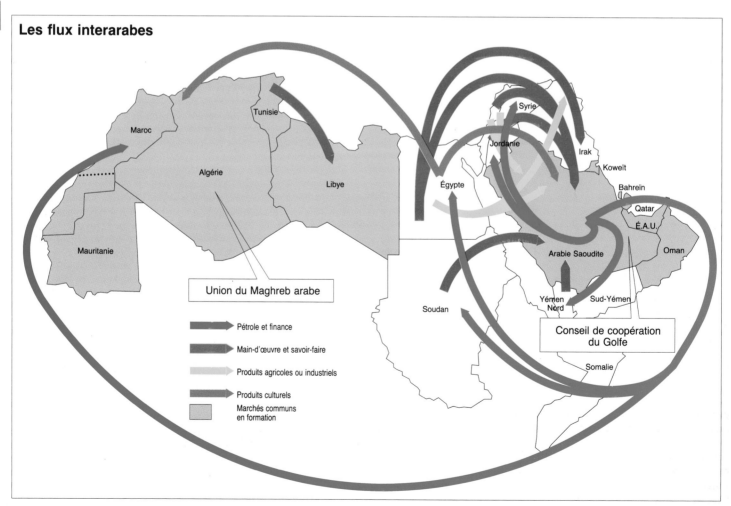

Les flux interarabes

Tunisie

Maroc

Syrie

Jordanie

Irak

Koweït

Algérie

Libye

Égypte

Bahreïn

Qatar

É.A.U.

Mauritanie

Arabie Saoudite

Oman

Union du Maghreb arabe

Soudan

Yémen Nord

Sud-Yémen

Conseil de coopération du Golfe

Somalie

Pétrole et finance

Main-d'œuvre et savoir-faire

Produits agricoles ou industriels

Produits culturels

Marchés communs en formation

LES ROUTES DU NÉGOCE

Des impératifs de circulation

Les transports terrestres sont marqués du sceau du pétrole bon marché : l'automobile et le camion sont rois, jusque dans les déserts. L'aventure de la transsaharienne, dédiée à l'unité africaine, a ouvert les marchés tropicaux aux transporteurs algériens. 50 000 kilomètres de bitume coulés en moins d'une génération sillonnent désormais en tous sens la péninsule. Tournée vers le monde industriel plus que vers l'hinterland arabe, l'économie de la région s'organise autour des voies qui conduisent aux clients et aux fournisseurs étrangers. C'est ainsi que le Golfe connaît depuis 1973 le plus formidable essor portuaire de la planète[1], autant pour livrer en ciment, aluminium et Mercedes les citoyens les plus riches du monde, que pour exporter leur pétrole. Sans tradition hors du Maghreb et de la vallée du Nil, qui héritèrent d'un réseau ferroviaire colonial, les chemins de fer n'ont en revanche ajouté aucune gare à la maigre liste de celles qu'ils desservent depuis un demi-siècle. Déjà tracé sur la carte de Lawrence, le petit train du Hedjâz affiche toujours : «terminus : Ma'an».

Escale obligée dans le Golfe

Le couronnement de l'avion aura restitué au désert arabique et à la côte des Pirates ce que la marine leur avait confisqué : la route des «Indes». Seule la côte Est des États-Unis aligne autant d'aéroports internationaux ultramodernes au kilomètre que la rive arabe du Golfe. Construits pour desservir des riverains peu nombreux mais particulièrement mobiles, pour accueillir les hommes d'affaires ou pour magnifier l'image du prince, ces aéroports sont parvenus à capter une grosse part du transit entre l'Occident et l'Orient industriels. A l'image

des caravanes qui, jadis, déchargeaient à Abû Dhabî ou à Dubaï pour être relayées par les boutres, les compagnies du monde entier font escale dans ces mêmes ports pour refaire le plein de kérosène. Les plaques

tournantes du trafic aérien interarabe se trouvent non loin de là, au Caire, à Riyad, Djeddah et Manama. Ce sont les routes des travailleurs migrants. En matière aérienne, le Maghreb s'ouvre en priorité sur l'Europe.

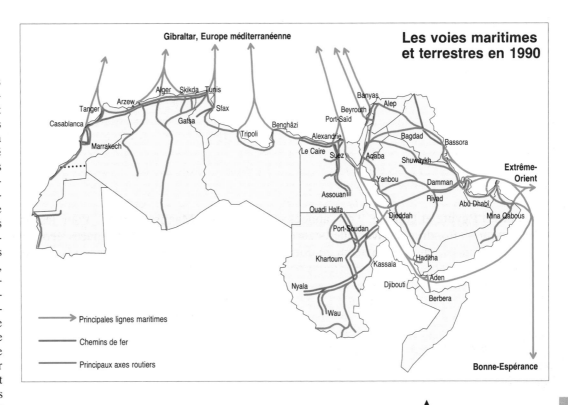

Les voies maritimes et terrestres en 1990

— Principales lignes maritimes
— Chemins de fer
— Principaux axes routiers

▲

Une ouverture directe sur le large confère à chaque pays du Maghreb une autonomie tandis que les verrous de Suez et d'Ormuz instaurent une interdépendance au Machrek.

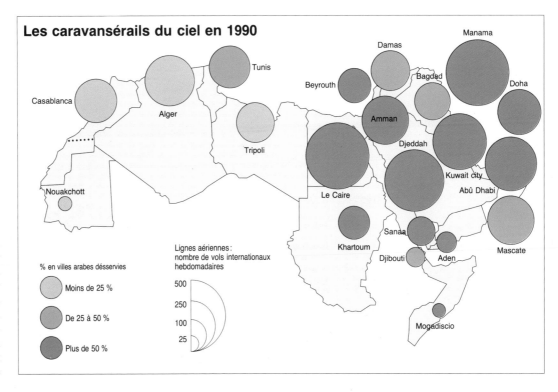

Les caravansérails du ciel en 1990

% en villes arabes désservies
- Moins de 25 %
- De 25 à 50 %
- Plus de 50 %

Lignes aériennes : nombre de vols internationaux hebdomadaires
500
250
100
25

LE COMMERCE INTERNATIONAL

Tournés vers l'Europe

▰▰▰ Les Arabes vendent du pétrole et certains dérivés, mais achètent pratiquement tout le reste. Hissant les hydrocarbures au premier rang des produits stratégiques, la diplomatie pétrolière avait offert à la région un excédent commercial qui dépassait 100 milliards de dollars par an vers 1980. Les habitudes de consommation acquises résistèrent à la chute des cours qui suivit et les projets d'investissement s'infléchirent difficilement. Les résultats encore positifs des grands producteurs ne couvrent maintenant plus les soldes dramatiquement négatifs de l'Égypte (− 6,5 milliards de dollars par an), de la Syrie, de la Jordanie ou du Maroc.

Le Japon est désormais seul à acheter aux Arabes plus qu'il ne leur vend depuis qu'il délocalise vers Taiwan ou la Corée des industries, dont les Arabes sont bons clients. C'est avec la C.E.E. que la balance commerciale est la plus négative : en déficit annuel de 12 milliards de dollars durant la seconde moitié des années 80.

Maintenant que l'économie mondiale gravite à nouveau autour de la haute technologie et que se referme la parenthèse d'une revalorisation des matières premières, le monde arabe risque une période d'isolement commercial. Dans cette région aride, l'option d'exporter des produits agricoles reviendrait en définitive à se dessaisir d'une source rare : l'eau (¹). A longue échéance, l'alternative est donc entre industrialisation et marginalisation.

Les interdépendances

▰▰▰ Il est plus aisé de mobiliser le sentiment unitaire diffus des peuples, pour clamer la fraternité arabe, que l'argent des affaires pour construire un marché commun. Le déclin du commerce international des pays arabes n'est pas compensé par une intensification des échanges entre eux : formés pour l'essentiel de produits non manufacturés — pétrole, ciment et alimentation —, ceux-ci ne représentent que 6 % de leurs exportations et de leurs importations. Il ne saurait en aller autrement puisque chacun d'eux a fait cavalier seul en orientant son économie vers les marchés de l'O.C.D.E. Les pays à vocation agricole et à démographie vigoureuse ont, par exemple, tous développé les cultures d'agrumes et la bonneterie, s'interdisant de les échanger entre eux. De leur côté, les grands pétroliers de la Péninsule, en concur-

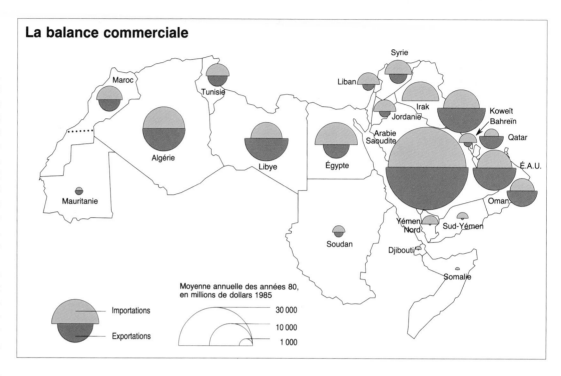

La balance commerciale

Moyenne annuelle des années 80, en millions de dollars 1985

Importations
Exportations

30 000
10 000
1 000

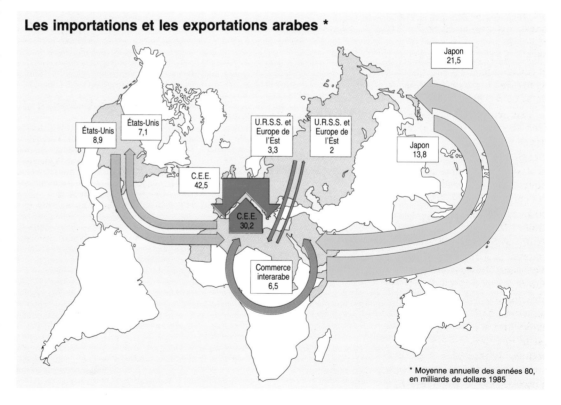

Les importations et les exportations arabes *

Japon 21,5

États-Unis 8,9
États-Unis 7,1
U.R.S.S. et Europe de l'Est 3,3
U.R.S.S. et Europe de l'Est 2
Japon 13,8

C.E.E. 42,5
C.E.E. 30,2

Commerce interarabe 6,5

* Moyenne annuelle des années 80, en milliards de dollars 1985

100

On ne négocie jamais aussi bien qu'avec ses voisins ou ses vieilles connaissances. Premier partenaire commercial, la C.E.E. n'est nulle part aussi solidement ancrée dans la région qu'en Afrique du Nord.
Le Japon se taille ses meilleures parts de marché parmi les plus orientaux des Arabes, tandis que l'Union soviétique s'est constitué une clientèle à base d'affinités idéologiques, passées ou présentes. Résiduel, sauf au pourtour de la Péninsule, le commerce interarabe reste l'apanage des faibles, qui n'ont ni les devises ni les marchandises recherchées par l'Occident.

▶ Place des partenaires des pays arabes dans leur commerce international

(en proportion des importations et des exportations, moyenne des années 80)

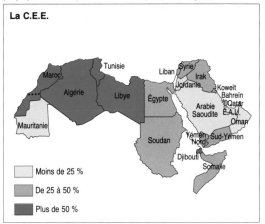

La C.E.E.

- Moins de 25 %
- De 25 à 50 %
- Plus de 50 %

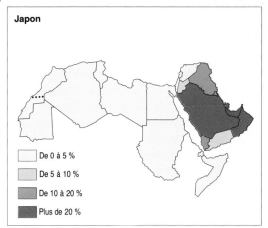

Japon

- De 0 à 5 %
- De 5 à 10 %
- De 10 à 20 %
- Plus de 20 %

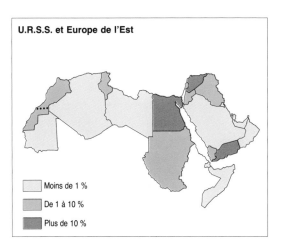

U.R.S.S. et Europe de l'Est

- Moins de 1 %
- De 1 à 10 %
- Plus de 10 %

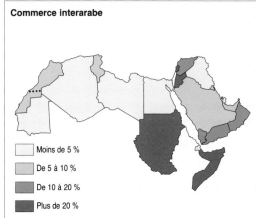

Commerce interarabe

- Moins de 5 %
- De 5 à 10 %
- De 10 à 20 %
- Plus de 20 %

101

rence parfaite, ont tous acheté les mêmes usines pétrochimiques sans organiser un marché régional de leur production : le Machrek est à la fois producteur et consommateur d'engrais, mais 85 % de ses importations et 94 % de ses exportations se font à l'extérieur du monde arabe[2]. Une ébauche d'interpénétration des économies a cependant commencé à poindre. Elle n'a pas procédé d'une concertation politique, mais de la ruée spontanée des chercheurs d'emploi vers l'or noir. Partis vers le capital du Golfe, les travailleurs du Levant, du Nil et du Yémen ont amorcé la pompe des remises d'épargne. Ils ne sont pas pour autant parvenus à harmoniser les niveaux de richesse. L'Arabie capte plus de 25 % du commerce extérieur du Soudan, dont elle est le premier fournisseur et le premier client. Mais ce voisin pourtant deux fois plus peuplé n'occupe que le trentième rang parmi les partenaires du puissant royaume, dont il représente moins de 0,5 % des transactions. Afin de renforcer la cohésion économique de la région, il faudra réduire ses déséquilibres internes et, pour cela, canaliser une plus grande partie de la rente vers des rivages arabes.

DES ÉCHANGES ASYMÉTRIQUES AVEC L'ANCIENNE MÉTROPOLE

A égalité démographique avec la France, ses anciennes colonies du Maghreb disposent d'un revenu de 5 à 10 fois plus bas. Les échanges franco-maghrébins représentent donc de 5 à 10 fois plus pour l'Algérie, le Maroc et la Tunisie, que pour la France. La chute du prix des hydrocarbures et la concurrence agricole de la péninsule Ibérique ont fortement réduit la place de l'Afrique du Nord parmi les fournisseurs de la France. Ses réserves de devises s'épuisant, le Maghreb est contraint de modérer ses importations de toute provenance. Il se voit relégué de plus en plus loin parmi les partenaires étrangers de l'ancienne métropole, qui continue pourtant, d'assurer le quart des importations maghrébines. Le reste de la C.E.E. y pourvoit par ailleurs pour un peu plus du tiers.

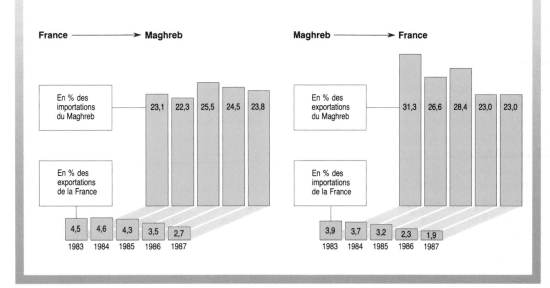

France ➝ Maghreb

En % des importations du Maghreb : 23,1 | 22,3 | 25,5 | 24,5 | 23,8

En % des exportations de la France : 4,5 | 4,6 | 4,3 | 3,5 | 2,7

1983 | 1984 | 1985 | 1986 | 1987

Maghreb ➝ France

En % des exportations du Maghreb : 31,3 | 26,6 | 28,4 | 23,0 | 23,0

En % des importations de la France : 3,9 | 3,7 | 3,2 | 2,3 | 1,9

1983 | 1984 | 1985 | 1986 | 1987

D'hier à aujourd'hui : une inversion des flux

Hier carrefour obligé des relations entre l'Occident et l'Extrême-Orient, le monde arabe demeure l'une des grandes plaques tournantes de la main-d'œuvre migrante. En quelques décennies, la direction des flux s'est toutefois inversée, leur contexte politique et économique s'est profondément modifié. Au début du siècle, la France envoyait encore ses colons exploiter la terre algérienne. Bien qu'elles n'aient nourri aucun projet de peuplement comparable, l'Allemagne et la Grande-Bretagne expédiaient, la première ses ingénieurs sur les chantiers de Mésopotamie, la seconde les cadets de son amirauté à Aden et à Alexandrie. Les ports du sud de la Méditerranée comptaient d'importantes communautés commerçantes, grecques et italiennes. La fin des empires coloniaux entraîna aussi celle des communautés européennes d'Afrique du Nord et du Levant. Elle fut bientôt suivie d'un puissant mouvement migratoire venu répondre à l'offre d'emplois peu qualifiés qui s'exprima partout en Europe. La migration maghrébine vers la France ne fut que la première en date, et en effectifs, d'un mouvement qui concerne maintenant une grande partie de l'Europe et du monde arabe.

Jadis les caravanes des marchands arabes sillonnaient les immensités de l'Asie islamisée. Aujourd'hui, c'est dans ces mêmes régions que prennent naissance les flux de travailleurs qui se destinent aux marchés du Golfe. Au total, le monde arabe est autant terre d'émigration que d'immigration : aux 2,5 millions de citoyens arabes que l'Europe compte* font pendant, en nombre égal, les ressortissants asiatiques du Golfe.

Les échanges migratoires avec l'Asie non arabe et l'Europe ne sont pas, loin s'en faut, les seuls. Les déplacements de main-d'œuvre entre pays arabes représentent une masse deux fois plus importante. Forts de cinq millions de personnes, dont trois de Palestiniens, ils furent porteurs de grands espoirs politiques. Dans l'euphorie du *boom* pétrolier des années 70, on voulut y voir l'ébauche d'une unification économique de la nation arabe,

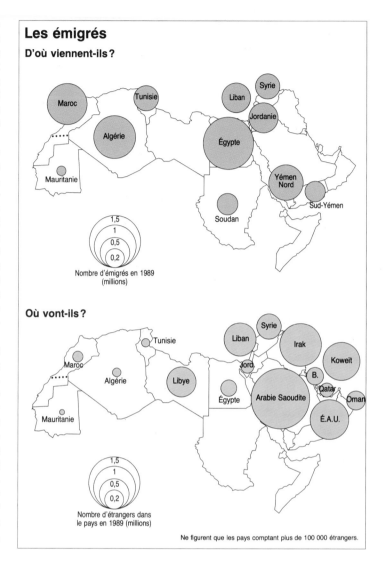

Les émigrés
D'où viennent-ils ?

Nombre d'émigrés en 1989
(millions)

Où vont-ils ?

Nombre d'étrangers dans le pays en 1989 (millions)

Ne figurent que les pays comptant plus de 100 000 étrangers.

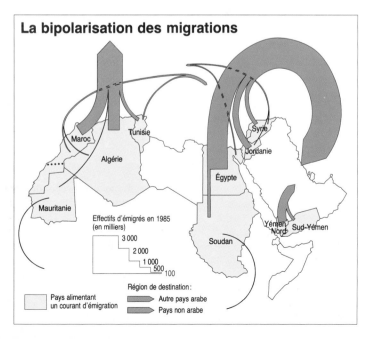

La bipolarisation des migrations

Effectifs d'émigrés en 1985 (en milliers)

3 000
2 000
1 000
500 100

Pays alimentant un courant d'émigration

Région de destination :
Autre pays arabe
Pays non arabe

le trait d'union entre des marchés du travail jusqu'alors disjoints. Cependant, un subit décuplement de leur richesse entraîna les princes du pétrole dans un pari ambitieux : parce qu'elle risquait d'être éphémère, la rente devait s'investir dans la construction d'une économie de l'après-pétrole. Les chantiers qui furent alors ouverts nécessitèrent une mobilisation des moyens de production, intense mais de courte durée. Elle détourna les émirs du Golfe de l'offre de travail arabe, pour les attirer vers les réserves inépuisables de l'Asie, dont la main-d'œuvre, non arabe, est à la fois plus souple à gérer** et moins encline à revendiquer de longs séjours.

◀ *La migration coupe le monde arabe en deux blocs qui paraissent se tourner le dos : le Maghreb ouvert sur la Méditerranée, dont la rive nord héberge 2,2 millions de ses ressortissants, et le Machrek, que traverse la vague attirée par les chantiers du Golfe.*

* Personnes ayant encore la nationalité d'un pays arabe, ce qui exclut par conséquent de cette comptabilité les migrants de seconde génération qui ont acquis la nationalité du pays d'accueil, particulièrement nombreux dans les communautés libanaise des Amériques et algérienne de France.
** Des sociétés d'embauche étrangères s'en chargent.
*** Les Palestiniens de Jordanie ne sont pas comptés ici comme émigrés.

De la récession pétrolière amorcée en 1981 dans le Golfe et de la crise en Europe dès 1974 on attendait un reflux des travailleurs immigrés. Parce que leur pays d'origine n'offre pas toujours les conditions propices à leur retour, on assiste au contraire à leur installation durable. Des sociétés pluri-ethniques sont en train de naître, avec leur cortège de tensions et d'espoirs.

Maghreb et Machrek : deux champs migratoires indépendants

▬▬ Les zones d'émigration : vallée du Nil, Maghreb, Levant et Yémen, ont en commun de représenter une masse démographique importante à proximité de régions où les salaires sont plus élevés : l'Europe pour le Maghreb, la Libye et le Golfe pour les trois autres. Ce sont des pays non pétroliers, à l'exception notoire de l'Algérie qui est gros exportateur à la fois d'hydrocarbures et de main-d'œuvre.

Les zones d'immigration sont les grands producteurs de pétrole ainsi que les États voisins d'Israël, qui ont accueilli l'exode palestinien***.

Les flux du Maghreb vers le Golfe — 10 000 personnes au

Un essaimage planétaire, les émigrés libanais

▬▬ Le Liban présente le cas unique au XXe siècle d'un pays dont les habitants d'origine sont majoritaires hors de ses frontières. Pour que les Libanais soient aussi nombreux à avoir trouvé dans l'émigration un recours à la guerre civile qui déchire leur pays depuis 1975, il fallait que l'émigration fût inscrite dans leur histoire, et les filières de leur intégration à l'étranger déjà en place. Poussés notamment par la crise de la sériciculture dont la montagne vivait alors, 300 000 Libanais environ [1] émigrèrent vers le Nouveau Monde, entre 1860, fin de la guerre qui avait opposé druzes et maronites, et 1914. Ce chiffre est à rapprocher de celui de la population du Mont-Liban, d'où partaient les plus forts contingents :

total — sont toujours restés modestes, y compris à l'époque des grands chantiers. Les offres de rémunération sont pourtant aussi attractives dans le Golfe qu'en Europe, mais. plus lointain, le Golfe implique un déplacement plus coûteux, au plan psychologique notamment, que le candidat à l'émigration n'est sans doute pas prêt à consentir.

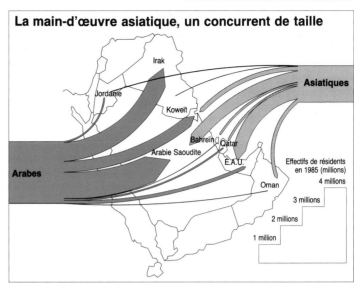

La main-d'œuvre asiatique, un concurrent de taille

Effectifs de résidents en 1985 (millions)

4 millions
3 millions
2 millions
1 million

400 000 habitants en 1900 [2]. Durant la période qui va de la création du Grand-Liban en 1920 au déclenchement de la guerre civile en 1975, l'essor de l'économie nationale freina sensiblement le mouvement (moins de 200 000 émigrants, pour une bonne part vers l'Afrique). On peut d'ailleurs dire que le Liban dut largement sa prospérité d'alors à l'essaimage planétaire de ses ressortissants.

La carte des Libanais dans le monde donne des ordres de grandeur plutôt que des effectifs précis, car les Libanais, qui ont en majorité acquis la nationalité des pays d'accueil, sauf dans le Golfe, échappent de ce fait aux statistiques d'étrangers.

Vers un marché unifié du travail au Moyen-Orient ?

▬▬ L'Orient arabe est à la fois riche en hommes et en capital. Mais hormis l'Irak, ce ne sont pas les mêmes États qui recèlent les deux. Sur les rives du Golfe, l'abondance de la rente se conjugue à la faiblesse de la démographie autochtone. Tandis que Levant, vallée du Nil et Arabie heureuse souffrent du déséquilibre inverse entre une démographie vigoureuse et une économie pauvre. Sous l'afflux des revenus pétroliers, les familles régnantes du Golfe ont engagé de gigantesques travaux de

construction pour faire entrer leurs pays dans la modernité. Dans un premier temps, elles puisèrent main-d'œuvre et savoir-faire dans les réserves qu'offrait la région. La Palestine, puis le Yémen et enfin l'Égypte furent leurs principaux fournisseurs. L'alliance d'un capital et d'un travail tous deux arabes, mais originaires de pays différents, alimenta l'espoir de voir naître l'intégration économique du monde arabe.

L'entrée du pétrole dans la guerre israélo-arabe en 1973, provoquant la flambée des prix du brut, accrut la demande de main-d'œuvre au-delà de la capacité régionale de réponse. Simultanément, cette demande se porta plus particulièrement sur des équipements clés en main. Les sociétés multinationales auxquelles elle s'adressa recrutaient elles-mêmes leurs travailleurs, en Asie de préférence. Prenant appui sur d'anciens établissements indiens de la « Côte de la Trêve » hérités d'une commune appartenance à l'Empire des Indes, une migration d'origine asiatique concurrença alors sérieusement la migration arabe. En raison du décalage temporel entre ces deux vagues, la présence asiatique est prépondérante dans les pays qui ont rejoint tardivement le club des grands producteurs de pétrole, Oman, Qatar et Émirats arabes unis. Elle demeure modeste dans les autres pays, sauf en Arabie Saoudite, où l'énormité de la demande a impliqué la diversité des fournisseurs.

103

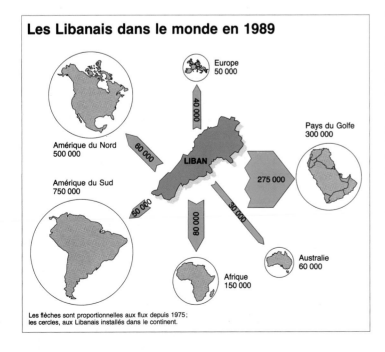

Les Libanais dans le monde en 1989

Europe 50 000
Pays du Golfe 300 000
Amérique du Nord 500 000
LIBAN
Amérique du Sud 750 000
Afrique 150 000
Australie 60 000

40 000
60 000
275 000
50 000
30 000
80 000

Les flèches sont proportionnelles aux flux depuis 1975 ; les cercles, aux Libanais installés dans le continent.

L'IMMIGRATION
Un fardeau ou une chance?

Une dépendance mutuelle

▬▬ Dans le Golfe, les «Dix Glorieuses» (1974-1984) ont engendré une vague de projets de construction disproportionnée avec le volume de la population autochtone, ce qui a conduit à une dépendance en main-d'œuvre unique au monde. Même aujourd'hui, les immigrés y représentent partout la majorité des travailleurs, jusqu'à 90 % dans les Émirats arabes unis. Ils sont partout présents, de l'ouvrier à l'ingénieur, de l'épicier au banquier, du simple soldat à l'officier, excepté dans la gestion des affaires de l'État.

Dans les pays de départ, l'émigration allège le chômage tout en contribuant à la formation du revenu grâce aux remises d'épargne des travailleurs expatriés. A la fois pays d'émigration et d'immigration, la Jordanie fut doublement dépendante. Grâce à l'argent de ses émigrés, l'immobilier connut pendant ces dix ans un développement tel que la main-d'œuvre dans le bâtiment manqua à Amman, précisément à cause de la ruée vers le Golfe. Une immigration de remplacement se mit en place, au départ d'Égypte et de Turquie. Quarante pour cent de la masse active jordanienne travaillent en dehors du pays, mais 25 % des travailleurs en Jordanie sont des étrangers. L'économie jordanienne s'en trouve particulièrement vulnérable aux soubresauts du marché pétrolier.

L'argent des émigrés

▬▬ Grâce aux facilités de communication, l'émigré des temps modernes n'est plus contraint de rompre les liens avec sa terre d'origine. Au contraire, le contact étroit qu'il maintient avec des parents restés au pays prend la forme privilégiée de transferts réguliers de fonds ou de marchandises.

Les transferts d'épargne des travailleurs migrants s'élèvent annuellement à 8,3 milliards de dollars* au passif des États arabes, et 7,6 à leur actif. La majeure partie de cette épargne circule à l'intérieur de la région. Le léger déficit provient de ce que les flux financiers à destination de l'Asie dépassent ceux qui proviennent d'Europe**. Le Moyen-Orient compte à la fois le premier pays du monde par les recettes exportées au titre des remises de fonds d'émigrés, l'Arabie Saoudite (5,2 milliards de dollars par an), et le premier bénéficiaire, l'Égypte (3,2), qui devance maintenant le Pakistan (2,6), l'Inde (2,5) et la Turquie (1,8).

Les transferts d'épargne dépassent en Jordanie et au Yémen l'ensemble des recettes d'exportation de marchandises. En Égypte, ils atteignent presque un montant équivalent. Pour tous ces pays, l'exportation de travailleurs est ainsi la clé de l'équilibre de la balance des paiements.

Elle est également un puissant moyen de redistribution des richesses et de promotion sociale. Par son épargne, l'émigré fait souvent vivre une famille entière dans son pays d'origine. Son premier investissement est immobilier, si bien que l'émigration entraîne un essor du bâtiment dans le pays de départ. Nombreux sont les villages du Sud tunisien, du Sousse marocain ou du Saïd égyptien qui ont en quelques années été mués en coquettes petites villes par l'argent de leurs fils émigrés. Les maisons neuves qu'ils y ont érigées se reconnaissent partout au contraste qu'elles imposent avec les architectures traditionnelles: symboles de la modernité, le

---

* 1986, dernière année disponible.
** Seuls sont comptés ici les transferts monétaires privés enregistrés officiellement, auxquels il convient d'ajouter le montant inconnu des valeurs (en espèces, en nature) circulant avec les voyageurs et, pour certains courants migratoires, les transferts publics au titre de la migration, des pays d'arrivée vers les pays de départ.

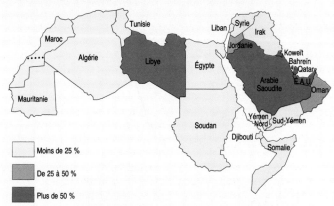

Proportion d'immigrés dans la population active*

- ☐ Moins de 25 %
- ▨ De 25 à 50 %
- ▧ Plus de 50 %

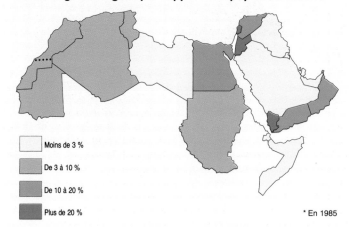

Pourcentage d'émigrés par rapport à la population active*

- ☐ Moins de 3 %
- ▨ De 3 à 10 %
- ▧ De 10 à 20 %
- ▨ Plus de 20 %

* En 1985

QUI REMPLACERA L'ÉMIGRÉ?

De nombreuses personnes sont parties avec une certaine qualification professionnelle. Leur départ laisse un vide. Sera-t-il comblé? Oui, par promotion professionnelle des non-migrants, si le marché du travail est ouvert aux compétences plutôt qu'aux diplômes. Non, lorsque les titres académiques dressent une barrière infranchissable entre main-d'œuvre banale et cadres. Ainsi en Égypte, où de nombreuses places vacantes sont demeurées inaccessibles à des non-migrants, insuffisamment diplômés.

Pyramide professionnelle en Égypte

- ▨ Pénurie de cadres creusée par l'émigration
- ▧ Surplus de main-d'œuvre résorbé par la promotion

ciment et les fenêtres sur rue ont détrôné le pisé et les ouvertures sur la cour intérieure. En modifiant les comportements de consommation des ménages et en accroissant la demande de biens importés, automobiles ou téléviseurs, l'émigration pèse parfois sur la balance commerciale. Mais, en contrepartie, elle stimule les petites et moyennes entreprises. Du Caire à Casablanca, des fonds de commerce et de petites unités industrielles sont nés un peu partout de la fortune d'anciens émigrés.

Demain, une société mixte ?

Dans les émirats, la migration, l'abondance de la rente et les structures tribales ont façonné un édifice social rigide. Le clivage principal oppose des nationalités, non des classes sociales. Le recrutement presque exclusif de la population active hors des frontières nationales a institué une coupure entre immigrés travailleurs et citoyens rentiers. L'immigration a permis à la fois de pourvoir les postes vacants, et de dispenser les autochtones des contraintes du labeur. Ceux-ci tirent un double bénéfice de la manne pétrolière : les diverses redistributions de l'État à ses sujets et la *kafâla* (caution), système obligeant tout entrepreneur étranger à se

couvrir d'un répondant national qu'il rétribue. Désireux de convertir la rente en capital d'entreprise moderne pour équiper leurs pays, les émirs du Golfe étaient en même temps soucieux de ne pas transformer leurs sujets en prolétariat. C'eût été saper les bases de leur pouvoir que de laisser place à la contestation sociale. En n'enrôlant que des étrangers, ils se réservaient ainsi la possibilité de les renvoyer chez eux à tout moment, c'est-à-dire de rejeter les éventuels conflits du travail dans le pays où les contestataires avaient été embauchés. Le reflux pétrolier des années 80 pourrait remettre en question cet équilibre. Du temps où, croyant la rente promise à une croissance indéfinie, les princes du Golfe n'hésitaient devant aucun chantier monumental, la gestion économique des flux de travailleurs étrangers occupait en effet le devant de la scène. Les questions de société étaient reléguées au second plan. C'est pourquoi nationaux et étrangers coexistent sans s'interpénétrer, les seconds formant maintenant de véritables ghettos : au Koweït, la moitié des étrangers se regroupent dans seize localités dont ils forment plus de 95 % de la population. Si le ralentissement récent des économies exportatrices de pétrole a pratiquement stoppé l'immigration, il n'a pas pour autant provoqué un

courant de retour important[1]. Avec la naissance d'étrangers de seconde génération en nombre toujours croissant, les questions d'intégration s'imposeront comme les plus urgentes. Les États du Golfe pourront-ils longtemps encore avaliser la dualité de la société ?

En Europe, l'opposition entre autochtones et immigrés maghrébins se situe au sein même de la population active. L'appel des économies occidentales dans les années 60 fut sélectif, destiné à combler les emplois délaissés par la population locale. Les immigrés furent embauchés massivement à des postes peu qualifiés. Dans un premier temps, les hommes traversèrent seuls la Méditerranée. Lorsque à partir du milieu des années 70, les pays d'Europe se fermèrent les uns

après les autres aux migrations de travail et n'autorisèrent plus que le regroupement familial, les femmes et les enfants rejoignirent les anciens immigrés. A la complémentarité économique des débuts succéda ainsi bientôt une complémentarité démographique : l'insertion d'une population maghrébine jeune dans l'Europe à la démographie vieillissante atténue les effets de la dénatalité. Lorsque les générations européennes du baby boom de l'après-guerre atteindront l'âge de la retraite, c'est-à-dire au début du prochain millénaire, les enfants qu'elles n'ont pas mis au monde auront été — pour une petite part — remplacés par la seconde génération née des anciens immigrés. La complémentarité deviendra alors solidarité.

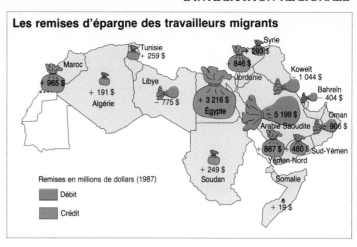

Les remises d'épargne des travailleurs migrants

Tunisie + 259 $
Maroc 965 $
Algérie + 191 $
Libye − 775 $
Syrie 293 $
846 $
Jordanie
Koweït − 1 044 $
Bahreïn − 404 $
Égypte 3 216 $
Arabie Saoudite 5 199 $
Oman 906 $
Yémen Nord 867 $
Sud-Yémen 480 $
Soudan + 249 $
Somalie
+ 19 $

Remises en millions de dollars (1987)
Débit
Crédit

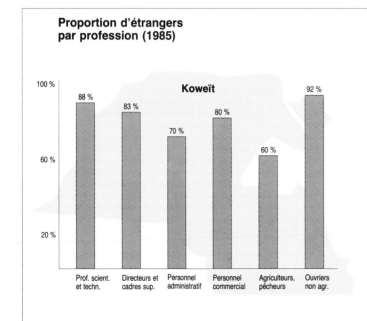

Proportion d'étrangers par profession (1985)

Koweït

100 %
88 % — Prof. scient. et techn.
83 % — Directeurs et cadres sup.
70 % — Personnel administratif
80 % — Personnel commercial
60 % — Agriculteurs, pêcheurs
92 % — Ouvriers non agr.
60 %
20 %

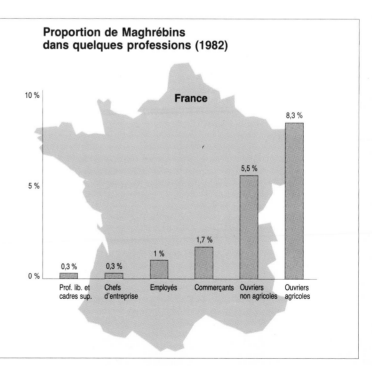

Proportion de Maghrébins dans quelques professions (1982)

France

10 %
0,3 % — Prof. lib. et cadres sup.
0,3 % — Chefs d'entreprise
1 % — Employés
1,7 % — Commerçants
5,5 % — Ouvriers non agricoles
8,3 % — Ouvriers agricoles
5 %
0 %

LES ARABES DANS LE MONDE

Dresser un bilan, même approximatif, des populations arabes résidant hors de notre région est une gageure. En effet, l'étranger, l'immigré, appartient à une catégorie par nature éphémère. Au fur et à mesure qu'il s'installe dans sa terre d'élection, ses échanges avec les autochtones se multiplient et son identité culturelle d'origine s'estompe, au point qu'au bout d'un certain temps ses descendants auront pu perdre l'empreinte tangible de l'ancêtre immigré. C'est ainsi que, pour une grande majorité des Latino-Américains d'origine libanaise, cet ancêtre dont on porte encore le patronyme déformé, mais dont on ne parle plus la langue depuis des générations, est devenu mythique. Les statistiques l'auront donc généralement oublié. C'est ce qui fait toute la difficulté d'une tentative de chiffrer la présence arabe dans le monde. Suivant les pays d'accueil, les données existeront ou non, de toute façon peu comparables les unes aux autres. Ainsi la France, jacobine et intégratrice, ne fournit aucun moyen de mesurer la «seconde génération» de Maghrébins, pour la simple raison que le droit du sol octroie à cette

Les principales communautés arabes (1989)

Canada 80 000
Belgique 150 000
Grande-Bretagne 210 000
Turquie 670 000
Iran 1,4 million
France 2 millions
Pakistan 65 000
U.S.A. 700 000
Mexique 82 000
Honduras 32 000
Brésil 150 000
Afrique de l'Ouest 200 000
Tanzanie 160 000
Australie 220 100
Argentine 113 000

- Pays arabes
- Importante population arabe
- Communauté arabe de dimension moyenne
- Petite communauté arabe
- Faible présence arabe

DES HOMMES SEULS

Répartition de 100 immigrés selon le sexe *

Nationalité - résidence	Hommes	Femmes
Palestiniens au Koweït	50 %	50 %
Égyptiens en Arabie Saoudite	60 %	40 %
Marocains en France	67 %	33 %
Yéménites en Arabie Saoudite	80 %	20 %

* Population âgée de 20 ans et plus

Signe d'un projet de retour presque unanime, les hommes émigrent seuls tandis que leur famille les attend au pays. Le séjour à l'étranger se prolongeant, l'intention initiale s'estompe et le regroupement familial résorbe peu à peu le déséquilibre des sexes, entérinant ainsi l'installation durable, et bientôt l'intégration, d'une communauté immigrée.

seconde génération la nationalité française de naissance. Tous les Français étant par principe égaux, la statistique républicaine distingue seulement les étrangers des Français. A l'opposé, les États-Unis du melting-pot n'oublient pas que leur histoire toute jeune s'est forgée par vagues migratoires successives. Cultivant le droit à la différence, la statistique fédérale reflète la mémoire que chacun porte en soi de son origine non américaine, en publiant des données sur l'ascendance *(ancestry)* de la population. Pour peu que la tradition familiale ait colporté le souvenir de l'aïeul libanais, son lointain descendant américain pourra ainsi apparaître sous la rubrique «arabe» dans les livres du recensement. Pour des raisons simplement techniques, la carte des Arabes dans le monde ne respecte donc pas du tout la définition de l'arabité par la langue et la conscience historique, que nous avons adoptée pour cet atlas. Elle ne propose pas non

LA MIGRATION TRANSMÉDITERRANÉENNE : UN PROLONGEMENT DE L'HISTOIRE

On n'aime pas émigrer trop loin de chez soi. La France est proche du Maghreb, dans l'espace et par l'histoire. Cette carte, où les anciens protectorats, mandats et colonies de la France apparaissent en couleur, montre que les liens tissés par les hommes peuvent survivre aux vicissitudes de la politique.

Les populations arabes en France, par nationalité d'origine

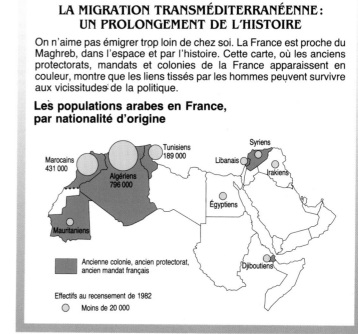

Marocains 431 000
Tunisiens 189 000
Syriens
Libanais
Algériens 796 000
Irakiens
Égyptiens
Mauritaniens
Djiboutiens

- Ancienne colonie, ancien protectorat, ancien mandat français

Effectifs au recensement de 1982
○ Moins de 20 000

plus au lecteur des données rigoureusement comparables dans l'espace. Elle suffit cependant à constater la modestie de

l'essaimage arabe hors du Maghreb et du Machrek : à peine six millions de personnes, moins de 3 p. 100 de la population.

L'ÉTAT

LA PLACE DE L'ÉTAT

Un espace prépondérant

omme pour se remettre de la lente décomposition de l'administration ottomane puis d'une confiscation radicale de l'autorité par les métropoles européennes, les États arabes naissants n'eurent de cesse d'occuper l'espace économique, social, politique et militaire le plus vaste possible. Sa puissance, malgré la faiblesse de certains régimes, l'État la tient d'une conjonction unique de facteurs : autant, sinon plus que toutes les jeunes nations du tiers monde, celles-ci éprouvèrent tôt le besoin d'un État fort ; nulle part ailleurs, les moyens financiers ne furent aussi disponibles pour le réaliser.

Lorsque, dans les années 50 ou 60, se structurèrent les appareils politiques et administratifs des pays «non alignés», nationalisme rimait parfois avec socialisme, plus souvent avec étatisme. Dans la région, l'État en fut conforté dans sa propension à occuper les aires que, sous d'autres cieux, il partage avec la société civile. L'Égypte et la Syrie s'étaient vite débarrassées de leur bourgeoisie, rodée aux affaires depuis les années 20, mais demeurée ignorante de la chose publique. Au Liban, qui ne réussit jamais à créer une administration forte, l'élite s'immola sur l'autel de la

guerre civile. Au Maghreb, représentants d'une époque coloniale révolue, les pieds-noirs ne pouvaient s'ériger en bourgeoisie nationale ; ils quittèrent le sol d'Afrique avec le dernier soldat français. Les autres pays arabes ne disposaient, eux, ni des cadres ni des entrepreneurs capables de gérer la scène politique et économique. Ce fut à l'État de le faire.

Né fragile ou menacé à ses frontières, il fut tôt poussé à consolider ses forces de répression et de défense. Mais également né riche, il put assouvir son appétit de puissance et subvenir à ses immenses besoins d'équipement en puisant dans un sous-sol gorgé d'or noir, dont il devenait seul héritier, ou en captant les retombées pétrolières d'un pays voisin. De l'Algérie, qui adopta dès l'indépendance un centralisme tatillon inspiré du modèle soviétique de l'époque, jusqu'aux régimes d'économie libérale du Maroc et de Tunisie et à ceux des émirs du pétrole pétris de laissez-faire anglo-saxon, tous se dotèrent d'une administration forte, d'entreprises d'État et d'une armée qui dévorait les deniers publics ; aucun ne laissa beaucoup d'espace à la société civile.

Puissance économique de l'État

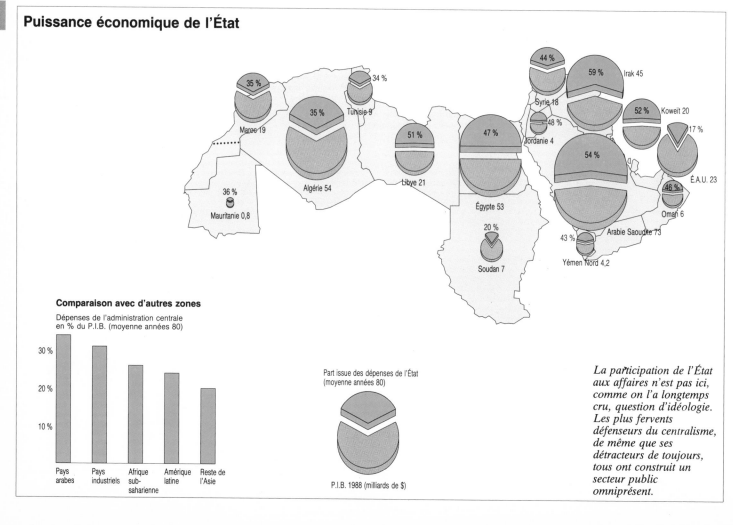

Comparaison avec d'autres zones

Dépenses de l'administration centrale en % du P.I.B. (moyenne années 80)

Pays arabes | Pays industriels | Afrique sub-saharienne | Amérique latine | Reste de l'Asie

Part issue des dépenses de l'État (moyenne années 80)

P.I.B. 1988 (milliards de $)

La participation de l'État aux affaires n'est pas ici, comme on l'a longtemps cru, question d'idéologie. Les plus fervents défenseurs du centralisme, de même que ses détracteurs de toujours, tous ont construit un secteur public omniprésent.

ÉTATISME OU LIBÉRALISME

L'État providence

Le monde arabe tranche avec les deux continents sur lesquels il est à cheval. Au sud, la paupérisation dramatique de l'Afrique noire entrave le devenir de l'État, tandis qu'à l'est le développement des «Nouveaux Dragons» et déjà du sous-continent indien permet à la finance publique de tirer le gros de ses recettes d'un travail de plus en plus productif. Entre les deux, l'administration arabe est presque seule au monde à s'assurer la fidélité de ses sujets en imposant faiblement le fruit de leur labeur, bien plus, en leur redistribuant une partie de la rente. Ce sont ici l'exportation des hydrocarbures, là l'argent des émigrés et l'aide dispensée par l'O.P.E.P. qui autorisent toutes ces largesses. L'État peut se déployer dans des sphères grandissantes de la société et de l'économie sans faire appel aux deniers de ses administrés, non plus qu'à leur consensus, pour la bonne raison qu'il possède la principale source de richesse, le sous-sol, et qu'il a la mainmise sur les organismes financiers gérant les rentrées de devises. «États assistés» au sud du Sahara, «État rentier»[1] au nord et à l'est; un seul pays échappe à cette classification lapidaire. Par l'origine de ses ressources, pro-

venant aux deux tiers des taxes et impôts sur la production intérieure, l'administration marocaine est la seule parmi les vingt-deux membres de la Ligue à dépendre avant tout du secteur privé, de son agriculture, de ses industries et de ses services.

L'État patron

Hormis les rares pays où l'entreprise privée a une histoire plus longue que l'administration moderne, les jeunes nations arabes n'eurent besoin d'invoquer aucune idéologie pour centraliser les moyens de production, puisque ceux-ci consistaient pour l'essentiel en ressources minérales, propriété du prince. C'est tout naturellement que l'État tient une place prépondérante dans l'économie. Plus présent que dans le reste du tiers monde, mais aussi que dans les pays industriels à économie libérale, il ne le cède qu'aux membres du COMECON. Ainsi, les dépenses publiques, qui représentaient déjà le quart du produit national marocain ou tunisien au cours des années 70, en formaient plus du tiers à la fin des années 80, près de la moitié en Égypte ou en Syrie. La palme revient aux grands pétroliers, tel le Koweït, où le secteur d'État représente l'essentiel des ressources nationales, quel que soit le type de régime politique qu'ils se sont donné.

LES ALLOCATIONS BUDGÉTAIRES

D'un bout à l'autre du monde arabe, ils seront 26 millions de plus à frapper aux portes de l'école d'ici l'an 2000. Par rapport à la montée des jeunes, c'est le Maghreb, hors Libye, qui a pris le mieux la mesure de l'enjeu alors que l'instabilité politique au Proche-Orient détourne souvent les responsables des injonctions du futur. Ils accordent plus généreusement leurs faveurs aux militaires.

Budget des dépenses militaires

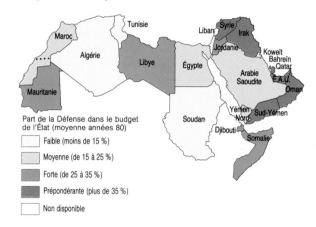

Part de la Défense dans le budget de l'État (moyenne années 80)
- Faible (moins de 15 %)
- Moyenne (de 15 à 25 %)
- Forte (de 25 à 35 %)
- Prépondérante (plus de 35 %)
- Non disponible

Budget de l'enseignement

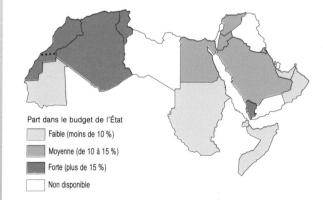

Part dans le budget de l'État
- Faible (moins de 10 %)
- Moyenne (de 10 à 15 %)
- Forte (plus de 15 %)
- Non disponible

Budget de la santé

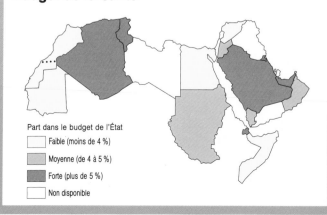

Part dans le budget de l'État
- Faible (moins de 4 %)
- Moyenne (de 4 à 5 %)
- Forte (plus de 5 %)
- Non disponible

Origine des ressources de l'État

	Un exemple pétrolier, le Koweït	Un cas moyen, l'Égypte	Une exception, le Maroc	Le modèle indien	Le modèle industriel France et États-Unis
	98,7 %	46 % / 14 % / 40 %	22 % / 16 % / 62 %	20 % / 27 % / 53 %	10 % / 89 %
	1,3 %				

- Impôts, cotisations et taxes intérieures
- Taxe à l'importation
- Recettes non fiscales et autres

La faillite du centralisme

L'État se révéla un acteur économique décevant. Précurseur en matière de nationalisations, avec celle du canal de Suez en 1956 puis des industries en 1961, l'Égypte tira la première la leçon d'un centralisme excessif, en désengageant progressivement l'État de l'économie dès 1972. En Algérie, où il avait étendu son monopole aux fleurons de la production et de la distribution, depuis les hydrocarbures jusqu'aux terres laissées par les colons, la prise de conscience des carences du « tout État » tourna à l'émeute en 1988 : nées aux beaux jours de la libération, les jeunes générations n'avaient plus l'ardeur militante de leurs pères pour supporter les privations quotidiennes ; elles occupèrent la rue pour exprimer leur malaise. La secousse fut suffisamment inquiétante pour provoquer une sérieuse remise en question au sein même des instances du pouvoir. Cette réflexion permit de constater, qu'à montant équivalent, l'investissement des entreprises publiques dégageait une valeur ajoutée trois fois moins importante que celui du secteur privé[2].

Aux quatre coins du monde arabe, les entreprises nationalisées cédèrent du terrain à l'initiative privée dans les années 80. Ce n'est pourtant ni sous la pression de la rue, ni devant les succès tout relatifs d'une nouvelle classe d'affaires — elle avait libéré l'inflation et la spéculation sans provoquer les effets d'entraînement attendus —, que les États frères imitèrent l'infitâh, sorte de « perestroïka » à l'égyptienne. Ce fut d'abord sur les injonctions du Fonds monétaire international (F.M.I.) et des grands argentiers occidentaux. L'initiative privée offrait à leurs yeux le mérite de mieux préserver les grands équilibres en ne pesant pas, comme les entreprises publiques, sur le budget de l'État, dont le déficit chronique avait conduit à un endettement extérieur parfois insupportable.

Les « ajustements structurels »

Grisés par l'euphorie pétrolière des grands producteurs, les autres pays arabes accumulèrent une dette extérieure dont l'encours situe la région en deuxième position des débiteurs après l'Amérique latine[3]. Mis

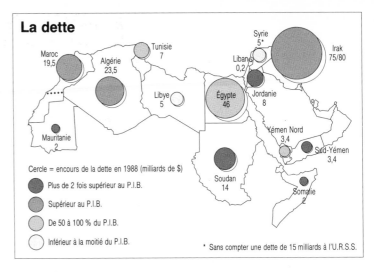

La dette

Cercle = encours de la dette en 1988 (milliards de $)

- Plus de 2 fois supérieur au P.I.B.
- Supérieur au P.I.B.
- De 50 à 100 % du P.I.B.
- Inférieur à la moitié du P.I.B.

Maroc 19,5 · Algérie 23,5 · Tunisie 7 · Syrie 5* · Liban 0,2 · Irak 75/80 · Libye 5 · Égypte 46 · Jordanie 8 · Mauritanie 2 · Yémen Nord 3,4 · Sud-Yémen 3,4 · Soudan 14 · Somalie 2

* Sans compter une dette de 15 milliards à l'U.R.S.S.

▲

Les maigres réserves du Soudan, de la Somalie, de la Mauritanie ou des deux Yémen ne suffiraient pas à éponger, d'ici à la fin du millénaire, les dettes qu'ils accumulèrent au long des années 70-80. D'autres comme l'Égypte, le Maroc, la Tunisie ou l'Algérie sont contraints d'allouer entre le quart et la moitié des recettes d'exportations au service de cette dette.

Coût social de la politique d'assainissement

Part du budget des affaires sociales dans les dépenses publiques entre 1980 et 1989

- Inchangé ou en augmentation
- Faible réduction
- Forte réduction
- Réduction de crédit même si la part s'est maintenue dans le budget
- Non disponible

▲

Les coupes budgétaires recommandées par le F.M.I. pèsent lourdement sur le petit peuple, contraint à limiter des consommations jadis subventionnées, à ne plus espérer un emploi dans l'administration. Ainsi, les affaires sociales font partie du cortège des coûts de l'assainissement des finances publiques. Rares sont les pays qui purent faire l'économie de telles mesures. Même le club des riches ne fut pas épargné.

UNE AIDE TOUTE POLITIQUE

Son objectif proclamé est de concourir au développement. Cependant, l'aide civile internationale dispensée par les riches de l'O.P.E.P. et de l'Occident répond plus directement à des considérations d'ordre stratégique. La carte de la redistribution de l'aide démontre que ces fonds profitent d'abord aux puissances détenant une place sensible sur l'échiquier régional et, en second lieu, aux pays où la misère exacerbe une guerre civile patente ou latente. Dans un cas comme dans l'autre, elle contribue à maintenir des équilibres politiques fragiles.

Aide reçue au titre du développement

Maroc 660 · Tunisie 204 · Israël 1 300 · Syrie 1 100 · Liban 180 · Algérie 150 · Mauritanie 190 · Égypte 1 500 · Jordanie 800 · Oman 120 · Yémen Nord 350 · Sud-Yémen 100 · Soudan 800 · Somalie 400

Cercle = millions de $ reçus annuellement (moyenne années 80)

- État assisté (plus des 2/3 du budget)
- Contribution importante (de 10 à 25 % du budget)
- Aide d'appoint (moins de 10 % du budget)

---

en demeure par le F.M.I. d'adopter diverses mesures de rigueur, ils ont ralenti l'embauche dans la fonction publique, opéré des coupes sévères dans les budgets de l'éducation et de la santé, et réduit les subventions à certains produits de première nécessité. Le rôle économique de l'État vint aussi à décliner. C'est ainsi que la contribution des fonds publics à la formation du capital, aux prêts et aux subventions des entreprises d'État égyptiennes fut ramenée de 6 % du P.I.B. au début des années 80 à 3 % à la fin de la décennie. Une amputation équivalente s'observait au Maroc[4]. Malgré leur richesse, les grands pétroliers du Golfe furent eux-mêmes confrontés à l'amère réalité : les pétro-dollars n'autorisaient plus les chantiers pharaoniques, ni même toutes les largesses du prince.

LES ARMES

L'effort de guerre

▬▬▬ Vingt et un conflits pour vingt et un membres arabes des Nations unies. En moins d'un demi-siècle d'existence, aucun n'aura su éviter de lancer ses armées, qui aux frontières, qui contre la révolte ou dans la guerre civile. Procédant d'une synergie de la menace et du surarmement, ces conflits menacèrent parfois jusqu'à la paix de la planète, engageant les régimes dans une spirale où les cordons de la bourse étaient généreusement ouverts aux états-majors. Par comparaison avec les moyennes mondiales, les pays arabes réservent à la Défense une part trois fois plus importante de leurs ressources.

Dans son conflit avec l'Iran, l'Irak a consenti annuellement 28 % de son P.I.B. aux armées

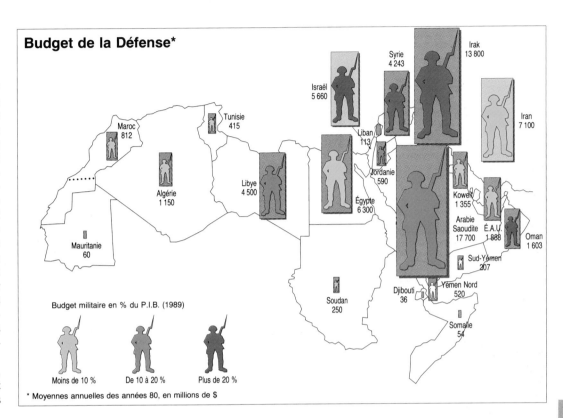

Budget de la Défense*

Maroc 812
Tunisie 415
Algérie 1 150
Libye 4 500
Mauritanie 60
Israël 5 660
Syrie 4 243
Irak 13 800
Iran 7 100
Liban 113
Jordanie 590
Égypte 6 300
Koweït 1 355
Arabie Saoudite 17 700
É.A.U. 1 888
Oman 1 603
Sud-Yémen 207
Yémen Nord 520
Djibouti 36
Soudan 250
Somalie 54

Budget militaire en % du P.I.B. (1989)

Moins de 10 % De 10 à 20 % Plus de 20 %

* Moyennes annuelles des années 80, en millions de $

LES VINGT ET UN CONFLITS

Les guerres civiles ne coûtent que des vies humaines et de l'infrastructure économique, mais ne pèsent pas lourd dans le budget des états-majors. Voilà pourquoi elles peuvent durer, comme hier au Yémen et au Dhofar, aujourd'hui au Liban et au Soudan. Infiniment plus dispendieux, les engagements aux frontières s'essoufflent en quelques jours. En alerte depuis quarante ans, les armées du Moyen-Orient n'auront finalement jamais acquis une longue expérience des combats, sauf celle d'Irak. A elle seule, la durée de la guerre du Golfe a bouleversé les équilibres militaires de la région.

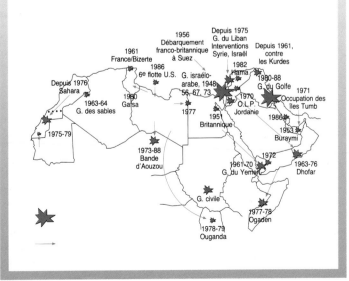

Depuis 1976 Sahara
1961 France/Bizerte
1956 Débarquement franco-britannique à Suez
Depuis 1975 G. du Liban Interventions Syrie, Israël
Depuis 1961, contre les Kurdes
1986 6e flotte U.S.
1982 Hama
G. israélo-arabe, 1948 56, 67, 73
1980-88 G. du Golfe
1970 O.L.P.
1971 Occupation des îles Tumb
1963-64 G. des sables
1980 Gafsa
1977
1951 Britannique
Jordanie
1986
1953
Buraymi
1975-79
1973-88 Bande d'Aouzou
1972
1961-70 G. du Yémen
1963-76 Dhofar
G. civile
1977-78 Ogaden
1978-79 Ouganda

Dépenses militaires en % du P.N.B.
(années 80)

Pays arabes 13 %
Asie de l'Est 5 %
Pays industriels 4 %
Asie du Sud 3 %
Afrique subsaharienne 2 %
Amérique latine et Caraïbes 1,8 %

contre seulement 6,5 % dans le cas des États-Unis — 9 % pendant la guerre du Vietnam — et 4 % pour des puissances moyennes comme l'Inde ou la France. Cherchant à se prémunir contre les risques d'extension de la guerre du Golfe, l'Arabie Saoudite, cinquante-deuxième pays du monde par sa démographie et vingtième par son P.I.B., grim-

▲
Divers artifices permettent de minorer les dépenses militaires sur la ligne que leur réservent officiellement les comptes de la nation. Les accords de troc (armes contre pétrole, par exemple) figurent rarement dans les statistiques du commerce extérieur; la construction d'ouvrages militaires est souvent camouflée en travaux publics et les pensions militaires assimilées à des retraites de fonctionnaires. Malgré ces biais, cette carte illustre avec éloquence le degré d'implication militaire des pays arabes et trace un franc clivage entre le Moyen-Orient et l'Afrique du Nord.

pait, au début des années 80, à la quatrième place par l'importance du budget de l'armée — en valeur absolue —, juste après les États-Unis, l'U.R.S.S. et la Chine. Le face-à-face syro-israélien contraint les deux protagonistes de la crise du Moyen-Orient à allouer, bon an mal an, près du quart de leurs ressources à l'entretien des armées.

Surarmement

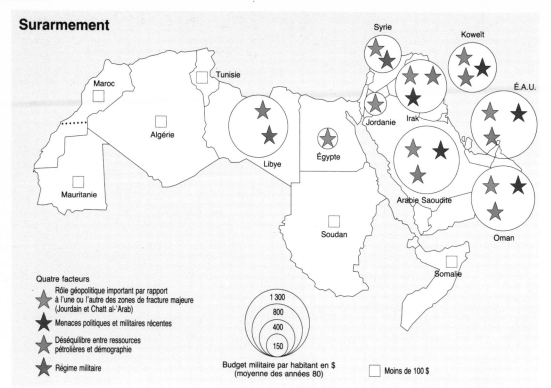

Quatre facteurs

⬟ Rôle géopolitique important par rapport à l'une ou l'autre des zones de fracture majeure (Jourdain et Chatt al-'Arab)

★ Menaces politiques et militaires récentes

⬟ Déséquilibre entre ressources pétrolières et démographie

⬟ Régime militaire

Budget militaire par habitant en $ (moyenne des années 80)

1 300
800
400
150

☐ Moins de 100 $

Les quatre facteurs du surarmement

L'Afrique du Nord fait figure paisible à côté des déploiements militaires du Moyen-Orient. Sur le pied de guerre au Sahara, le Maroc consacre moins de 50 $ par habitant et par an à la Défense, cependant qu'en paix avec tous ses voisins l'Égypte lui alloue plus du double. En effet, sur l'échiquier régional, quatre axes permettent de comprendre la logique à laquelle obéit l'effort de guerre.

La position plus ou moins stratégique par rapport aux deux zones majeures de fracture — conflit israélo-arabe en Méditerranée orientale et poussée iranienne dans le Golfe — constitue le premier axe.

Le second facteur a trait au déséquilibre entre ressources pétrolières et démographie. S'il est important, c'est un arsenal impressionnant qui dissuadera les convoitises que ne manque pas de susciter une terre pleine de ressources mais vide d'hommes. L'exiguïté des besoins civils permet du même coup de réserver à la Défense une bonne part de la rente pétrolière.

La vitesse de propagation de la menace extérieure fournit la troisième explication. Sur le front israélo-arabe, les parties campent depuis maintenant plus de quarante ans. Leurs moyens d'intervention bien en place, les armées syrienne, jordanienne, voire égyptienne cherchent désormais simplement à préserver les équilibres, à renouveler l'armement obsolète. Tout autre est la situation dans le Golfe. Surprises par la révolution iranienne, les armées de la région, encore embryonnaires à l'exception de celle de l'Irak, ont dû réagir en un temps très court et pour cela consentir des moyens considérables.

Le surarmement bien sûr dépend enfin du type de régime. Lorsque le pouvoir est aux mains d'une classe militaire, comme en Syrie et en Libye, seul grand pétrolier dirigé par un colonel, c'est tout naturellement qu'il privilégie ce chapitre de dépense.

Les données stratégiques

Nul ne saurait aujourd'hui entretenir une armée puissante, s'il n'appartient lui-même au «club des riches» ou ne compte parmi les alliés de l'Amérique ou de l'Arabie Saoudite. Interlocuteur incontournable de l'O.T.A.N. parce qu'il contrôle le détroit de Gibraltar, le Maroc demeure l'allié maghrébin le plus choyé au Pentagone. Avec un contingent d'effectif équivalent, l'Algérie dispose d'un équilibre troupe-équipement qui lui confère une précieuse mobilité, mais n'a pas l'expérience des combats que son voisin marocain a acquise au Sahara. De plus, les brigades blindées et l'infanterie algériennes sont dotées d'un matériel soviétique ancien et souvent dépassé, surtout lorsqu'on le compare à l'imposant arsenal de son voisin oriental : la Libye. En cette fin de siècle, toutefois, la capacité défensive ou offensive d'une armée ne se juge plus seulement au volume des arsenaux mais à des critères qualitatifs — sophistication des armes, formation des officiers, entraînement et motivation des troupes —, constat que la Libye dut méditer avec amertume après ses récents déboires au Tchad.

A l'autre extrémité, l'Irak, endurci par sa longue guerre contre l'Iran, peut s'enorgueillir aujourd'hui de la plus forte armée arabe, seule à pouvoir aligner 42 divisions d'infanterie, 7 divisions blindées et mécanisées et 6 divisions de la garde présidentielle. Sa maîtrise des technologies de pointe s'est renforcée tout au long des années de combat, comme le révéla le lancement d'un missile balistique à trois étages dans les derniers jours de l'année 1989. Cette puissance de feu n'inquiète pas seulement l'ennemi héréditaire perse, mais aussi certains «frères» du Golfe et surtout la Syrie. Cette dernière est la seule puissance de la région à dépendre exclusivement — à part quelques hélicoptères et trois vedettes d'origine française — de fournitures soviétiques. Le récent désengagement militaire de l'U.R.S.S., qui exige désormais des garanties sérieuses de solvabilité pour livrer du matériel[1], touche donc au premier chef l'armée syrienne.

La paix avec Israël a permis à l'Égypte de ralentir sa course aux armements. Sa puissance de

QUEL MARCHÉ POUR LES CANONS?

Victime de l'embellie des relations Est-Ouest, l'industrie militaire des grandes puissances conserve de solides débouchés au Moyen-Orient. Après le Japon, l'Égypte demeure le meilleur client des États-Unis, talonnée par l'Arabie Saoudite et Israël. Bien qu'accumulant une dette estimée à près de 20 milliards de dollars, la Syrie est restée au long des années 80 le premier partenaire de l'U.R.S.S., suivie de l'Irak. A eux deux, ces pays absorbaient plus du tiers de ses exportations militaires. La France se taille aussi une part de choix dans ce marché, qui ne demeurera toutefois fructueux que pour les transferts de haute technologie. L'industrie locale en effet, celle d'Égypte notamment, est en passe de suppléer en partie les importations étrangères.

Commerce international des armes
(années 80)

O.T.A.N. et pacte de Varsovie — 22%
Moyen-Orient (y compris Israël, Iran) — 34,8%
Amérique latine — 8%
Japon et reste de l'Asie — 13,1%
Asie du Sud — 10,1%
Afrique — 2,1%

Les arsenaux

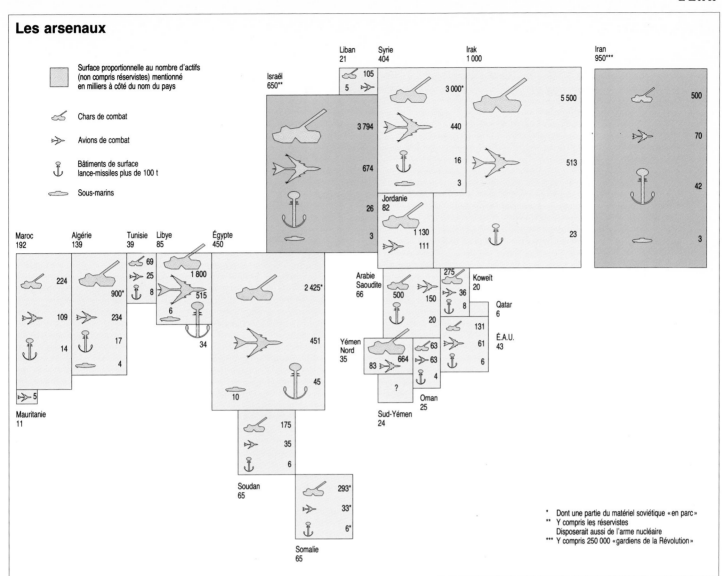

Surface proportionnelle au nombre d'actifs (non compris réservistes) mentionné en milliers à côté du nom du pays

Chars de combat

Avions de combat

Bâtiments de surface lance-missiles plus de 100 t

Sous-marins

* Dont une partie du matériel soviétique «en parc»
** Y compris les réservistes
Disposerait aussi de l'arme nucléaire
*** Y compris 250 000 «gardiens de la Révolution»

▲

Les accords de Camp David, en sortant l'Égypte du terrain de la confrontation, et la guerre du Golfe, en renforçant considérablement la puissance de feu irakienne, ont déplacé d'Ouest en Est la masse critique des arsenaux.

feu se serait réduite du tiers, voire de la moitié, depuis 1973[2]. Verrouillant en partie l'accès à l'Afrique de l'Est et aux sources du Nil, détenant une large emprise sur les équilibres en Méditerranée du Sud et au Proche-Orient, passage obligé de tout déploiement rapide de l'Occident dans le Golfe[3], l'Égypte conserve toutefois une rente de situation. Ce sont les États-Unis qui la versent. Israël est le seul État du monde auquel ils accordent plus de sollicitude. Ces deux pays recueillent l'essentiel de l'assistance militaire que les Américains accordent aux peuples qu'ils jugent «libres et démocratiques».

Les cinq plus grands bénéficiaires de l'assistance militaire des États-Unis* en milliards de \$

	Cumulé depuis la fin de la 2nde Guerre mondiale jusqu'en 1990	Annuel depuis 1985
1. Israël	29,5	1,8
2. Égypte	13,3	1,3
3. Turquie	7,3	0,5
4. Corée du Sud	8,6	
5. Grèce	10,6	0,35

* Sauf Vietnam

L'assistance militaire

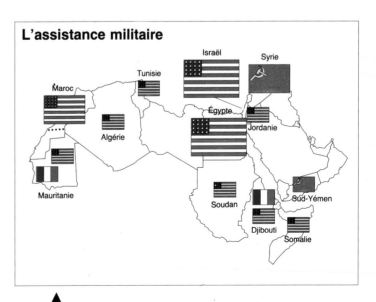

▲

Jusqu'ici, l'assistance stratégique des États-Unis répondait à la logique de la compétition Est-Ouest. L'essentiel du soutien militaire attesté par les budgets que l'Amérique accorde à ses alliés de par le monde était accaparé par Israël et l'Égypte. Le désengagement actuel des Soviétiques en Afrique et au Moyen-Orient ne peut qu'inciter la superpuissance à réviser ses options dans la région.

L'ESPACE DES LIBERTÉS

C'était à Damas en l'an 40 de l'Hégire. Sur la place du sérail, Mu'âwiya, gouverneur de Syrie, briguait le califat. Un de ses fidèles s'écria : «Voici le commandeur des croyants. Allah lui ouvrira-t-il les portes du paradis ? Voici son successeur, Yazid, son fils. Sa légitimité serait-elle mise en doute ? Voici l'arbitre», conclut-il en brandissant son sabre. La population acclama Mu'âwiya, qui se considéra investi du pouvoir suprême par cette Baya'a[1] (mode d'élection institué par l'islam).

L'art de diriger les hommes dans cette partie du monde procéderait-il encore aujourd'hui de la même veine ? Accréditée par ceux qui, de l'intérieur ou de l'extérieur, jugent les sociétés arabes arc-boutées à des pratiques d'un autre temps, cette vision conforte en même temps des dirigeants dont l'histoire légitimerait ainsi les méthodes expéditives de gouvernement. Cet atavisme n'est qu'apparent, car l'autocratie moderne résulte largement du donné concret de l'époque actuelle.

Sujets sans droits ni devoirs

En matière d'espace concédé à la société civile, la région fait mentir plusieurs rubriques du dictionnaire des idées reçues. Au mépris du cliché qui veut que la démocratie et les droits de l'homme soient un luxe à la portée exclusive des sociétés accédant à l'opulence, les cartes ci-contre montrent à l'inverse que l'alternative, ici, se situe précisément entre richesse et démocratie.

L'État providence, capable de développer les infrastructures économiques et sanitaires du pays, de prendre à sa charge l'éducation des enfants sans en appeler à la bourse du contribuable, cet État-là ne saurait souffrir que ses sujets sans devoirs se muent en citoyens dotés d'un droit de regard sur sa gestion et sur ses méthodes de gouvernement. Face à toute velléité de contestation, la police et les renseignements — *Moukhâbarât* — sont d'autant mieux à l'affût que le pouvoir les a dotés d'outils coûteux pour mater l'ingrate révolte. S'il est un domaine où les transferts de technologie ont été couronnés de succès, c'est celui de la sécurité publique, avec son cortège rutilant d'ordinateurs et d'instruments de télésurveillance. Jusqu'à ce qu'explosent les libertés dans l'Algérie de 1989, le pétrole avait été ainsi l'antidote de la démocratie, ne la laissant respirer que sur les terres qu'il irriguait mal.

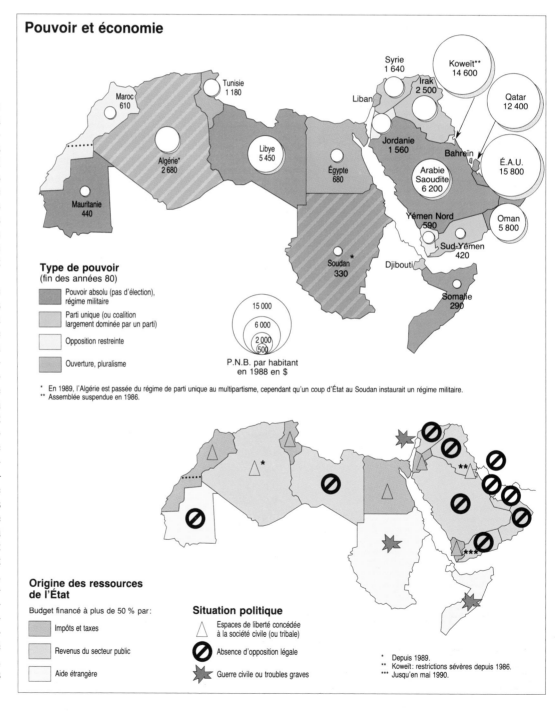

Pouvoir et économie

Type de pouvoir
(fin des années 80)

- Pouvoir absolu (pas d'élection), régime militaire
- Parti unique (ou coalition largement dominée par un parti)
- Opposition restreinte
- Ouverture, pluralisme

P.N.B. par habitant en 1988 en $

15 000
6 000
2 000
500

* En 1989, l'Algérie est passée du régime de parti unique au multipartisme, cependant qu'un coup d'État au Soudan instaurait un régime militaire.
** Assemblée suspendue en 1986.

Origine des ressources de l'État

Budget financé à plus de 50 % par :
- Impôts et taxes
- Revenus du secteur public
- Aide étrangère

Situation politique

△ Espaces de liberté concédée à la société civile (ou tribale)

⊘ Absence d'opposition légale

✶ Guerre civile ou troubles graves

* Depuis 1989.
** Koweït : restrictions sévères depuis 1986.
*** Jusqu'en mai 1990.

114

Au nom du roi, au nom du peuple!

La panoplie des régimes est représentée au complet dans la région qui recèle même une forme inédite, la *Jamahiriyya* libyenne, État des masses. Mais les étiquettes politiques n'impliquent pas ici une latitude plus ou moins grande laissée à la société civile. A des degrés divers, ces régimes semblent tous fondés sur l'autorité du chef charismatique ou de sa métamorphose contemporaine — le parti unique —, sur le modèle de la *'assabiya*, soumission tribale à l'autorité lignagère. De fait, les coups d'État et révolutions qui se succédèrent entre 1950 et 1970 — quatre d'entre eux détrônant des monarques — créèrent les institutions des démocraties sans assurer leur libre fonctionnement. Les Constitutions préservèrent le multipartisme, parfois même garantirent la liberté de presse et de syndicat, mais la «sécurité de l'État» justifia toujours que l'on pourchassât les opposants, que l'on encadrât les syndicats et que l'on soufflât à la presse ses éditoriaux. «Démocratie» n'a jamais trouvé de traduction dans la langue arabe, pourtant si riche en néologismes. Les intellectuels «progressistes» dénonçaient ce concept propagé par l'Amérique, tandis que les «conservateurs» s'appuyaient sur les docteurs de la Loi pour rejeter une idée étrangère à l'islam. L'air du temps et la tradition s'étaient ainsi accordés.

Type de régime et liberté de presse en 1990

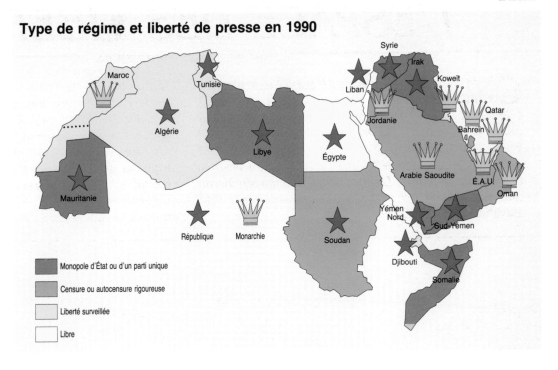

Monopole d'État ou d'un parti unique

Censure ou autocensure rigoureuse

Liberté surveillée

Libre

République et droit de la femme

Les républiques qui renversèrent les anciens régimes n'inscrivirent pratiquement jamais les droits de l'homme dans leurs actions. Ceux des femmes, en revanche, y gagnèrent quelques galons: reconnaissance de leurs droits politiques et souvent même amélioration du statut personnel dans les pays dirigés par des partis laïques. La montée de l'islamisme dans la région, voir l'abandon du «socialisme scientifique» à Aden lors de la fusion entre les deux Yémen, pourraient entraver cette évolution.

LES PARTIS RELIGIEUX

Ils poussent sur le terreau des idéologies défuntes d'obédience marxiste ou panarabe et se nourrissent de la misère des villes. Les mouvements politiques d'inspiration religieuse parviennent aujourd'hui à infiltrer les divers espaces de liberté qui émergent dans la région, en bénéficiant à la fois du prosélytisme d'une jeunesse instruite mais sans avenir et de l'assise large que leur offrent les faubourgs peuplés de néocitadins. Souvent plus efficaces que l'État dans la promotion de l'action sociale, notamment en milieu étudiant, ils savent gagner le suffrage de nombreux électeurs, comme l'ont montré en premier les consultations égyptiennes, tunisiennes, jordaniennes, puis algériennes.

Victimes toutefois de leur sectarisme, ces mouvements ont la plupart du mal à unifier leurs actions et à établir de véritables stratégies d'alliances avec des partis extérieurs à la mouvance islamique, ce qui limite leur marge d'action politique dès que le pouvoir les accepte dans le jeu démocratique. Plus à même d'inspirer la nature des lois qui régissent la société que de se hisser, grâce au suffrage universel, aux commandes de l'État, ces partis populistes n'ont aussi qu'une maîtrise rudimentaire des mécanismes de l'économie, comme l'ont prouvé les retentissantes faillites des sociétés de placement de fonds islamiques (1988), dont le petit épargnant d'Égypte conservera longtemps le douloureux souvenir.

115

Les femmes au parlement*

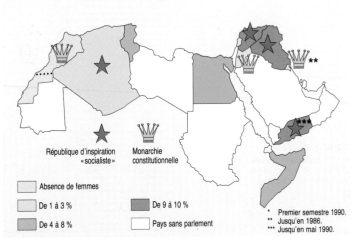

République d'inspiration «socialiste»

Monarchie constitutionnelle

Absence de femmes

De 1 à 3 %

De 4 à 8 %

De 9 à 10 %

Pays sans parlement

* Premier semestre 1990.
** Jusqu'en 1986.
*** Jusqu'en mai 1990.

Les partis islamiques

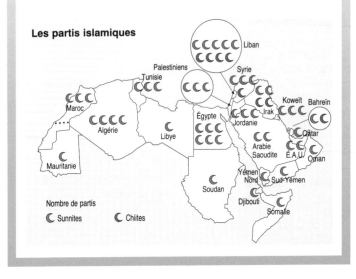

Nombre de partis

Sunnites   Chiites

La turbulence des masses

Jusque dans les années 70, le sort semblait vouloir privilégier les pays de taille modeste aussi bien au Levant et dans la Péninsule qu'au Maghreb. Le Liban, alors «Suisse du Moyen-Orient», se donnait en exemple dans le temps où une succession de coups d'État en Syrie et en Irak grignotait toujours davantage les espaces concédées à la société civile. Les joutes tumultueuses au parlement du minuscule Koweït tranchaient jusqu'en 1986 avec l'absolutisme théocratique régnant depuis toujours sur l'immense Arabie. Le débat était moins fermement réprimé en Tunisie que chez ses voisins plus peuplés. La proximité du pouvoir, fût-ce au prix du clientélisme, semblait mieux préserver de l'arbitraire que l'anonymat des grandes bureaucraties.

La perspective s'est aujourd'hui renversée. S'agissant de la participation du citoyen aux affaires publiques, des avancées plus radicales s'affirment dans les pays comptant plus de vingt millions d'habitants et de grandes concentrations urbaines. Des turbulences que génèrent les cités, de Casablanca au Caire, naissent maintenant dans cette partie de l'Afrique, de nouveaux espoirs. En Algérie, c'est le nombre et le bouillonnement d'une jeunesse anxieuse qui mirent un terme en 1988 à l'omnipotence du Front de libération nationale, mais amenèrent deux ans plus tard, et pour la première fois dans le secret de l'isoloir, une majorité islamite aux communes.

Les avancées de la société civile

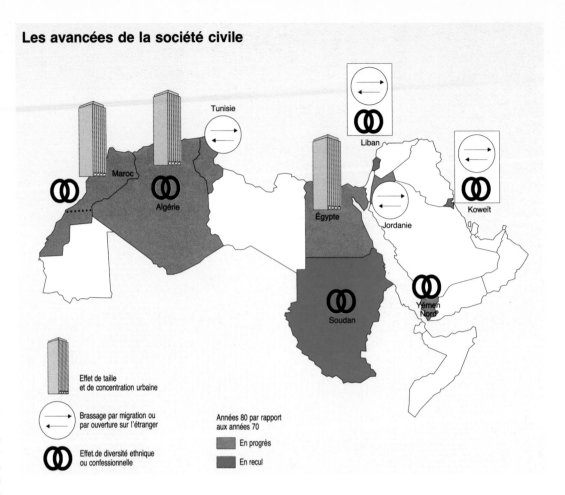

Effet de taille et de concentration urbaine

Brassage par migration ou par ouverture sur l'étranger

Effet de diversité ethnique ou confessionnelle

Années 80 par rapport aux années 70

En progrès

En recul

Brassage et éclatement

Au Moyen-Orient, l'enjeu était plus délicat. Les formes de gouvernement devaient évoluer en préservant les spécificités culturelles, en assurant l'équité entre des groupes confessionnels ou ethniques à la fois distincts et fortement imbriqués, en composant avec des minorités, voire des majorités immigrées : 20 % de Palestiniens au Liban, 52 % en Jordanie, une proportion plus forte encore d'étrangers dans les principautés du Golfe. Jusqu'au Yémen du Nord, qui rénovait en 1970 ses coutumes tribales en adoptant le suffrage universel pour élire 17 507 représentants aux «conseils locaux de développement coopératif». Tous ces pays semblaient prédestinés à une certaine ouverture démocratique.

Les évolutions des années 70 et 80 ont gravement compromis cette ouverture. En 1975 éclatait au Liban une guerre civile qui condamnait le pays le plus libre du monde arabe, et s'interrompait à Bahreïn une éphémère expérience constitutionnelle. Onze ans plus tard, toute vie parlementaire et syndicale était gelée au Koweït. Face à la montée des périls, plutôt que de consolider la démocratie, la région se replia sur l'aventure militaire. La guerre du Golfe et surtout l'incapacité de trouver une issue satisfaisante au dossier palestinien devaient plonger la plupart de ces pays dans la tourmente ou dans l'enfermement qui les caractérise aujourd'hui.

116

LA PALESTINE

LES PIÈCES DU PUZZLE

Etat sans territoire, la Palestine est un capital éparpillé dans l'espace. Ses ressources humaines et ses potentialités économiques, difficiles à recenser avec précision, sont la dimension négligée d'un dossier politique trop épais. Là pourtant réside le véritable enjeu. Dispersées par l'exode, les communautés palestiniennes ont noué avec leurs hôtes de fortune des liens qui pourraient tracer les axes d'une future coopération, lorsque les blessures se refermeront. La carte de la diaspora préfigure ainsi peut-être celle des alliances, plus probablement encore celle des réseaux commerciaux de demain. Accueillis dans des sociétés différentes de la leur, les Palestiniens ont conservé une personnalité propre. Les traits qui les distinguent de leur environnement dessinent déjà le profil que revêtirait le nouveau membre de la Ligue arabe, si les pièces du puzzle aujourd'hui désassemblées venaient à se recomposer. Lorsqu'une solution enfin acceptable par tous laissera l'Orient arabe émerger de la tourmente où l'affaire de Palestine l'a plongé depuis bientôt un demi-siècle, une longue expérience acquise dans l'exil pourrait avoir prédestiné les Palestiniens à tenir une place stratégique dans les affaires de la région.

Une diaspora aux portes de la Palestine

La défense des droits du peuple palestinien est, de toutes les grandes causes politiques, la seule à faire l'unanimité arabe. D'Alger à Aden, de Rabat à Bagdad, aucune voix discordante ne manque à l'appel pour condamner l'occupant. S'agissant de l'accueil effectif des Palestiniens, la solidarité des États s'est pourtant exercée très diversement, obéissant à deux critères : la proximité de la terre promise et l'hospitalité de la terre d'asile. Les exodes qui ont conclu les guerres de 1948 et de 1967 se sont fixés dans les pays voisins. Partis sous la pression des événements, dans une précipitation qui ne permettait d'assurer aucune retraite, les Palestiniens n'admirent jamais que leur exil pût être définitif. C'est ainsi qu'ils s'établirent le plus près possible du berceau de leurs ancêtres. Hormis la rive est du Jourdain, peuplée pour moitié de Palestiniens, le Liban est le premier pays hôte. Vient ensuite le Koweït, né au pétrole au moment même de la création de l'État d'Israël. L'importante communauté palestinienne que l'émirat abrite aujourd'hui descend en effet en partie du premier exode de 1948. La Syrie et l'Arabie Saoudite sont les deux dernières terres d'élection. L'Égypte, en revanche, qui administra pourtant la bande de Gaza jusqu'à la guerre des « six jours », a fait peu de place aux Palestiniens. Quant au lointain Maghreb, la diaspora n'en a abordé les rives qu'à Tripoli, où elle a pu jouir de quelques opportunités d'entraînement militaire, ainsi qu'à Tunis, lorsque cette ville fut promue siège provisoire de la Ligue arabe et de l'Organisation de libération de la Palestine (O.L.P.)

Un peuple élite

Avec les Libanais, les Palestiniens sont les seuls Arabes qui aient pratiquement achevé de vaincre l'illettrisme. Loin d'être marqués par le contexte éducatif très variable des pays d'accueil, ils ont partout emporté dans leurs bagages une forte ambition culturelle : qu'ils se soient établis parmi des populations dont la moitié ou plus n'a jamais fréquenté l'école, comme en Libye, en Égypte ou en Syrie, ou parmi celles, mieux lettrées, du Liban ou du Koweït, l'immense majorité des Palestiniens est sortie de l'analphabétisme et n'y a pas été replongée par l'exil. Bien au contraire ! Une formation souvent prolongée jusqu'à l'université, grâce à l'action internationale de l'U.N.W.R.A. relayée par l'O.L.P., représente le meilleur adjuvant d'une existence précaire. Ce capital intellectuel est un atout fort pour les Palestiniens.

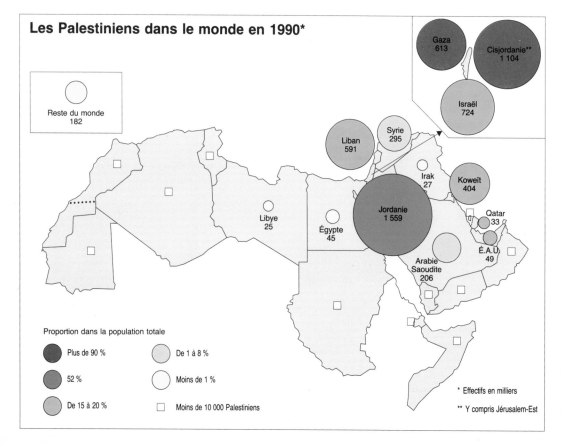

Les Palestiniens dans le monde en 1990*

Reste du monde
182

Gaza 613
Cisjordanie** 1 104
Israël 724

Liban 591
Syrie 295
Irak 27
Koweït 404
Jordanie 1 559
Qatar 33
Libye 25
Égypte 45
É.A.U. 49
Arabie Saoudite 206

Proportion dans la population totale

- Plus de 90 %
- 52 %
- De 15 à 20 %
- De 1 à 8 %
- Moins de 1 %
- Moins de 10 000 Palestiniens

* Effectifs en milliers

** Y compris Jérusalem-Est

Pas de terre, mais du capital

Les réfugiés avaient tous laissé derrière eux leurs charrues et leurs fonds de commerce. Des agriculteurs de jadis, il ne reste plus que 106 000 personnes, dont les trois quarts à l'ouest du Jourdain sous occupation israélienne. En Cisjordanie, la politique d'expropriation a privé les Arabes de 23 % des terres qu'ils cultivaient. Un tiers des Palestiniens est employé dans l'industrie, le bâtiment et les travaux publics, dont une majorité sur leur terre d'origine. Parmi eux, plus de cent mille louent leurs bras à un patron israélien. Dans tous les pays d'émigration, leurs qualifications les désignent d'abord pour occuper des postes dans l'administration, l'enseignement, la santé ou les médias, ainsi que pour créer toutes sortes d'entreprises, des plus petites aux plus grandes. Ils furent ainsi la charpente des services au Koweït. Si leurs armes sont massées au pourtour de la Palestine,

leurs capitaux ne s'y trouvent plus, surtout depuis l'effondrement libanais. Placés à l'écart des champs de bataille, ils risquent plus des tempêtes qui agitent les marchés des matières premières à Chicago ou à Londres, que des raids aériens sur les camps de Aïn-el-Héloué ou de Sabra et Chatila (Liban). Cet argent pourrait, l'heure venue, se mobiliser pour la construction d'un État.

L'activité des Palestiniens dans l'ensemble du Moyen-Orient

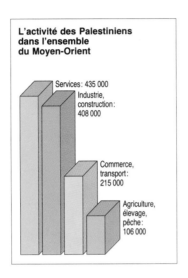

Services: 435 000
Industrie, construction: 408 000
Commerce, transport: 215 000
Agriculture, élevage, pêche: 106 000

Plus instruits que leurs hôtes

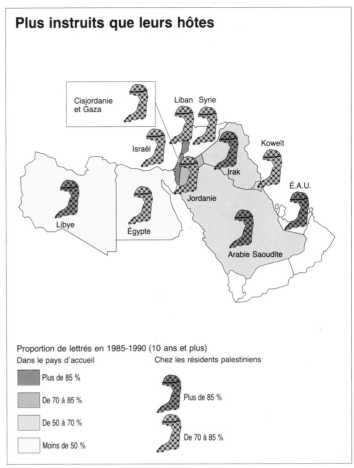

Proportion de lettrés en 1985-1990 (10 ans et plus)

Les agriculteurs / Industrie et construction / Commerce et transport / Services

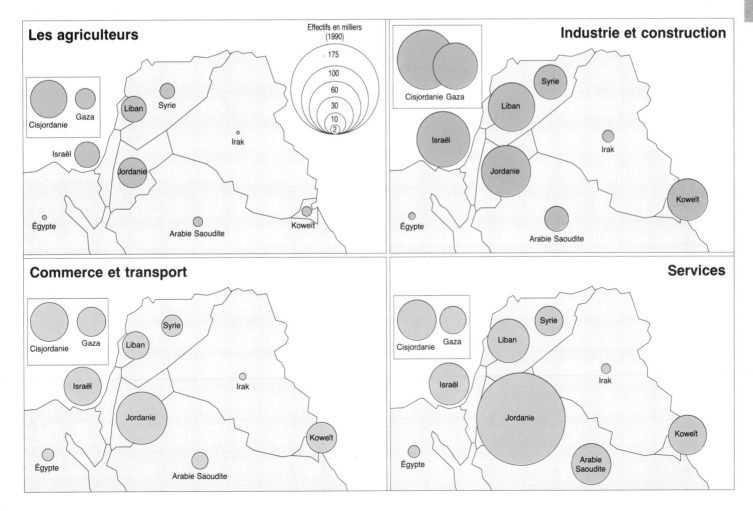

119

Le peuplement arabe

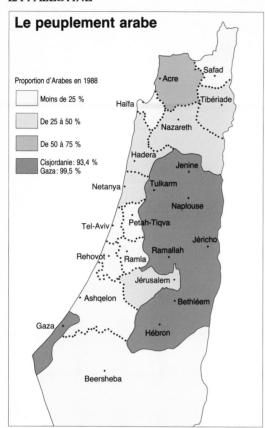

Proportion d'Arabes en 1988

- Moins de 25 %
- De 25 à 50 %
- De 50 à 75 %
- Cisjordanie : 93,4 %
  Gaza : 99,5 %

▲ *Autour d'Acre, la Galilée est l'unique région d'Israël qui n'ait pas perdu sa majorité arabe. La zone tampon l'isole hermétiquement de ses voisins du nord. Dans les territoires occupés, en revanche, la présence israélienne, toujours plus lourde sur le terrain foncier, reste discrète en matière démographique.*

Deux régimes de croissance opposés

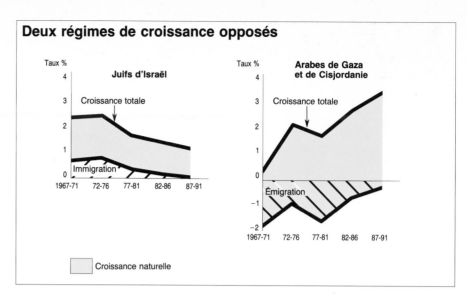

Croissance naturelle

L'année du dépassement

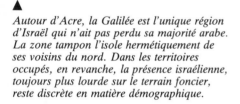

Nombre d'immigrants juifs soviétiques, au cours des années 90-95, nécessaires pour...

87 000 — 2010
523 000 — 2015
955 000 — 2020
1 376 000 — 2025
1 796 000 — 2030
2 194 000 — 2035

repousser l'année où les Palestiniens seront majoritaires

◀ *L'État hébreu s'est efforcé de compenser la faible natalité juive par la loi du retour : « Tout juif a le droit d'immigrer en Israël. » A l'opposé, l'émigration des Palestiniens a longtemps atténué leur natalité élevée. Mais ces migrations ont tari. Si elles ne reprennent pas, les Arabes détiendront la majorité en 2010. Un demi-million de juifs soviétiques qui s'installeraient en Israël avec leur faible fécondité, ne repousseraient cette date que de cinq ans.*

La bombe démographique

▬▬ Les jets de pierre de l'*intifâda*, soulèvement déclenché en 1987 par les Palestiniens de l'intérieur, auront introduit dans les frontières de l'État hébreu les combats qu'il avait pu maintenir au-dehors, expédiant par cinq fois sa troupe sur le territoire de ses voisins. Ils ont ainsi converti une guerre entre États en conflit ethnique entre 3,7 millions de Juifs, maîtres absolus du pouvoir, et 2,4 millions d'Arabes, dont un tiers possède la nationalité israélienne. Véritable bombe à retardement, la natalité est l'arme suprême qui fera tôt ou tard des Palestiniens la partie la plus nombreuse. Leur lente marche vers la majorité numérique contredit le principe fondateur de l'État hébreu : un foyer national juif et remet en cause les fondements de sa démocratie :

comment la réserver à une communauté qui deviendra minoritaire ? Elle s'inscrit pourtant fatalement dans sa politique de « faits accomplis » : l'annexion graduelle de la Cisjordanie et de Gaza implique l'absorption d'une démographie explosive. A la création d'Israël en 1948, les Juifs étaient une minorité sur l'ensemble du territoire délimité par le mandat britannique (30 %), mais une majorité (70 %) sur celui du nouvel État. L'exode arabe — 730 000 personnes — et l'afflux juif qui saluèrent l'événement[1] portèrent en quelques mois leur proportion à 86 %. L'immigration d'un million de juifs entre 1949 et 1967 la maintint, malgré la différence de croissance naturelle. Mais avec l'occupation de Gaza et de la Cisjordanie, elle chuta en « six jours » à 64 %. Près d'un demi-million de Juifs s'installèrent encore après 1967, tandis que la fuite en Jordanie et

la ruée vers le Golfe occasionnaient une véritable hémorragie arabe : plus de la moitié des générations âgées de 15-24 ans lors de la guerre s'expatrièrent[2]. L'invasion du Liban en 1982 et le contre-choc pétrolier marquèrent un tournant : les migrations s'épuisèrent, laissant seules à l'œuvre les différences de natalité.

Sortir de l'impasse

▬▬ La partie se joue maintenant avec trois inconnues : les territoires occupés conserveront-ils longtemps, avec sept enfants par femme[3], une fécondité « de combat » ? Quelle fraction de juifs soviétiques Israël capterat-il ? Jusqu'à quand les deux communautés auront-elles leur sort politiquement lié ? Six scénarios sont concevables. Abaisser la natalité des « territoi-

res », ne serait-ce qu'au niveau modéré de celle des Arabes israéliens, suppose un effort de développement économique et d'intégration sociale que les tenants du « Grand Israël » seront les derniers à consentir. Prôneraient-ils alors l'expulsion massive des Palestiniens, à la faveur par exemple d'un changement de pouvoir en Jordanie, qu'ils se heurteraient à une réprobation quasi unanime, tant de la communauté internationale que de la conscience juive. L'option de l'*Apartheid* n'offre elle-même plus une alternative sérieuse. L'immigration soviétique est dans ce contexte une hypothèse autrement plus plausible, mais capable uniquement de repousser les échéances. A plus long terme, il ne reste que deux scénarios : l'État « binational », aujourd'hui tenu pour une utopie, ou le retour de tout ou partie de Gaza et de la Cisjordanie à une souveraineté arabe.

BANQUE DE DONNÉES
PAR PAYS

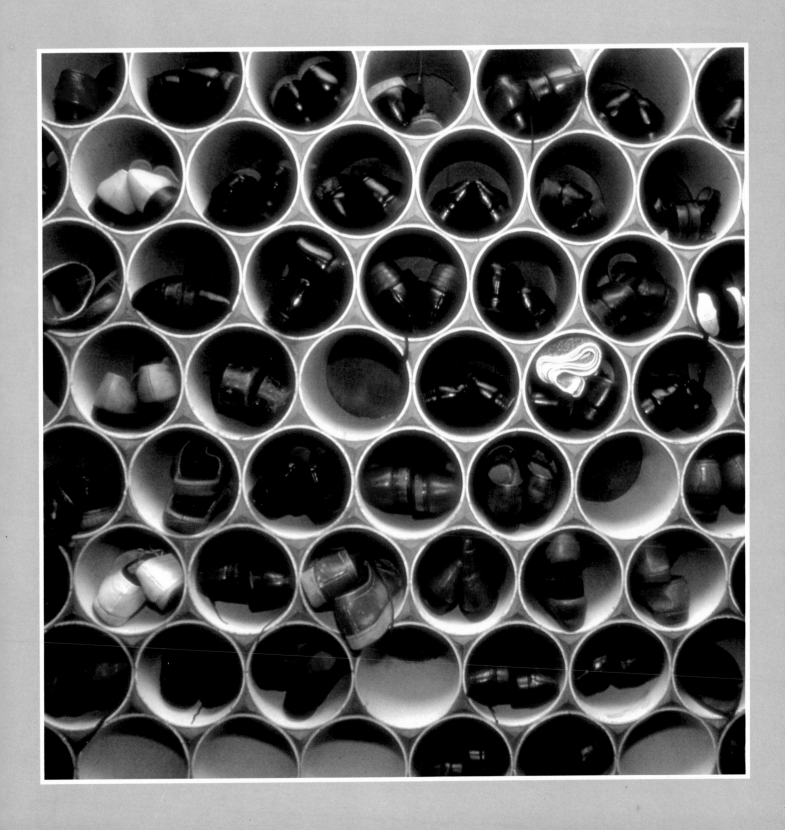

ALGÉRIE

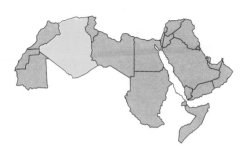

POPULATION

Population en 1990 (millions): 25,4
Projection en 2000: 33, en 2025: 51
Densité: 10,4 habitants/km²
Jeunes (moins de 15 ans): 45,4 %
Taux d'accroissement 1985-1990 (p. 1 000):
    Tous âges: 32,6 - Moins de 15 ans: 26,9
Taille moyenne des ménages: 7,1 personnes

SANTÉ

Espérance de vie à la naissance 1985-1990:
    Hommes: 62,7 ans - Femmes: 64,2 ans
    Deux sexes: 63,5 ans (1950: 43,1 ans)
Mortalité infantile (p. 1 000):
    1985-1990: 64 (1950: 185)
Mortalité juvénile en 1985-1990 (p. 1 000):
    Garçons: 18,1 - Filles: 20,9
Médecins pour 100 000 habitants: 74
Infirmiers pour 100 000 habitants: 255
Ménages disposant d'eau potable: 77 %
Ration calorique moyenne: 2 799
Grossesses suivies en consultation: 27 %

ÉDUCATION

Population d'âge scolaire (6-17 ans) en milliers:
    en 1990: 8 106 - en 2000: 10 529
Proportion d'analphabètes (15 ans et plus):
    Hommes: 36,6 % - Femmes: 64,2 %
Scolarisation primaire:
    Taux à 6-11 ans: 94 %
    78 filles pour 100 garçons
Scolarisation secondaire:
    Taux à 12-17 ans: 47 %
    72 filles pour 100 garçons
Taux de scolarisation supérieur: 6 %
Diplômés du niveau universitaire: 475 000
Effectif total d'étudiants (1989): 150 000
Étudiants étrangers en Algérie*: 2 200
Étudiants algériens à l'étranger*: 13 500
    dont France: 79 %, pays arabes: 3 %

FEMMES ET MARIAGE

Nombre moyen d'enfants par femme (I.S.F.):
    en 1985-1990: 4,8 - en 1950-1955: 7,3
Pratique de la contraception: 43,9 %
Âge moyen au premier mariage:
    Hommes: 27,3 ans - Femmes: 23,5 ans
Déjà mariés à 15-19 ans:
    Hommes: 0,7 % - Femmes: 9,5 %
Polygames pour 1 000 hommes mariés: 18
Divorces pour 1 000 mariages: 144
Activité féminine (15 ans et plus): 7,8 %
Participation au secteur tertiaire: 19,1 %
55 femmes alphabétisées pour 100 hommes
Députés femmes (juin 1990): 2,4 %

ETHNIES ET RELIGION

Arabes: 78,5 % - Berbères 21,5 %
Musulmans sunnites: 98 %
Pèlerinage à La Mecque:

	Effectif	Taux p. 1 000 adultes/an
1967-1971	37 350	11
1972-1976	187 000	53
1977-1981	165 600	36
1982-1986	151 500	27

URBANISATION

Population urbaine:	Effectif	%
En 1950	1 948 000	22
En 1989	12 350 000	50
Prévision 2000	28 021 000	76

Citadins résidant à Alger: 13 %

MIGRATIONS

40 000 étrangers (1985), dont 5 000 Arabes
1 million d'expatriés, dont 50 000 en pays arabe
Principal pays de destination: France
Population active expatriée: 9 % des actifs algériens
Remises d'épargne des émigrés: 191 millions de $ (1985)

ÉCONOMIE

P.I.B. (1988): 54,1 milliards de $
    Par habitant: 2 190 $

Branches d'activité**	Population %	P.I.B. %
Agriculture, élevage	18,3	9,0
Mines, extraction	2,0	23,7
Électricité, gaz, eau	1,5	1,8
Industries	12,9	11,3
Bâtiment et T.P.	16,6	17,4
Commerce	8,8	12,8
Transports	5,5	5,2
Banque, assurances / Administration	34,4	18,8

AGRICULTURE

Valeur ajoutée (1987): 8 021 millions de $
    Évolution par hab. (1984-86/1974-76): 0,80
Superficie totale: 2 382 000 km²
    Dont terres arables: 75 000 km²
    Dont irriguées: 4,6 %
        Gain de 86 000 ha entre 1969 et 1989
Diminution de la proportion de paysans entre 1965 et 1985: − 33 %
Densité agricole: 0,7 personne/ha
Tracteurs pour 1 000 cultivateurs: 31
Revenu moyen (1986): 535 dollars/an
Aide alimentaire (1 000 tonnes 1985-1986): 4
Importations de céréales (1 000 t 1986): 4 664

INDUSTRIE**

Production: 5 893 millions de $/an
Production moyenne par actif: 7 605 $/an
Évolution de la valeur ajoutée industrielle:
    + 5,9 %/an par habitant
Consommation manufacturière: 801 $/an par habitant
Informel: 18,4 % de l'emploi manufacturier
Exportations: 2,5 % de la production

Importations/production: 0,502
Couverture de la consommation par la production: 31,3 %

HYDROCARBURES

Pétrole:
    Production (1988): 1,07 million de barils/J
    Réserves prouvées (1988): 8,4 milliards de barils
    Consommation (1987): 7,4 millions t/an
Gaz:
    Production (1987): 90 milliards de m³
    Consommation (1987): 12,5 millions de tonnes équivalent pétrole
Consommation prévisionnelle d'énergie (millions de tonnes équivalent pétrole):
    1995: 30,0 - 2000: 36,8
Exportations (1988): 4 988 millions de $
    dont 73 % de produits raffinés
    vers l'O.C.D.E.: 27,2 Mt, dont C.E.E.: 67 %
Rente pétrolière par habitant: 208 $

COMMERCE ET COMMUNICATIONS

Commerce international: moyenne annuelle des années 80 (millions de $ 1985) par provenance/destination

Total	Autre pays arabe	C.E.E.	U.R.S.S. Europe de l'Est	États-Unis	Japon
Importations						
9 813	160	6 122	16	643	570
Exportations						
10 149	130	7 621	32	1 011	105

Routes:
    tous revêtements: 72 091 km
    asphaltées: 42 940 km
Chemins de fer: 4 000 km
Vols internationaux d'Alger:
    250 destinations/semaine, dont 46 arabes

ÉTAT

Dépenses publiques: 35 % du P.N.B.
Dette extérieure (millions de $ 1988): 23 500
    Service de la dette: en % du P.N.B.: 7,8
    en % des exportations biens et services: 49
Budget de l'administration centrale:
    35 % du P.N.B.
    Évolution 1981-1988 ($ courants): + 63 %

* Dernière année disponible
** Moyenne annuelle des années 80

122

ARABIE SAOUDITE

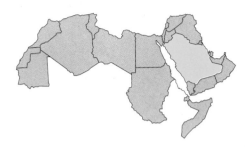

POPULATION

Population en 1990 (millions): 13,9***
Projection en 2000: 19,8, en 2025: 36,2
Densité: 6,4 habitants/km²
Jeunes (moins de 15 ans): 44,6 %
Taux d'accroissement 1985-1990 (p. 1 000):
    Tous âges: 39,2 - Moins de 15 ans: 41,5
Taille moyenne des ménages: 9 personnes

SANTÉ

Espérance de vie à la naissance 1985-1990:
    Hommes: 63,9 ans - Femmes: 67,7 ans
    Deux sexes: 65,8 ans (1950: 39 ans)
Mortalité infantile (p. 1 000):
    1985-1990: 71
Naissances suivies par personnel médical: 78 %
Femmes enceintes vaccinées contre le tétanos:
    50 %
Médecins pour 100 000 habitants: 140
Infirmiers pour 100 000 habitants: 300
Ménages disposant d'eau potable: 80 %
Ration calorique moyenne: 3 057
Grossesses suivies en consultation: 61 %

ÉDUCATION

Population d'âge scolaire (6-17 ans) en milliers:
    en 1990: 4 388 - en 2000: 6 181
Proportion d'analphabètes (15 ans et plus):
    Hommes: 26,8 % - Femmes: 66,6 %
Scolarisation primaire:
    Taux à 6-11 ans: 69 %
    68 filles pour 100 garçons
Scolarisation secondaire:
    Taux à 12-17 ans: 42 %
    66 filles pour 100 garçons
Taux de scolarisation supérieure: 11 %
Effectif total d'étudiants (1989): 130 000
Étudiants étrangers en Arabie*: 16 529
Étudiants saoudiens à l'étranger*: 8 320
    dont pays arabes: 9,8 %

FEMMES ET MARIAGE

Nombre moyen d'enfants par femme (I.S.F.):
    en 1985-1990: 7,1 - en 1950-1955: 7,2
Polygames pour 1 000 hommes mariés: 120
Activité féminine (15 ans et plus): 4,5 %
45,6 femmes alphabétisées pour 100 hommes

ETHNIES ET RELIGION

Arabes: 99 % des nationaux
Musulmans sunnites: 97 % - chiites: 2,5 %

URBANISATION

Population urbaine:	Effectif	%
En 1950	776 000	16
En 1989	10 000 000	75
Prévision 2000	15 200 000	82
Citadins résidant à Riyad: 20 %		

MIGRATIONS

2 millions d'étrangers (1985), dont 1,4 million
    d'Arabes et 600 000 du reste de l'Asie
Population active immigrée: 52 % des actifs
Transferts d'épargne des immigrés: 5 200 millions
de $ (1985)

ÉCONOMIE

P.I.B. (1988): 73,3 milliards de $
    Par habitant: 5 600 $

Branches d'activité**	Population %	P.I.B. %
Agriculture, élevage	14,2	3,3
Mines, extraction	1,6	34,4
Électricité, gaz, eau	3,4	0,3
Industries	9,9	8,1
Bâtiment et T.P.	18,7	12,8
Commerce	12,3	8,1
Transports	6,9	6,9
Banque, assurances	3,1	4,8
Administration et autres services	29,8	21,3

AGRICULTURE

Valeur ajoutée (1987): 3 446 millions de $
Superficie totale: 2 150 000 km²
    Dont terres arables: 11 000 km²
    Dont irriguées: 35,7 %
        Gain de 125 000 ha entre 1969 et 1989
Diminution de la proportion de paysans entre
1965 et 1985: − 27 %
Densité agricole: 4,25 personnes/ha
Tracteurs pour 1 000 cultivateurs: 1
Revenu moyen (1986): 410 dollars/an
Importations de céréales (1 000 t 1986): 4 625

INDUSTRIE**

Production: 7 234 millions de $/an
Production moyenne par actif: 17 900 $/an
Évolution de la valeur ajoutée industrielle:
    + 2,4 %/an par habitant
Consommation manufacturière: 2 320 $/an par
habitant
Exportations: 12 % de la production
Importations/production: 3,024
Couverture de la consommation par la produc-
tion: 22,1 %

HYDROCARBURES

Pétrole:
    Production (1988): 5,25 millions de barils/J
    Réserves prouvées (1988): 170 milliards de
    barils
    Consommation (1987): 41,9 millions t/an
Gaz:
    Production (1987): 38,2 milliards de m³
    Consommation (1987): 18 millions de tonnes
    équivalent pétrole

Consommation prévisionnelle d'énergie (millions
de tonnes équivalent pétrole):
    1995: 77,7 - 2000: 102,1
Exportations (1988): 20 500 millions de $
    dont 25 % de produits raffinés
    vers l'O.C.D.E.: 123,5 Mt, dont C.E.E.:
    32,8 %, dont U.S.A.: 44,3 %
Rente pétrolière par habitant: 1 575 $

COMMERCE ET COMMUNICATIONS

Commerce international: moyenne annuelle
des années 80 (millions de $ 1985) par
provenance/destination

Total	Autre pays arabe	C.E.E.	U.R.S.S. Europe de l'Est	États-Unis	Japon
Importations					
32 782	1 019	11 485	242	5 703	6 507
Exportations					
36 527	2 966	5 797	23	2 413	11 632

Routes:
    tous revêtements: 72 306 km
    asphaltées: 25 470 km
Chemins de fer: 577 km
Vols internationaux de Djeddah:
    368 destinations/semaine, dont 179 arabes

ÉTAT

Budget de l'État**: 54 % du P.N.B.
    Évolution 1981-1988 ($ courants): − 46 %
    Allocation: Défense: 36 %
    Enseignement: 13 % - Santé: 5,4 %
Aide Publique versée aux gouvernements étrangers: 4 milliards de $

---

* Dernière année disponible
** Moyenne annuelle des années 80
*** Chiffre officiel saoudien, repris par les
Nations unies, mais contesté par certains observa-
teurs

BAHREÏN

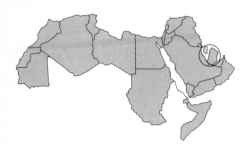

POPULATION

Population en 1990 (millions): 0,5
Densité: 705,7 habitants/km²
Jeunes (moins de 15 ans): 33,7 %
Taux d'accroissement 1985-1990 (p. 1 000):
    Tous âges: 48,5 - Moins de 15 ans: 36,8
Taille moyenne des ménages: 7,0 personnes

SANTÉ

Espérance de vie à la naissance 1985-1990:
    Hommes: 68,5 ans - Femmes: 70,6 ans
    Deux sexes: 69,6 ans (1950: 51,0 ans)
Mortalité infantile (p. 1 000):
    1985-1990: 19
Mortalité juvénile en 1985-1990 (p. 1 000):
    Garçons: 5,2 - Filles: 3,6
Médecins pour 100 000 habitants: 124
Infirmiers pour 100 000 habitants: 302
Ménages disposant d'eau potable: 100 %
Grossesses suivies en consultation: 85 %

ÉDUCATION

Proportion d'analphabètes (15 ans et plus):
    Hommes: 21,1 % - Femmes: 43,0 %
Scolarisation primaire:
    Taux à 6-11 ans: 100 %
    97 filles pour 100 garçons
Scolarisation secondaire:
    Taux à 12-17 ans: 86 %
    92 filles pour 100 garçons
Taux de scolarisation supérieure: 10 %
Effectif total d'étudiants (1989): 5 000
Étudiants bahreïnis à l'étranger*: 1 800
    dont pays arabes: 44,1 %

FEMMES ET MARIAGE

Nombre moyen d'enfants par femme (I.S.F.):
    en 1985-1990: 7,4 - en 1950-1955: 7,0
Âge moyen au premier mariage:
    Hommes: 25,5 ans - Femmes: 20,2 ans
Déjà mariés à 15-19 ans:
    Hommes: 1,3 % - Femmes: 14,2 %
Polygames pour 1 000 hommes mariés: 54
Divorces pour 1 000 mariages: 268
Activité féminine autochtone (15 ans et plus):
    19,4 %
Participation au secteur tertiaire: 27,5 %
73 femmes alphabétisées pour 100 hommes

ETHNIES ET RELIGION

Musulmans sunnites: 60 % - chiites: 40 %
Pèlerinage à La Mecque:

	Effectif	Taux p. 1 000 adultes/an
1967-1971	10 972	209
1972-1976	10 414	169
1977-1981	9 982	120
1982-1986	17 856	188

URBANISATION

Population urbaine:	Effectif	%
En 1950	100 000	79
En 1989	400 000	82
Prévision 2000	442 000	83

Citadins résidant à Manama: 100 %

MIGRATIONS

112 000 étrangers (1985), dont 13 % d'Arabes
6 000 expatriés, dont 7 % en pays arabe
Population active immigrée: 54 % des actifs
Transferts d'épargne des immigrés: 405 millions
de $ (1985)

ÉCONOMIE

P.I.B. (1988): 3,2 milliards de $
    Par habitant: 6 400 $

Branches d'activité**	Population %
Agriculture, élevage	2,0
Mines, extraction	3,5
Électricité, gaz, eau	2,1
Industries	7,8
Bâtiment et T.P.	21,0
Commerce	13,5
Transports	9,4
Banque, assurances	4,2
Administration et autres services	36,5

INDUSTRIE**

Production: 399 millions de $/an
Production moyenne par actif: 26 000 $/an
Évolution de la valeur ajoutée industrielle:
    − 4,0 %/an par habitant
Consommation manufacturière: 2 000 $/an par
habitant

HYDROCARBURES

Pétrole:
    Production (1987): 43 000 barils/J
    Réserves prouvées (1988): 0,1 milliard de
    barils
    Consommation (1987): 0,8 million t/an
Gaz:
    Production (1987): 7,3 milliards de m³
    Consommation (1987): 4,6 millions de ton-
    nes équivalent pétrole
Consommation prévisionnelle d'énergie (millions
de tonnes équivalent pétrole):
    1995: 5,2 - 2000: 6,4
Exportations (1987): 1 800 millions de $
Rente pétrolière par habitant: 3 600 $

COMMERCE ET COMMUNICATIONS

Commerce international: moyenne annuelle
des années 80 (millions de $ 1985) par
provenance/destination

Total	Autre pays arabe	C.E.E.	U.R.S.S. Europe de l'Est	États-Unis	Japon
Importations					
1 678	82	605	3	315	258
Exportations***					
344	151	16	—	22	43

ÉTAT

Ressources de l'État**: 29 % du P.N.B.
Budget de l'administration centrale:
    32 % du P.N.B.
    Évolution 1981-1988 ($ courants): + 50 %

* Dernière année disponible
** Moyenne annuelle des années 80
*** Sauf pétrole

124

DJIBOUTI

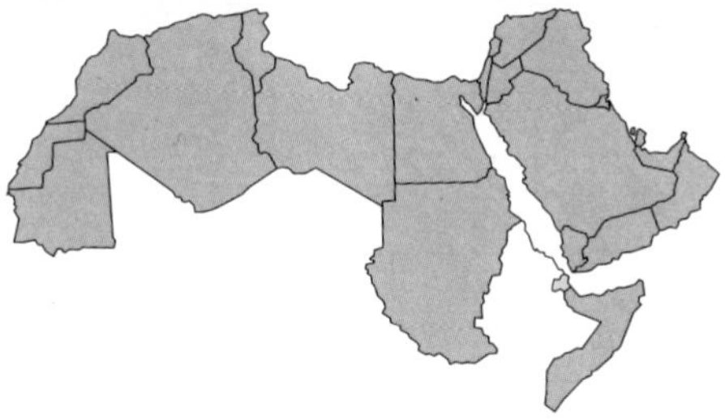

POPULATION

Population en 1990 (millions) : 0,4
Projection en 2000 : 0,55, en 2025 : 1,07
Densité : 20 habitants/km^2
Taux d'accroissement 1985-1990 (p. 1 000) :
    Tous âges : 3,0
Taille moyenne des ménages : 7,2 personnes

SANTÉ

Espérance de vie à la naissance 1985-1990 :
    Hommes : 45,4 ans - Femmes : 48,7 ans
    Deux sexes : 47,1 ans
Mortalité infantile (p. 1 000)** : 122
Médecins pour 100 000 habitants : 18
Infirmiers pour 100 000 habitants : 84
Ménages disposant d'eau potable : 40 %
Grossesses suivies en consultation : 50 %

ETHNIES ET RELIGION

Arabes : 6 % - Issas : 47 % -
Afars : 37 % - autres : 10 %
Musulmans sunnites : 100 %
Pèlerinage à La Mecque (1982-1986) : 3 421
    114 pour 1 000 adultes par an

URBANISATION

Population urbaine :	Effectif	%
En 1950	30 000	41
En 1989	308 000	77
Prévision 2000	443 000	84

Citadins résidant à Djibouti : 40 %

ÉCONOMIE

P.I.B. (1986) : 333 millions de $
    Par habitant : 1 100 $

Branches d'activité**	P.I.B. %
Agriculture, élevage	4,9
Mines, extraction	—
Électricité, gaz, eau	3,4
Industries	9,6
Bâtiment et T.P.	8,2
Commerce	16,2
Transports	11,5
Banque, assurances	12,4
Administration et autres services	33,8

INDUSTRIE**

Production : 29 millions de $/an
Évolution de la valeur ajoutée industrielle :
    − 2,4 %/an par habitant
Consommation manufacturière : 393 $/an par habitant
Couverture de la consommation par la production : 23,9 %
Consommation de produits pétroliers en 1987 :
    100 000 t
    Prévisions 2000 : 200 000 t

COMMERCE ET COMMUNICATIONS

Commerce international : moyenne annuelle des années 80 (millions de $ 1985) par provenance/destination

Total	Autre pays arabe	C.E.E.	U.R.S.S. Europe de l'Est	États-Unis	Japon
		Importations			
199	10	104	—	—	—
		Exportations			
13	—	5	—	—	—

Routes :
    tous revêtements : 3 255 km
    asphaltées : 272 km
Chemins de fer : 100 km
Vols internationaux de Djibouti :
    37 destinations/semaine, dont 17 arabes

ÉTAT

Ressources de l'État** : 32 % du P.N.B.
Dette extérieure (millions de $ 1988) : 145
Budget de l'administration centrale :
    Évolution 1981-1988 ($ courants) : + 39 %
    Allocation : Défense : 28 %
    - Enseignement : 6 % - Santé : 6 %

** Moyenne annuelle des années 80

ÉGYPTE

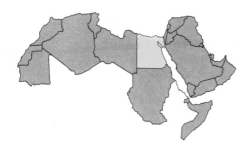

POPULATION

Population en 1990 (millions) : 52,9
Projection en 2000 : 66, en 2025 : 94
Densité : 51,3 habitants/km²
Jeunes (moins de 15 ans) : 39,5 %
Taux d'accroissement 1985-1990 (p. 1 000) :
    Tous âges : 22,9 - Moins de 15 ans : 21,5
Taille moyenne des ménages : 4,9 personnes

SANTÉ

Espérance de vie à la naissance 1985-1990 :
    Hommes : 58,4 ans - Femmes : 61,4 ans
    Deux sexes : 59,9 ans (1955 : 40,7 ans)
Mortalité infantile (p. 1 000) :
    1985-1990 : 79 (1950 : 200)
Mortalité juvénile en 1985-1990 (p. 1 000) :
    Garçons : 31,8 - Filles : 36,5
Naissances suivies par personnel médical : 24 %
Femmes enceintes vaccinées contre le tétanos :
    12 %
Médecins pour 100 000 habitants : 20
Infirmiers pour 100 000 habitants : 27
Ménages disposant d'eau potable : 75 %
Ration calorique moyenne : 3 275
Grossesses suivies en consultation : 40 %

ÉDUCATION

Population d'âge scolaire (6-17 ans) en milliers :
    en 1990 : 13 425 - en 2000 : 17 094
Proportion d'analphabètes (15 ans et plus) :
    Hommes : 37,8 % - Femmes : 61,8 %
Scolarisation primaire :
    Taux à 6-11 ans : 82 %
    77 filles pour 100 garçons
Scolarisation secondaire :
    Taux à 12-17 ans : 58 %
    69 filles pour 100 garçons
Taux de scolarisation supérieure : 21 %
Effectif total d'étudiants (1989) : 1 100 000
Étudiants étrangers en Égypte* : 17 062
Étudiants égyptiens à l'étranger* : 13 345
    dont pays arabes : 65,2 %

FEMMES ET MARIAGE

Nombre moyen d'enfants par femme (I.S.F.) :
    en 1985-1990 : 5,7 - en 1950-1955 : 6,5
Pratique de la contraception : 35,4 %
Âge moyen au premier mariage :
    Hommes : 27,2 ans - Femmes : 21,3 ans
Déjà mariés à 15-19 ans :
    Hommes : 4,1 % - Femmes : 16,0 %
Polygames pour 1 000 hommes mariés : 38
Divorces pour 1 000 mariages : 208
Activité féminine (15 ans et plus) : 10,5 %
Participation au secteur tertiaire : 25,5 %
59 femmes alphabétisées pour 100 hommes
Députés femmes (juin 1990) : 3,9 %

ETHNIES ET RELIGION

Arabes : 99 % - Nubiens : 160 000
Musulmans sunnites : 94 % - chrétiens (coptes) :
    6 à 7 %
Pèlerinage à La Mecque :

	Effectif	Taux p. 1 000 adultes/an
1967-1971	64 500	7
1972-1976	219 700	22
1977-1981	280 000	24
1982-1986	582 000	44

URBANISATION

Population urbaine :	Effectif	%
En 1950	6 532 000	32
En 1989	22 564 000	44
Prévision 2000	37 048 000	57

Citadins résidant au Caire : 39 %

MIGRATIONS

160 000 étrangers (1985), dont 120 000 Arabes
    dont 43 000 Palestiniens
1,5 million d'expatriés, dont 93 % en pays arabe
Principaux pays de destination : Irak, Arabie
Saoudite
Population active expatriée : 11 % des actifs
Remises d'épargne des émigrés : 3 200 millions de
$ (1985)

ÉCONOMIE

P.I.B. (1987) : 34,4 milliards de $
    Par habitant : 675 $

Branches d'activité**	Population %	P.I.B. %
Agriculture, élevage	40,3	16,2
Mines, extraction	0,5	16,5
Électricité, gaz, eau	0,8	0,7
Industries	13,0	15,2
Bâtiment et T.P.	7,2	4,6
Commerce, tourisme	7,5	13,3
Transports	1,9	8,6
Banque, assurances	5,6	9,2
Administration et autres services	23,1	15,9

AGRICULTURE

Valeur ajoutée (1987) : 7 291 millions de $
    Évolution par hab. (1984-86/1974-76) : 0,95
Superficie totale : 1 001 000 km²
    Dont terres arables : 25 000 km²
    Dont irriguées : 100 %
    Gain de 312 000 ha entre 1969 et 1989
Diminution de la proportion de paysans entre
1965 et 1985 : − 12 %
Densité agricole : 8 personnes/ha
Tracteurs pour 1 000 cultivateurs : 7
Revenu moyen (1986) : 240 dollars/an
Aide alimentaire (1 000 tonnes 1985-1986) : 1 800
Importations de céréales (1 000 t 1986) : 8 846

INDUSTRIE**

Production : 8 200 millions de $/an
Production moyenne par actif : 3 625 $/an
Évolution de la valeur ajoutée industrielle :
    + 5,6 %/an par habitant
Consommation manufacturière : 225 $/an par
habitant

Informel : 58,7 % de l'emploi manufacturier
Exportations : 22,7 % de la production
Importations/production : 0,547
Couverture de la consommation par la produc-
tion : 58,7 %

HYDROCARBURES

Pétrole :
    Production (1988) : 885 000 barils/J
    Réserves prouvées (1988) : 4,3 milliards de
    barils
    Consommation (1987) : 19,2 millions t/an
Gaz :
    Production (1987) : 6,7 milliards de m³
    Consommation (1987) : 4,8 millions de ton-
    nes équivalent pétrole
Consommation prévisionnelle d'énergie (millions
de tonnes équivalent pétrole) :
    1995 : 36,9 - 2000 : 46,4
Exportations (1987) : 1 600 millions de $
    vers l'O.C.D.E. : 12,5 Mt,
    dont C.E.E. : 83 %
Rente pétrolière par habitant : 31 $

COMMERCE ET COMMUNICATIONS

Commerce international : moyenne annuelle
    des années 80 (millions de $ 1985) par
    provenance/destination

Total	Autre pays arabe	C.E.E.	U.R.S.S. Europe de l'Est	États-Unis	Japon
Importations					
9 962	381	3 807	1 231	1 296	515
Exportations					
3 714	188	1 527	796	34	115

Routes :
    tous revêtements : 30 500 km
    asphaltées : 14 112 km
Chemins de fer : 5 367 km
Vols internationaux du Caire :
    429 destinations/semaine, dont 214 arabes

ÉTAT

Ressources de l'État** : 43 % du P.N.B.
Origine des ressources** :
    Impôts, cotisation, taxes intérieures : 40,5 %
    Taxes sur transactions internationales : 14 %
Recettes non fiscales et autres : 45,5 %
Aide Publique reçue** : 1 533 millions de $
Dette extérieure (millions de $ 1988) : 45 600
    Service de la dette (1987) : en % du P.N.B. :
    5,3
    en % des exportations biens et services : 21,5
Budget de l'administration centrale :
    47 % du P.N.B.
    Évolution 1981-1988 ($ courants) : + 100 %
    Allocation : Défense : 21 %
    - Enseignement : 11 % - Santé : 2,5 %

* Dernière année disponible
** Moyenne annuelle des années 80

126

ÉMIRATS ARABES UNIS

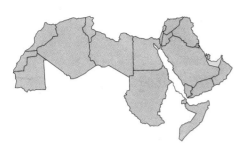

POPULATION

Population en 1990 (millions) : 1,5
Projection en 2000 : 1,9, en 2025 : 2,7
Densité : 17,5 habitants/km²
Jeunes (moins de 15 ans) : 31,8 %
Taux d'accroissement 1985-1990 (p. 1 000) :
    Tous âges : 35,2 - Moins de 15 ans : 50,9
Taille moyenne des ménages : 7,5 personnes

SANTÉ

Espérance de vie à la naissance 1985-1990 :
    Hommes : 67,5 ans - Femmes : 70,3 ans
    Deux sexes : 68,9 ans (1950 : 47 ans)
Mortalité infantile (p. 1 000) :
    1985-1990 : 23 (1950 : 180)
Naissances suivies par personnel médical : 96 %
Médecins pour 100 000 habitants : 101
Infirmiers pour 100 000 habitants : 263
Ménages disposant d'eau potable : 93 %
Ration calorique moyenne : 3 652
Grossesses suivies en consultation : 79 %

ÉDUCATION

Population d'âge scolaire (6-17 ans) en milliers :
    en 1990 : 380 - en 2000 : 440
Proportion d'analphabètes (15 ans et plus) :
    Hommes : 53,5 % - Femmes : 73,0 %
Scolarisation primaire :
    Taux à 6-11 ans : 97 %
    100 filles pour 100 garçons
Scolarisation secondaire :
    Taux à 12-17 ans : 58 %
    125 filles pour 100 garçons
Taux de scolarisation supérieure : 8 %
Effectif total d'étudiants (1989) : 8 700
Étudiants étrangers aux É.A.U.* : 1 100
Étudiants des É.A.U. à l'étranger* : 1 550
    dont États-Unis : 70 %, pays arabes : 15 %

FEMMES ET MARIAGE

Nombre moyen d'enfants par femme (I.S.F.) :
    en 1985-1990 : 8,0 - en 1950-1955 : 7,0
Âge moyen des femmes au premier mariage :
    17,5
Déjà mariées à 15-19 ans : 56,5 %
Polygames pour 1 000 hommes mariés : 60
Activité féminine (15 ans et plus) : 3 %
Participation au secteur tertiaire : 13,5 %
58 femmes alphabétisées pour 100 hommes

ETHNIES ET RELIGION

Arabes : 99 % des nationaux
Musulmans sunnites : 87 % - chiites : 13 %
Pèlerinage à La Mecque :

	Effectif	Taux p. 1 000 adultes/an
1967-1971	4 830	86
1972-1976	13 720	200
1977-1981	24 760	297
1982-1986	29 800	293

URBANISATION

Population urbaine :	Effectif	%
En 1950	23 000	24
En 1989	1 300 000	87
Prévision 2000	1 630 000	90

Citadins résidant à Abû Dhabî : 20 %

MIGRATIONS

860 000 étrangers (1985), dont 20 % d'Arabes
    et 78 % du reste de l'Asie
Population active immigrée : 90 % des actifs

ÉCONOMIE

P.I.B. (1988) : 22,9 milliards de $
    Par habitant : 16 350 $

Branches d'activité**	Population %	P.I.B. %
Agriculture, élevage	5,0	1,5
Mines, extraction	2,0	41,3
Électricité, gaz, eau	1,9	2,2
Industries	6,4	9,6
Bâtiment et T.P.	24,8	9,5
Commerce	13,6	9,4
Transports	7,4	4,5
Banque, assurances	3,1	4,9
Administration et autres services	35,8	17,1

INDUSTRIE**

Production : 2 240 millions de $/an
Production moyenne par actif : 46 000 $/an
Évolution de la valeur ajoutée industrielle :
    + 7,4 %/an par habitant
Consommation manufacturière : 4 991 $/an par
habitant
Exportations : 31,4 % de la production
Importations/production : 2,241
Couverture de la consommation par la produc-
tion : 23,4 %

HYDROCARBURES

Pétrole :
    Production (1988) : 1,73 million de barils/J
    Réserves prouvées (1988) : 96,2 milliards de
    barils
    Consommation (1987) : 5,1 millions t/an
Gaz :
    Production (1987) : 23,8 milliards de m³
    Consommation (1987) : 7 millions de tonnes
    équivalent pétrole
Consommation prévisionnelle d'énergie (millions
de tonnes équivalent pétrole) :
    1995 : 12,4 - 2000 : 15,7

Exportations (1988) : 7 352 millions de $
    dont 8 % de produits raffinés
    vers l'O.C.D.E. : 43,5 Mt, dont Japon : 74 %,
    Amérique du Nord : 13 %, C.E.E. : 12 %
Rente pétrolière par habitant : 4 900 $

COMMERCE ET COMMUNICATIONS

Commerce international : moyenne annuelle
    des années 80 (millions de $ 1985) par
    provenance/destination

Total	Autre pays arabe	C.E.E.	U.R.S.S. Europe de l'Est	États-Unis	Japon
Importations					
6 576	640	2 387	70	849	1 258
Exportations					
10 000	400	1 360	—	400	3 480

Vols internationaux de Dubaï :
    405 destinations/semaine, dont 98 arabes

ÉTAT

Budget de l'État** : 35 % du P.N.B.
Aide Publique versée : 415 millions de $
    Allocation : Défense : 45 %
    - Enseignement : 9 % - Santé : 7 %

* Dernière année disponible
** Moyenne annuelle des années 80

IRAK

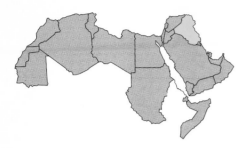

POPULATION

Population en 1990 (millions): 18,7
Projection en 2000: 25,4, en 2025: 43,5
Densité: 41,8 habitants/km²
Jeunes (moins de 15 ans): 46,9 %
Taux d'accroissement 1985-1990 (p. 1 000):
    Tous âges: 33,7 - Moins de 15 ans: 32,3
Taille moyenne des ménages: 7,8 personnes

SANTÉ

Espérance de vie à la naissance 1985-1990:
    Hommes: 62,3 ans - Femmes: 65,5 ans
    Deux sexes: 63,9 ans (1950: 44 ans)
Mortalité infantile (p. 1 000):
    1985-1990: 60 (1950: 165)
Mortalité juvénile en 1985-1990 (p. 1 000):
    Garçons: 17,9 - Filles: 17,7
Naissances suivies par personnel médical: 50 %
Femmes enceintes vaccinées contre le tétanos:
    53 %
Médecins pour 100 000 habitants: 55
Infirmiers pour 100 000 habitants: 58
Ménages disposant d'eau potable: 56 %
Ration calorique moyenne: 2 891
Grossesses suivies en consultation: 44 %

ÉDUCATION

Population d'âge scolaire (6-17 ans) en milliers:
    en 1990: 6 233 - en 2000: 7 924
Proportion d'analphabètes (15 ans et plus):
    Hommes: 21,4 % - Femmes: 64,6 %
Scolarisation primaire:
    Taux à 6-11 ans: 100 %
    88 filles pour 100 garçons
Scolarisation secondaire:
    Taux à 12-17 ans: 53 %
    55 filles pour 100 garçons
Taux de scolarisation supérieure: 10 %
Effectif total d'étudiants (1989): 165 000
Étudiants irakiens à l'étranger*: 7 400
    Principalement en Grande-Bretagne
    Pays arabes: 8,3 %

FEMMES ET MARIAGE

Nombre moyen d'enfants par femme (I.S.F.):
    en 1985-1990: 6,7 - en 1950-1955: 7,2
Âge moyen au premier mariage:
    Hommes: 25,7 ans - Femmes: 21,4 ans
Polygames pour 1 000 hommes mariés: 75
Divorces pour 1 000 mariages: 104
Activité féminine (15 ans et plus): 18,6 %
Participation au secteur tertiaire: 6,2 %
45 femmes alphabétisées pour 100 hommes
Députés femmes (juin 1990): 10,4 %

ETHNIES ET RELIGION

Arabes: 72 % - Kurdes: 22 % - Turkmènes et
autres: 6 %
Musulmans: chiites, autres musulmans, yézidi-
tes: 51 % - sunnites: 46 % - chrétiens (tous rites):
3 %
Pèlerinage à La Mecque:

	Effectif	Taux p. 1 000 adultes/an
1967-1971	108 200	45
1972-1976	131 700	47
1977-1981	300 000	90
1982-1986	117 000	29

URBANISATION

Population urbaine:	Effectif	%
En 1950	1 819 000	35
En 1989	13 177 000	72
Prévision 2000	20 366 000	83

Citadins résidant à Bagdad: 31 %

MIGRATIONS

Plus d'un million d'étrangers (1985), dont 90 %
    d'Arabes dont 27 000 Palestiniens

ÉCONOMIE

P.I.B. (1988): 45 milliards de $
    Par habitant: 2 500 $

Branches d'activité**	Population %	P.I.B. %
Agriculture, élevage	27,7	15,4
Mines, extraction	1,4	21,1
Électricité, gaz, eau	0,8	1,4
Industries	9,0	9,1
Bâtiment et T.P.	12,1	7,2
Commerce	7,7	10,0
Transports	6,0	5,9
Banque, assurances	1,2	5,2
Administration et autres services	34,1	24,7

AGRICULTURE

Valeur ajoutée évolution par hab. (1984-86/1974-
76): 0,87
Superficie totale: 435 000 km²
    Dont terres arables: 54 000 km²
    Dont irriguées: 32 %
        Gain de 720 000 ha entre 1969 et 1989
Diminution de la proportion de paysans entre
1965 et 1985: − 26 %
Densité agricole: 0,69 personne/ha
Tracteurs pour 1 000 cultivateurs: 22
Importations de céréales (milliers de t 1986):
    3 338

INDUSTRIE**

Production: 3 949 millions de $/an
Production moyenne par actif: 8 585 $/an
Évolution de la valeur ajoutée industrielle:
    − 4,9 %/an par habitant
Consommation manufacturière: 486 $/an par
habitant
Importations/production: 1,086
Couverture de la consommation par la produc-
tion: 47 %

HYDROCARBURES

Pétrole:
    Production (1988): 2,6 millions de barils/J
    Réserves prouvées (1988): 100 milliards de
    barils
    Consommation (1987): 14,7 millions t/an
Gaz:
    Production (1987): 10,3 milliards de m³
    Consommation (1987): 1,2 million de ton-
    nes équivalent pétrole
Consommation prévisionnelle d'énergie (millions
de tonnes équivalent pétrole):
    1995: 28,4 - 2000: 36,6
Exportations (1988): 10 952 millions de $
    dont 7 % de produits raffinés
    vers l'O.C.D.E.: 71,4 Mt, dont C.E.E.:
    46 %, Amérique du Nord: 24 %, Japon:
    12 %
Rente pétrolière par habitant: 608 $

COMMERCE ET COMMUNICATIONS

Commerce international: moyenne annuelle
des années 80 (millions de $ 1985) par
provenance/destination

Total	Autre pays arabe	C.E.E.	U.R.S.S. Europe de l'Est	États-Unis	Japon
			Importations		
7 286	291	2 091	469	405	1 132

Routes:
    tous revêtements: 30 217 km
    asphaltées: 23 047 km
Chemins de fer: 2 029 km
Vols internationaux de Bagdad:
    134 destinations/semaine, dont 43 arabes

ÉTAT

Ressources de l'État: 59 % du P.N.B.
    Défense: 50 % du budget de l'administration
    centrale
Dette extérieure (millions de $ 1988): 75 000

* Dernière année disponible
** Moyenne annuelle des années 80

128

JORDANIE

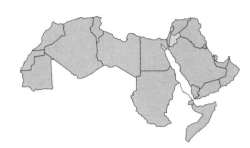

POPULATION

Population en 1990 (millions): 3,0
Projection en 2000: 4,5, en 2025: 9,5
Densité: 42 habitants/km²
Jeunes (moins de 15 ans): 48,2 %
Taux d'accroissement 1985-1990 (p. 1 000):
    Tous âges: 40,7 - Moins de 15 ans: 35,8
Taille moyenne des ménages: 6,9 personnes

SANTÉ

Espérance de vie à la naissance 1985-1990:
    Hommes: 67,3 ans - Femmes: 70,5 ans
    Deux sexes: 68,9 ans (1950: 43,2 ans)
Mortalité infantile (p. 1 000):
    1985-1990: 42 (1950: 160)
Mortalité juvénile en 1985-1990 (p. 1 000):
    Garçons: 12,0 - Filles: 13,3
Naissances suivies par personnel médical: 75 %
Femmes enceintes vaccinées contre le tétanos:
    28 %
Médecins pour 100 000 habitants: 144
Infirmiers pour 100 000 habitants: 99
Ménages disposant d'eau potable: 89 %
Ration calorique moyenne: 2 968
Grossesses suivies en consultation: 58 %

ÉDUCATION

Population d'âge scolaire (6-17 ans) en milliers:
    en 1990: 872 - en 2000: 1 607
Proportion d'analphabètes (15 ans et plus):
    Hommes: 16,9 % - Femmes: 36,9 %
Scolarisation primaire:
    Taux à 6-11 ans: 99 %
    100 filles pour 100 garçons
Scolarisation secondaire:
    Taux à 12-17 ans: 79 %
    100 filles pour 100 garçons
Taux de scolarisation supérieur: 37 %
Effectif total d'étudiants (1989): 75 000
Étudiants étrangers en Jordanie*: 985
Étudiants jordaniens à l'étranger*: 24 500
    dont pays arabes: 47,3 %

FEMMES ET MARIAGE

Nombre moyen d'enfants par femme (I.S.F.):
    en 1985-1990: 7,1 - en 1950-1955: 7,2
Pratique de la contraception: 37,3 %
Âge moyen au premier mariage:
    Hommes: 26,4 ans - Femmes: 21,7 ans
Déjà mariés à 15-19 ans:
    Hommes: 1,8 % - Femmes: 22,8 %
Polygames pour 1 000 hommes mariés: 38
Divorces pour 1 000 mariages: 198
Activité féminine (15 ans et plus): 8,8 %
Participation au secteur tertiaire: 16,2 %
76 femmes alphabétisées pour 100 hommes
Députés femmes (juin 1990): 0 %

ETHNIES ET RELIGION

Arabes: 98,5 % - Circassiens: 1,3 %
Musulmans sunnites: 96 % - chrétiens (tous
rites): 4 %
Pèlerinage à La Mecque:

	Effectif	Taux p. 1 000 adultes/an
1967-1971	43 100	74
1972-1976	95 000	146
1977-1981	139 000	201
1982-1986	89 200	103

URBANISATION

Population urbaine:	Effectif	%
En 1950	429 000	35
En 1989	2 000 000	66
Prévision 2000	3 100 000	69

Citadins résidant à Amman: 47 %

MIGRATIONS

110 000 étrangers (1985), dont 80 000 Arabes
500 000 expatriés, dont 96 % en pays arabe
Principaux pays de destination: Arabie Saoudite,
Koweït
Population active expatriée: 39 % des actifs jor-
daniens
Population active immigrée: 25 % des actifs rési-
dents
Remises d'épargne des émigrés: 846 millions de $
(1985)

ÉCONOMIE

P.I.B. (1988): 4,4 milliards de $
    Par habitant: 1 560 $

Branches d'activité**	Population %	P.I.B. %
Agriculture, élevage	6,2	7,5
Mines, extraction	1,1	3,4
Électricité, gaz, eau	0,6	3,4
Industries	6,0	12,5
Bâtiment et T.P.	10,7	8,7
Commerce	10,5	17,5
Transports	8,6	10,3
Banque, assurances	3,3	11,5
Administration et autres services	53,0	25,2

AGRICULTURE

Valeur ajoutée (1987): 375 millions de $
    Évolution par hab. (1984-86/1974-76): 1,48
Superficie totale des terres arables: 4 000 km²
    Dont irriguées: 10 %
        Gain de 28 000 ha entre 1969 et 1989
Diminution de la proportion de paysans entre
1965 et 1985: − 31 %
Densité agricole: 0,5 personne/ha
Tracteurs pour 1 000 cultivateurs: 27
Revenu moyen (1986): 1 500 dollars/an
Aide alimentaire (1000 tonnes 1985-1986): 46
Importations de céréales (1 000 t 1986): 728

INDUSTRIE**

Production: 434 millions de $/an
Production moyenne par actif: 7 200 $/an
Évolution de la valeur ajoutée industrielle:
    + 1,1 %/an par habitant

Consommation manufacturière: 277 $/an par
habitant
Exportations: 18 % de la production
Importations/production: 1,6
Couverture de la consommation par la produc-
tion: 34,4 %

HYDROCARBURES

Consommation (1987): 2,9 millions t/an
Consommation prévisionnelle d'énergie (millions
de tonnes équivalent pétrole):
    1995: 3,6 - 2000: 5,0

COMMERCE ET COMMUNICATIONS

Commerce international: moyenne annuelle
des années 80 (millions de $ 1985) par
provenance/destination

Total	Autre pays arabe	C.E.E.	U.R.S.S. Europe de l'Est	États-Unis	Japon
		Importations			
2 727	720	760	155	325	172
		Exportations			
650	334	29	49	—	15

Vols internationaux d'Amman:
    226 destinations/semaine, dont 125 arabes

ÉTAT

Ressources de l'État**: 26 % du P.N.B.
Origine des ressources**:
    Impôts, cotisation, taxes extérieures: 26 %
    Taxes sur transactions internationales: 34 %
    Recettes non fiscales et autres: 48 %
Aide Publique reçue**: 812 millions de $
Dette extérieure (millions de $ 1988): 8 100
    Service de la dette: en % du P.N.B.: 11,1
    en % des exportations biens et services: 21,8
Budget de l'administration centrale:
    48 % du P.N.B.
    Allocation: Défense: 28 %
    - Enseignement: 12 % - Santé: 4 %

* Dernière année disponible
** Moyenne annuelle des années 80

KOWEÏT

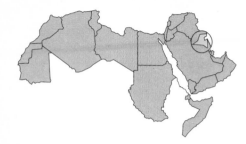

POPULATION

Population en 1990 (millions): 2,2
Projection en 2000: 3,0, en 2025: 4,8
Densité: 122,2 habitants/km^2
Jeunes (moins de 15 ans): 40 %
Taux d'accroissement 1985-1990 (p. 1 000):
    Tous âges: 42,4 - Moins de 15 ans: 47,6
Taille moyenne des ménages: 9,0 personnes

SANTÉ

Espérance de vie à la naissance 1985-1990:
    Hommes: 73,1 ans - Femmes: 77,5 ans
    Deux sexes: 75,3 ans (1950: 56 ans)
Mortalité infantile (p. 1 000):
    1985-1990: 16
Mortalité juvénile en 1985-1990 (p. 1 000):
    Garçons: 2,3 - Filles: 1,7
Naissances suivies par personnel médical: 99 %
Médecins pour 100 000 habitants: 151
Infirmiers pour 100 000 habitants: 475
Ménages disposant d'eau potable: 89 %
Ration calorique moyenne: 3 102
Grossesses suivies en consultation: 99 %

ÉDUCATION

Population d'âge scolaire (6-17 ans) en milliers:
    en 1990: 621 - en 2000: 862
Proportion d'analphabètes (15 ans et plus):
    Hommes: 17,8 % - Femmes: 42,4 %
Scolarisation primaire:
    Taux à 6-11 ans: 100 %
    98 filles pour 100 garçons
Scolarisation secondaire:
    Taux à 12-17 ans: 83 %
    93 filles pour 100 garçons
Taux de scolarisation supérieure: 16 %
Effectif total d'étudiants (1989): 25 000
Étudiants étrangers au Koweït*: 5 600
Étudiants koweïtiens à l'étranger*: 4 400
    Principalement aux États-Unis
    Pays arabes: 5,2 %

FEMMES ET MARIAGE

Nombre moyen d'enfants par femme (I.S.F.):
    en 1985-1990: 6,5 - en 1950-1955: 7,0
Âge moyen au premier mariage:
    Hommes: 26,6 ans - Femmes: 21,8 ans
Déjà mariés à 15-19 ans:
    Hommes: 2,0 % - Femmes: 20,2 %
Polygames pour 1 000 hommes mariés: 70
Divorces pour 1 000 mariages: 295
Activité féminine autochtone (15 ans et plus):
    15,1 %
Participation au secteur tertiaire: 34,2 %
70 femmes alphabétisées pour 100 hommes

ETHNIES ET RELIGION

Arabes: 100 % des nationaux
Musulmans sunnites: 79 % - chiites: 21 %
Pèlerinage à La Mecque:

	Effectif	Taux p. 1 000 adultes/an
1967-1971	37 600	320
1972-1976	32 800	228
1977-1981	27 300	155
1982-1986	42 300	198

URBANISATION

Population urbaine:	Effectif	%
En 1950	90 000	59
En 1989	2 000 000	94
Prévision 2000	3 000 000	94

Citadins résidant à Kuwait City-Hawali: 74 %

MIGRATIONS

800 000 étrangers (1985), dont 72 % Arabes
Population active immigrée: 66 % des actifs
Transferts d'épargne des immigrés: 1 100 millions
de $ (1987)

ÉCONOMIE

P.I.B. (1988): 20 milliards de $
    Par habitant: 10 000 $

Branches d'activité**	Population %	P.I.B. %
Agriculture, élevage	1,9	0,7
Mines, extraction	1,1	45,7
Électricité, gaz, eau	1,1	—
Industries	7,5	7,3
Bâtiment et T.P.	18,3	3,7
Commerce	11,3	8,4
Transports	5,5	4,6
Banque, assurances	3,1	4,5
Administration et autres services	50,2	25,1

INDUSTRIE**

Production: 3 949 millions de $/an
Production moyenne par actif: 62 000 $/an
Évolution de la valeur ajoutée industrielle:
    − 2,3 %/an par habitant
Consommation manufacturière: 6 168 $/an par
habitant
Exportations: 27,2 % de la production
Importations/production: 2,22
Couverture de la consommation par la produc-
tion: 24,7 %

HYDROCARBURES

Pétrole:
    Production (1988): 1,66 million de barils/J
    Réserves prouvées (1988): 97,1 milliards de
    barils
    Consommation (1987): 5 millions t/an
Gaz:
    Production (1987): 7 milliards de m^3
    Consommation (1987): 4 millions de tonnes
équivalent pétrole
Consommation prévisionnelle d'énergie (millions
de tonnes équivalent pétrole):
    1995: 15,4 - 2000: 21,5

Exportations (1988): 6 295 millions de $
    dont 50 % de produits raffinés
    vers l'O.C.D.E.: 33,3 Mt, dont C.E.E.:
    40 %, Japon: 42 %, Amérique du Nord:
    14 %
Rente pétrolière par habitant: 3 000 $

COMMERCE ET COMMUNICATIONS

Commerce international: moyenne annuelle
des années 80 (millions de $ 1985) par
provenance/destination

Total	Autre pays arabe	C.E.E.	U.R.S.S. Europe de l'Est	États-Unis	Japon
Importations					
6 898	357	2 309	111	651	1 643
Exportations					
12 272	1 161	2 959	30	314	2 024

Vols internationaux de Kuwait City:
    306 destinations/semaine, dont 180 arabes

ÉTAT

Ressources de l'État**: 76 % du P.N.B.
Origine des ressources**:
    Taxes sur transactions internationales: 1,3 %
    Recettes non fiscales: 98,7 %
Budget de l'administration centrale:
    52 % du P.N.B.
    Évolution 1981-1988 ($ courants): − 11 %
    Allocation: Défense: 13 %
    - Enseignement: 11 % - Santé: 6 %

* Dernière année disponible
** Moyenne annuelle des années 80

130

LIBAN

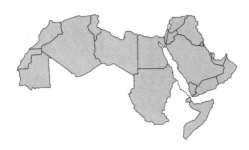

POPULATION

Population en 1990 (millions): 3
Densité: 279 habitants/km²
Jeunes (moins de 15 ans): 40 %
Taux d'accroissement 1985-1990 (p. 1 000):
    Tous âges: 21,5 - Moins de 15 ans: − 2,3
Taille moyenne des ménages: 4,9 personnes

SANTÉ

Espérance de vie à la naissance 1985-1990:
    Hommes: 71 ans - Femmes: 76 ans
    Deux sexes: 74 ans (1950: 56 ans)
Mortalité infantile (p. 1 000):
    1985-1990: 35 (1950: 87)
Mortalité juvénile en 1985-1990 (p. 1 000):
    Garçons: 7,8 - Filles: 6,0
Médecins pour 100 000 habitants: 150
Ménages disposant d'eau potable***: 90 %
Ration calorique moyenne: 3 046
Grossesses suivies en consultation***: 85 %

ÉDUCATION

Population d'âge scolaire (6-17 ans) en milliers:
    en 1990: 793 - en 2000: 941
Proportion d'analphabètes (15 ans et plus):
    Hommes: 10,5 % - Femmes: 18,5 %
Scolarisation primaire:
    Taux à 6-11 ans: 100 %
    91 filles pour 100 garçons
Scolarisation secondaire:
    Taux à 12-17 ans: 62 %
    100 filles pour 100 garçons
Taux de scolarisation supérieure: 29 %
Effectif total d'étudiants (1989): 90 000
Étudiants étrangers au Liban*: 29 500
(essentiellement Palestiniens et Syriens)
Étudiants libanais à l'étranger*: 14 225
    Principaux pays: États-Unis, France

FEMMES ET MARIAGE

Nombre moyen d'enfants par femme (I.S.F.):
    en 1985-1990: 3,4 - en 1950-1955: 5,7
Âge moyen au premier mariage:
    Hommes: 28,5 ans - Femmes: 23,2 ans
Polygames pour 1 000 hommes mariés: 37
Divorces pour 1 000 mariages: 80
Activité féminine (15 ans et plus): 16,4 %
Participation au secteur tertiaire: 33 %
91 femmes alphabétisées pour 100 hommes
Députés femmes (juin 1990): 0 %

ETHNIES ET RELIGION***

Arabes: 98 %
Musulmans: sunnites: 22 % - chiites: 25 % - druzes: 8 % - chrétiens (tous rites): 45 %
Pèlerinage à La Mecque:

	Effectif	Taux p. 1 000 adultes/an****
1967-1971	24 675	118
1972-1976	20 567	84
1977-1981	40 270	167
1982-1986	26 147	104

URBANISATION

Population urbaine:	Effectif	%
En 1950	407 000	30
En 1989	2 369 000	82

Citadins résidant à Beyrouth: 65 %

MIGRATIONS

600 000 étrangers (1985)
    dont 565 000 Palestiniens
700 000 expatriés
Population active expatriée: 20 % des actifs

ÉCONOMIE**

Branches d'activité	Population %	P.I.B. %
Agriculture, élevage	19,1	8,4
Mines, extraction	0,1	0,1
Électricité, gaz, eau	1,0	5,4
Industries	17,8	13,1
Bâtiment et T.P.	6,2	3,4
Commerce, tourisme	16,5	28,2
Transports	7,0	7,7
Banque, assurances	3,5	3,6
Administration et autres services	28,8	30,1

AGRICULTURE

Valeur ajoutée (1975): 136 millions de $
    Évolution par hab. (1984-86/1974-76): 1,63
Superficie totale: 10 400 km²
    Dont terres arables: 3 000 km²
    Dont irriguées: 29 %
        Gain de 36 000 ha entre 1969 et 1989
Diminution de la proportion de paysans entre 1965 et 1985: − 17 %
Densité agricole: 1,07 personne/ha
Tracteurs pour 1 000 cultivateurs: 60
Aide alimentaire (1000 tonnes 1985-1986): 36
Importations de céréales (1 000 t 1986): 518

INDUSTRIE**

Production: 196 millions de $/an
Production moyenne par actif: 1 225 $/an
Évolution de la valeur ajoutée industrielle:
    − 12,7 %/an par habitant
Consommation manufacturière: 343 $/an par habitant
Exportations: 75 % de la production
Importations/production: 4,5
Couverture de la consommation par la production: 5,2 %

COMMERCE ET COMMUNICATIONS

Commerce international: moyenne annuelle des années 80 (millions de $ 1985) par provenance/destination

Total	Autre pays arabe	C.E.E.	U.R.S.S. Europe de l'Est	États-Unis	Japon
		Importations			
2 752	179	1 439	83	255	159
		Exportations			
717	638	33	4	—	—

Routes:
    tous revêtements: 6 880 km
Chemins de fer: 200 km

* Dernière année disponible
** Moyenne annuelle des années 80
*** Avant 1975
**** Musulmans

131

LIBYE

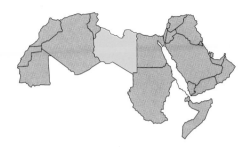

POPULATION

Population en 1990 (millions): 4,3
Projection en 2000: 6,5, en 2025: 12,8
Densité: 2,4 habitants/km²
Jeunes (moins de 15 ans): 46,4 %
Taux d'accroissement 1985-1990 (p. 1 000): 37,3
Taille moyenne des ménages: 5,8 personnes

SANTÉ

Espérance de vie à la naissance 1985-1990:
    Hommes: 59,1 ans - Femmes: 62,5 ans
    Deux sexes: 60,8 ans (1950: 42,9 ans)
Mortalité infantile (p. 1 000):
    1985-1990: 82 (1955: 185)
Naissances suivies par personnel médical: 76 %
Femmes enceintes vaccinées contre le tétanos:
    12 %
Médecins pour 100 000 habitants: 132
Infirmiers pour 100 000 habitants: 153
Ménages disposant d'eau potable: 98 %
Ration calorique moyenne: 3 585

ÉDUCATION

Population d'âge scolaire (6-17 ans) en milliers:
    en 1990: 1 389 - en 2000: 1 932
Proportion d'analphabètes (15 ans et plus):
    Hommes: 38,7 % - Femmes: 85,2 %
Scolarisation secondaire:
    Taux à 12-17 ans: 67 %
Taux de scolarisation supérieure: 11 %
Effectif total d'étudiants (1989): 35 000
Étudiants libyens à l'étranger*: 2 557
    dont pays arabes: 9,2 %
    Premier pays: États-Unis

FEMMES ET MARIAGE

Nombre moyen d'enfants par femme (I.S.F.):
    en 1985-1990: 7,2 - en 1950-1955: 6,9
Polygames pour 1 000 hommes mariés: 33
Divorces pour 1 000 mariages: 294

ETHNIES ET RELIGION

Arabes: 92,2 % - Berbères 5,4 %
Musulmans sunnites: 98 %
Pèlerinage à La Mecque:

	Effectif	Taux p. 1 000 adultes/an
1967-1971	68 116	152
1972-1976	193 926	358
1977-1981	172 576	264
1982-1986	95 500	120

URBANISATION

Population urbaine:	Effectif	%
En 1950	191 000	19
En 1989	2 827 000	67
Prévision 2000	3 405 000	72

Citadins résidant à Tripoli: 52 %

MIGRATIONS

500 000 étrangers (1985), dont 92 % Arabes
    dont 25 000 Palestiniens
Population active immigrée: 51 % des actifs
Transferts d'épargne des immigrés: 755 millions
de $ (1985)

ÉCONOMIE

P.I.B. (1988): 21 milliards de $
    Par habitant: 5 250 $

Branches d'activité**	Population %	P.I.B. %
Agriculture, élevage	19,6	3,9
Mines, extraction	2,8	37,9
Électricité, gaz, eau	2,6	1,3
Industries	7,8	5,3
Bâtiment et T.P.	24,0	11,7
Commerce	5,7	6,5
Transports	9,6	5,3
Banque, assurances	1,3	6,8
Administration et autres services	26,5	21,3

AGRICULTURE

Évolution de la valeur ajoutée par hab. (1984-86/1974-76): 0,94
Superficie totale: 1,7 million km²
    Dont terres arables: 21 000 km²
    Dont irriguées: 11 %
      Gain de 102 000 ha entre 1969 et 1989
Diminution de la proportion de paysans entre
1965 et 1985: − 27 %
Densité agricole: 0,24 personne/ha
Tracteurs pour 1 000 cultivateurs: 277
Revenu moyen (1986): 1 126 dollars/an
Importations de céréales (1 000 t 1986): 612

INDUSTRIE**

Production: 1 452 millions de $/an
Évolution de la valeur ajoutée industrielle:
    + 5,8 %/an par habitant
Consommation manufacturière: 3 176 $/an par
habitant
Exportations: 7,4 % de la production
Importations/production: 7,4
Couverture de la consommation par la production: 11,3 %

HYDROCARBURES

Pétrole:
    Production (1988): 1,055 million de barils/J
    Réserves prouvées (1988): 22 milliards de
    barils
    Consommation (1987): 5 millions t/an
Gaz:
    Production (1987): 8,3 milliards de m³
    Consommation (1987): 3,7 millions de tonnes
    équivalent pétrole
Consommation prévisionnelle d'énergie (millions
de tonnes équivalent pétrole):
    1995: 12,1 - 2000: 14,8
Exportations (1988): 5 169 millions de $
    dont 14 % de produits raffinés
    vers l'O.C.D.E.: 48,5 Mt, dont C.E.E.:
    92 %
Rente pétrolière par habitant: 1 260 $

COMMERCE ET COMMUNICATIONS

Commerce international: moyenne annuelle
des années 80 (millions de $ 1985) par
provenance/destination

Total	Autre pays arabe	C.E.E.	U.R.S.S. Europe de l'Est	États-Unis	Japon
Importations					
5 250	60	3 334	16	221	268
Exportations					
10 153	50	5 351	—	2 782	400

Vols internationaux de Tripoli:
    154 destinations/semaine, dont 38 arabes

* Dernière année disponible
** Moyenne annuelle des années 80

MAROC

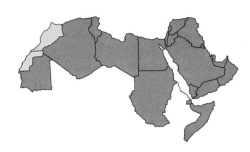

POPULATION

Population en 1990 (millions) : 24,7
Projection en 2000 : 31,4, en 2025 : 44,4
Densité : 34,6 habitants/km²
Jeunes (moins de 15 ans) : 41 %
Taux d'accroissement 1985-1990 (p. 1 000) :
    Tous âges : 23,3 - Moins de 15 ans : 11,9
Taille moyenne des ménages : 5,9 personnes

SANTÉ

Espérance de vie à la naissance 1985-1990 :
    Hommes : 59,1 ans - Femmes : 62,5 ans
    Deux sexes : 60,8 ans (1955 : 43 ans)
Mortalité infantile (p. 1 000) :
    1985-1990 : 73 (1950 : 180)
Mortalité juvénile en 1985-1990 (p. 1 000) :
    Garçons : 31,1 - Filles : 31,3
Femmes enceintes vaccinées contre le tétanos :
    33 %
Médecins pour 100 000 habitants : 21
Infirmiers pour 100 000 habitants : 95
Ménages disposant d'eau potable : 35 %
Ration calorique moyenne : 2 729
Grossesses suivies en consultation : 29 %

ÉDUCATION

Population d'âge scolaire (6-17 ans) en milliers :
    en 1990 : 7 159 - en 2000 : 7 870
Proportion d'analphabètes (15 ans et plus) :
    Hommes : 51 % - Femmes : 78 %
Scolarisation primaire :
    Taux à 6-11 ans : 80 %
    64 filles pour 100 garçons
Scolarisation secondaire :
    Taux à 12-17 ans : 31 %
    68 filles pour 100 garçons
Taux de scolarisation supérieure : 8 %
Effectif total d'étudiants (1989) : 160 000
Étudiants étrangers au Maroc* : 1 834
Étudiants marocains à l'étranger* : 31 464
    dont France : 78 %, pays arabes : 3 %

FEMMES ET MARIAGE

Nombre moyen d'enfants par femme (I.S.F.) :
    en 1985-1990 : 4,6 - en 1950-1955 : 7,2
Pratique de la contraception : 36 %
Âge moyen au premier mariage :
    Hommes : 26,1 ans - Femmes : 21,6 ans
Déjà mariés à 15-19 ans :
    Hommes : 2,3 % - Femmes : 12,3 %
Polygames pour 1 000 hommes mariés : 66
Divorces pour 1 000 mariages : 257
Activité féminine (15 ans et plus) : 17 %
Participation au secteur tertiaire : 27 %
45 femmes alphabétisées pour 100 hommes
Députés femmes (juin 1990) : 0 %

ETHNIES ET RELIGION

Arabes : 66 % - Berbères 33 %
Musulmans sunnites : 98 %
Pèlerinage à La Mecque :

	Effectif	Taux p. 1 000 adultes/an
1967-1971	53 873	15
1972-1976	90 269	21
1977-1981	116 000	23
1982-1986	108 400	18

URBANISATION

Population urbaine :	Effectif	%
En 1950	2 345 000	26,0
En 1989	10 224 000	42,6
Prévision 2000	19 704 000	55,0

Citadins résidant à Casablanca : 26 %

MIGRATIONS

62 000 étrangers (1985), dont 10 000 Arabes
940 000 expatriés
Principal pays de destination : France
Population active expatriée : 7,6 % des actifs
Remises d'épargne des émigrés : 1 587 millions de
$ (1987)

ÉCONOMIE

P.I.B. (1988) : 18,9 milliards de $
    Par habitant : 815 $

Branches d'activité**	Population %	P.I.B. %
Agriculture, élevage	43,1	21,2
Mines, extraction	1,2	5,0
Électricité, gaz, eau	0,4	1,4
Industries	17,1	17,2
Bâtiment et T.P.	8,0	6,7
Commerce et Tourisme	9,1	13,1
Transports	2,6	5,8
Banque, assurances		6,0
Administration et autres services	18,5	23,6

AGRICULTURE

Valeur ajoutée (1987) : 3 110 millions de $
    Évolution par hab. (1984-86/1974-76) : 0,99
Superficie totale : 713 000 km²
    Dont terres arables : 84 000 km²
    Dont irriguées : 6,2 %
    Gain de 320 000 ha entre 1969 et 1989
Diminution de la proportion de paysans entre
1965 et 1985 : − 22 %
Densité agricole : 1,04 personne/ha
Tracteurs pour 1 000 cultivateurs : 8
Revenu moyen (1986) : 333 dollars/an
Aide alimentaire (1000 tonnes 1985-1986) : 142
Importations de céréales (1 000 t 1986) : 1 610

INDUSTRIE**

Production : 2 199 millions de $/an
Production moyenne par actif : 1 643 $/an
Évolution de la valeur ajoutée industrielle :
    − 1,7 %/an par habitant
Consommation manufacturière : 143 $/an par
habitant

Informel : 56,9 % de l'emploi manufacturier
Exportations : 52,7 % de la production
Importations/production : 0,975
Couverture de la consommation par la production : 32,7 %

COMMERCE ET COMMUNICATIONS

Commerce international : moyenne annuelle
des années 80 (millions de $ 1985) par
provenance/destination

Total	Autre pays arabe	C.E.E.	U.R.S.S. Europe de l'Est	États-Unis	Japon
		Importations			
3 800	380	2 010	105	430	65
		Exportations			
2 640	160	1 537	190	34	134

Routes :
    tous revêtements : 60 000 km
    asphaltées : 26 830 km
Chemins de fer : 1 768 km
Vols internationaux de Casablanca :
    186 destinations/semaine, dont 43 arabes

ÉTAT

Ressources de l'État** : 26 % du P.N.B.
Origine des ressources** :
    Impôts, cotisation, taxes intérieures : 62 %
    Taxes sur transactions internationales : 16 %
    Recettes non fiscales et autres : 22 %
Aide Publique reçue** : 660 millions de $
Dette extérieure (millions de $ 1988) : 19 500
    Service de la dette : en % du P.N.B. : 8,2
    en % des exportations biens et services : 30,8
Budget de l'administration centrale :
    31 % du P.N.B.
    Évolution 1981-1988 ($ courants) : − 10 %
    Allocation : Défense : 16 %
    - Enseignement : 17 % - Santé : 3 %

* Dernière année disponible
** Moyenne annuelle des années 80

MAURITANIE

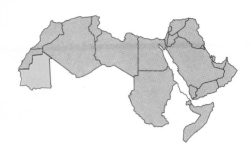

POPULATION

Population en 1990 (millions) : 2,2
Projection en 2000 : 2,7, en 2025 : 5,0
Densité : 2 habitants/km²
Jeunes (moins de 15 ans) : 46,4 %
Taux d'accroissement 1985-1990 (p. 1 000) :
  Tous âges : 31,3 - Moins de 15 ans : 32,6
Taille moyenne des ménages : 5,5 personnes

SANTÉ

Espérance de vie à la naissance 1985-1990 :
  Hommes : 44,4 ans - Femmes : 47,6 ans
  Deux sexes : 46,0 ans (1950 : 33,5 ans)
Mortalité infantile (p. 1 000) :
  1985-1990 : 127
Naissances suivies par personnel médical : 23 %
Médecins pour 100 000 habitants : 8
Infirmiers pour 100 000 habitants : 67
Ménages disposant d'eau potable : 16 %
Ration calorique moyenne : 2 071
Grossesses suivies en consultation : 58 %

ÉDUCATION

Population d'âge scolaire (6-17 ans) en milliers :
  en 1990 : 700 - en 2000 : 981
Proportion d'analphabètes (15 ans et plus) :
  Hommes : 72,6 % - Femmes : 90,1 %
Scolarisation primaire :
  Taux à 6-11 ans : 37 %
  64 filles pour 100 garçons
Scolarisation secondaire :
  Taux à 12-17 ans : 12 %
  32 filles pour 100 garçons
Taux de scolarisation supérieure : 3 %
Effectif total d'étudiants (1989) : 5 000
Étudiants mauritaniens à l'étranger* : 1 500
  dont U.R.S.S. : 18 %

FEMMES ET MARIAGE

Nombre moyen d'enfants par femme (I.S.F.) :
  en 1985-1990 : 6,9 - en 1950-1955 : 6,7
Pratique de la contraception : 1,6 %
Âge moyen au premier mariage :
  Hommes : 27,7 ans - Femmes : 18,8 ans
Déjà mariés à 15-19 ans :
  Hommes : 1 % - Femmes : 39 %
Polygames pour 1 000 hommes mariés : 60
Divorces pour 1 000 mariages : 453

ETHNIES ET RELIGION

Arabes (essentiellement Maures) : 62 % - Berbères : 20 % - Toucouleurs : 8 % - Foulanis : 5 % - Soninkés et divers : 5 %
Musulmans sunnites : 99 %
Pèlerinage à La Mecque :

	Effectif	Taux p. 1 000 adultes/an
1967-1971	2 700	8
1972-1976	4 400	12
1977-1981	5 200	12
1982-1986	6 300	13

URBANISATION

Population urbaine :	Effectif	%
En 1950	7 000	1
En 1989	890 000	42
Prévision 2000	1 440 000	54

Citadins résidant à Nouakchott : 45 %

MIGRATIONS

15 000 étrangers (1985)
50 000 expatriés, dont 1 000 en pays arabe
Principal pays de destination : Sénégal
Population active expatriée : 5 % des actifs
Remises d'épargne des émigrés : 2 millions de $ (1987)

ÉCONOMIE

P.I.B. (1987) : 840 millions de $
  Par habitant : 420 $

Branches d'activité**	Population %	P.I.B. %
Agriculture, élevage	71,1	28,4
Industries, mines, extraction	4,4	17,1
Électricité, gaz, eau	1,9	0,9
Bâtiment et T.P.	2,6	6,8
Commerce, tourisme	8,2	13,2
Transports	1,3	10,0
Banque, assurances	6,1	5,3
Administration et autres services	4,4	18,3

AGRICULTURE

Valeur ajoutée (1987) : 310 millions de $
  Évolution par hab. (1984-86/1974-76) : 0,81
Superficie totale : 1,03 million de km²
  Dont terres arables : 2 000 km²
  Dont irriguées : 4 %
Diminution de la proportion de paysans entre 1965 et 1985 : − 30 %
Densité agricole : 5,57 personnes/ha
Tracteurs pour 1 000 cultivateurs : 1
Revenu moyen (1986) : 193 dollars/an
Aide alimentaire (1000 tonnes 1985-1986) : 137
Importations de céréales (1 000 t 1986) : 209

INDUSTRIE**

Production : 36 millions de $/an
Évolution de la valeur ajoutée industrielle :
  − 5,2 %/an par habitant
Consommation manufacturière : 50 $/an par habitant

COMMERCE ET COMMUNICATIONS

Commerce international : moyenne annuelle des années 80 (millions de $ 1985) par provenance/destination

Total	Autre pays arabe	C.E.E.	U.R.S.S. Europe de l'Est	États-Unis	Japon
		Importations			
221	10	64	—	—	—
		Exportations			
349	—	76	—	—	—

Routes :
  tous revêtements : 7 300 km
  asphaltées : 782 km
Chemins de fer : 650 km
Vols internationaux de Nouakchott :
  20 destinations/semaine, dont 4 arabes

ÉTAT

Ressources de l'État** : 21 % du P.N.B.
Aide Publique reçue** : 190 millions de $
Dette extérieure (millions de $ 1988) : 2 000
  Service de la dette : en % du P.N.B. : 10
  en % des exportations biens et services : 18,2
Budget de l'administration centrale* :
  Évolution 1981-1988 ($ courants) : − 40 %
  Allocation : Défense : 29 %
  - Enseignement : 10 % - Santé : 3 %

* Dernière année disponible
** Moyenne annuelle des années 80

OMAN

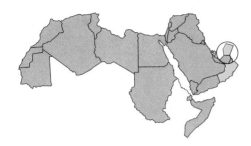

POPULATION

Population en 1990 (millions) : 1,5
Projection en 2000 : 2,1, en 2025 : 4,3
Densité : 4,6 habitants/km²
Jeunes (moins de 15 ans) : 44,3 %
Taux d'accroissement 1985-1990 (p. 1 000) :
    Tous âges : 32,4 - Moins de 15 ans : 42,3

SANTÉ

Espérance de vie à la naissance 1985-1990 :
    Hommes : 59,3 ans - Femmes : 62,8 ans
    Deux sexes : 61,1 ans (1950 : 34,7 ans)
Mortalité infantile (p. 1 000) : 1985-1990 : 100
Naissances suivies par personnel médical : 60 %
Femmes enceintes vaccinées contre le tétanos :
    70 %
Médecins pour 100 000 habitants : 93
Infirmiers pour 100 000 habitants : 260
Ménages disposant d'eau potable : 53 %
Grossesses suivies en consultation : 79 %

ÉDUCATION

Population d'âge scolaire (6-17 ans) en milliers :
    en 1990 : 438 - en 2000 : 609
Scolarisation primaire :
    Taux à 6-11 ans : 89 %
    77 filles pour 100 garçons
Scolarisation secondaire :
    Taux à 12-17 ans : 32 %
    47 filles pour 100 garçons
Taux de scolarisation supérieur : 1 %
Effectif total d'étudiants (1989) : 600
Étudiants omanais à l'étranger* : 2 480
    dont pays arabes : 68 %
    Principalement Égypte

FEMMES ET MARIAGE

Nombre moyen d'enfants par femme (I.S.F.) :
    en 1985-1990 : 7,1 - en 1950-1955 : 7,0
Âge moyen au premier mariage :
    Hommes : 21,4 ans - Femmes : 16,4 ans
Déjà mariés à 15-19 ans :
    Hommes : 15,7 % - Femmes : 72,7 %
Polygames pour 1 000 hommes mariés : 89
Divorces pour 1 000 mariages : 300
Activité féminine (15 ans et plus) : 11,6 %

ETHNIES ET RELIGION

Arabes : 99 % des nationaux
Musulmans sunnites : 40 % - ibâdites : 60 %
Pèlerinage à La Mecque :

	Effectif	Taux p. 1 000 adultes/an
1967-1971	9 900	68
1972-1976	17 500	99
1977-1981	25 600	119
1982-1986	53 800	205

URBANISATION

Population urbaine :	Effectif	%
En 1950	9 000	2
En 1989	150 000	10
Prévision 2000	240 000	12

MIGRATIONS

200 000 étrangers (1985), dont 18 000 Arabes
Provenance principale : Asie
Population active immigrée : 42 % des actifs
Transferts d'épargne des immigrés : 906 millions
de $

ÉCONOMIE

P.I.B. (1988) : 6,4 milliards de $
    Par habitant : 4 920 $

Branches d'activité**	Population %	P.I.B. %
Agriculture, élevage	23,2	3,1
Mines, extraction	2,1	44,7
Électricité, gaz, eau	0,1	1,1
Industries	1,1	3,4
Bâtiment et T.P.	27,5	7,4
Commerce	26,4	12,8
Transports	1,4	3,0
Banque, assurances	1,7	8,9
Administration et autres services	16,5	15,6

INDUSTRIE**

Production : 368 millions de $/an
Évolution de la valeur ajoutée industrielle :
    + 41 %/an par habitant
Consommation manufacturière : 1 841 $/an par
habitant
Exportations : 13 % de la production
Importations/production : 7,8
Couverture de la consommation par la production : 1,8 %

HYDROCARBURES

Pétrole :
    Production (1988) : 0,6 million de barils/J
    Réserves prouvées (1988) : 4,1 milliards de
    barils
    Consommation (1987) : 1,3 million t/an
Gaz :
    Production (1987) : 4,6 milliards de m³
    Consommation (1987) : 1,1 million de tonnes
    équivalent pétrole
Consommation prévisionnelle d'énergie (millions
de tonnes équivalent pétrole) :
    1995 : 2,9 - 2000 : 4,2

Exportations (1987) : 3 500 millions de $
    dont 8 % de produits raffinés
Rente pétrolière par habitant : 2 500 $

COMMERCE ET COMMUNICATIONS

Commerce international : moyenne annuelle
des années 80 (millions de $ 1985) par
provenance/destination

Total	Autre pays arabe	C.E.E.	U.R.S.S. Europe de l'Est	États-Unis	Japon
Importations					
3 156	571	1 158	—	185	636
Exportations					
4 977	275	32	—	41	2 438

Routes :
    tous revêtements : 21 964 km
    asphaltées : 3 684 km
Vols internationaux de Mascate :
    231 destinations/semaine, dont 115 arabes

ÉTAT

Ressources de l'État** : 37 % du P.N.B.
Origine des ressources** :
    Impôts, cotisation, taxes intérieures : 19,8 %
    Taxes sur transactions internationales : 5,8 %
    Recettes non fiscales et autres : 74,4 %
Aide Publique reçue** : 118 millions de $
Budget de l'administration centrale :
    46 % du P.N.B.
    Évolution 1981-1988 ($ courants) : + 28 %
    Allocation : Défense : 47 %
    - Enseignement : 8 % - Santé : 4 %

* Dernière année disponible
** Moyenne annuelle des années 80

QATAR

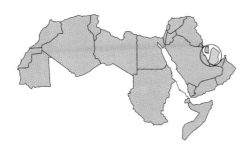

POPULATION

Population en 1990 (millions): 0,4
Projection en 2000: 0,6, en 2025: 0,9
Densité: 36,3 habitants/km²
Jeunes (moins de 15 ans): 34,5 %
Taux d'accroissement 1985-1990 (p. 1 000):
    Tous âges: 55,9 - Moins de 15 ans: 72
Taille moyenne des ménages: 6,4 personnes

SANTÉ

Espérance de vie à la naissance 1985-1990:
    Hommes: 67,5 ans - Femmes: 70,3 ans
    Deux sexes: 68,9 ans (1950: 47 ans)
Mortalité infantile (p. 1 000):
    1985-1990: 21 (1950: 180)
Mortalité juvénile en 1985-1990 (p. 1 000):
    Garçons: 7,0 - Filles: 5,9
Médecins pour 100 000 habitants: 198
Infirmiers pour 100 000 habitants: 513
Ménages disposant d'eau potable: 95 %

ÉDUCATION

Population d'âge scolaire (6-17 ans) en milliers:
    en 1990: 100 - en 2000: 158
Proportion d'analphabètes (15 ans et plus):
    Hommes: 39,4 % - Femmes: 53,9 %
Scolarisation primaire:
    Taux à 6-11 ans: 100 %
    100 filles pour 100 garçons
Scolarisation secondaire:
    Taux à 12-17 ans: 71 %
    125 filles pour 100 garçons
Taux de scolarisation supérieure: 18 %
Effectif total d'étudiants (1989): 6 000
Étudiants étrangers à Qatar*: 1 320
Étudiants qataris à l'étranger*: 1 050
    dont pays arabes: 26 %
    Principale destination: États-Unis

FEMMES ET MARIAGE

Nombre moyen d'enfants par femme (I.S.F.):
    en 1985-1990: 6,8 - en 1950-1955: 7,0
Activité féminine (15 ans et plus): 7,6 %
Participation au secteur tertiaire: 19 %
76 femmes alphabétisées pour 100 hommes

ETHNIES ET RELIGION

Arabes: 99 % des nationaux
Musulmans sunnites: 90 % - chiites: 10 %
Pèlerinage à La Mecque:

	Effectif	Taux p. 1 000 adultes/an
1967-1971	7 439	425
1972-1976	5 439	259
1977-1981	5 255	206
1982-1986	5 629	185

URBANISATION

Population urbaine:	Effectif	%
En 1950	30 000	64
En 1989	340 000	88
Prévision 2000	518 000	91

Citadins résidant à Doha: 100 %

MIGRATIONS

167 000 étrangers (1985), dont 64 000 Arabes
Population active immigrée: 86 % des actifs

ÉCONOMIE

P.I.B. (1988): 4,7 milliards de $
    Par habitant: 11 750 $

Branches d'activité**	Population %	P.I.B. %
Agriculture, élevage	0,1	1,0
Mines, extraction	3,3	39,9
Électricité, gaz, eau	4,6	0,8
Industries	13,9	8,1
Bâtiment et T.P.	18,1	6,0
Commerce	15,5	5,8
Transports	3,1	2,1
Banque, assurances	3,9	3,1
Administration et autres services	37,5	33,2

INDUSTRIE**

Production: 489 millions de $/an
Production moyenne par actif: 24 000 $/an
Évolution de la valeur ajoutée industrielle:
    + 2,5 %/an par habitant
Consommation manufacturière: 3 600 $/an par
habitant

HYDROCARBURES

Pétrole:
    Production (1988): 360 000 barils/J
    Réserves prouvées (1988): 3,2 milliards de
    barils
    Consommation (1987): 0,6 million t/an
Gaz:
    Production (1987): 6,4 milliards de m³
    Consommation (1987): 4,2 millions de tonnes
    équivalent pétrole
Consommation prévisionnelle d'énergie (millions
de tonnes équivalent pétrole):
    1995: 5,8 - 2000: 8,0
Exportations (1988): 1 709 millions de $
    dont 9 % de produits raffinés
    vers l'O.C.D.E.: 9,3 Mt, dont Japon: 94 %
Rente pétrolière par habitant: 4 270 $

COMMERCE ET COMMUNICATIONS

Commerce international: moyenne annuelle
des années 80 (millions de $ 1985) par
provenance/destination

Total	Autre pays arabe	C.E.E.	U.R.S.S. Europe de l'Est	États-Unis	Japon
Importations					
1 139	83	505	9	74	207
Exportations					
3 100	50	1 339	—	6	1 032

Vols internationaux de Doha:
    199 destinations/semaine, dont 150 arabes

* Dernière année disponible
** Moyenne annuelle des années 80

SOMALIE

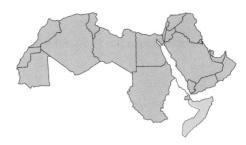

POPULATION

Population en 1990 (millions) : 7,6***
Projection en 2000 : 9,8, en 2025 : 18,9
Densité : 11,9 habitants/km²
Jeunes (moins de 15 ans) : 41,8 %
Taux d'accroissement 1985-1990 (p. 1 000) :
  Tous âges : 21,3 - Moins de 15 ans : 27,7

SANTÉ

Espérance de vie à la naissance 1985-1990 :
  Hommes : 43,4 ans - Femmes : 46,6 ans
  Deux sexes : 45,0 ans (1950 : 33 ans)
Mortalité infantile (p. 1 000) :
  1985-1990 : 132 (1950 : 190)
Naissances suivies par personnel médical : 2 %
Femmes enceintes vaccinées contre le tétanos :
  6 %
Médecins pour 100 000 habitants : 6
Infirmiers pour 100 000 habitants : 63
Ménages disposant d'eau potable : 34 %
Ration calorique moyenne : 2 074
Grossesses suivies en consultation : 2 %

ÉDUCATION

Population d'âge scolaire (6-17 ans) en milliers :
  en 1990 : 2 378 - en 2000 : 3 026
Proportion d'analphabètes (15 ans et plus) :
  Hommes : 89,4 % - Femmes : 97,3 %
Scolarisation primaire :
  Taux à 6-11 ans : 20 %
  50 filles pour 100 garçons
Scolarisation secondaire :
  Taux à 12-17 ans : 12 %
  37 filles pour 100 garçons
Taux de scolarisation supérieure : 1 %
Effectif total d'étudiants (1989) : 3 300
Étudiants somaliens à l'étranger* : 1 680
  Pays arabes : 24,5 %

CONDITION DES FEMMES

Nombre moyen d'enfants par femme (I.S.F.) :
  en 1985-1990 : 6,6 - en 1950-1955 : 6,2
Participation au secteur non agricole : 20 %
25 femmes alphabétisées pour 100 hommes
Députés femmes (juin 1990) : 4 %

ETHNIES ET RELIGION

Somalis : 96 % - Bantous et Sud-Asiatiques : 3 % -
Arabes : 1 %
Musulmans sunnites : 99 %
Pèlerinage à La Mecque :

	Effectif	Taux p. 1 000 adultes/an
1967-1971	6 300	8
1972-1976	15 200	18
1977-1981	32 400	26
1982-1986	23 000	16

URBANISATION

Population urbaine :	Effectif	%
En 1950	308 000	13
En 1989	2 748 000	36
Prévision 2000	4 350 000	44

Citadins résidant à Mogadiscio : 26 %

ÉCONOMIE

P.I.B. (1987) : 1,89 milliard de $
  Par habitant : 270 $

Branches d'activité**	P.I.B. %
Agriculture, élevage	35,6
Mines, extraction	5,0
Électricité, gaz, eau	1,9
Industries	8,1
Bâtiment et T.P.	5,6
Commerce	7,5
Transports	8,3
Banque, assurances	6,8
Administration et autres services	21,2

AGRICULTURE

Valeur ajoutée (1987) : 1 224 millions de $
  Évolution par hab. (1984-86/1974-76) : 0,71
Superficie totale : 638 000 km²
  Dont terres arables : 11 000 km²
  Dont irriguées : 15,5 %
Diminution de la proportion de paysans entre
1965 et 1985 : − 8 %
Densité agricole : 3,1 personnes/ha
Tracteurs pour 1 000 cultivateurs : 1
Aide alimentaire (1000 tonnes 1985-1986) : 126
Importations de céréales (1 000 t 1986) : 274

INDUSTRIE**

Production : 79 millions de $/an
Évolution de la valeur ajoutée industrielle :
  − 1,6 %/an par habitant
Consommation manufacturière : 47 $/an par
habitant
Exportations : 3,1 % de la production
Importations/production : 1,83
Couverture de la consommation par la production : 34,7 %

COMMERCE ET COMMUNICATIONS

Commerce international : moyenne annuelle
des années 80 (millions de $ 1985) par
provenance/destination

Total	Autre pays arabe	C.E.E.	U.R.S.S. Europe de l'Est	États-Unis	Japon
		Importations			
107	21	53	—	6	—
		Exportations			
6	5	—	—	—	—

Routes :
  tous revêtements : 21 297 km
  asphaltées : 5 988 km

ÉTAT

Ressources de l'État* : 17 % du P.N.B.
Origine des ressources* :
  Impôts, cotisation, taxes intérieures : 35 %
  Taxes sur transactions internationales : 45 %
  Recettes non fiscales et autres : 14 %
Aide Publique reçue** : 405 millions de $
Dette extérieure (millions de $ 1987) : 2 534
  Service de la dette : en % du P.N.B. : 1
  en % des exportations biens et services :
  8,3 %
Budget de l'administration centrale* :
  26 % du P.N.B.
  Évolution 1981-1988 ($ courants) : − 71 %
  Allocation : Défense : 25 %
  - Enseignement : 8 % - Santé : 3 %

* Dernière année disponible
** Moyenne annuelle des années 80
*** Estimation des Nations unies ne tenant pas
compte du nombre important de Somaliens réfugiés dans les pays voisins

SOUDAN

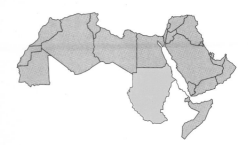

POPULATION

Population en 1990 (millions) : 24,9
Projection en 2000 : 33,6, en 2025 : 59,6
Densité : 10 habitants/km²
Jeunes (moins de 15 ans) : 45,1 %
Taux d'accroissement 1985-1990 (p. 1 000) :
    Tous âges : 29,3 - Moins de 15 ans : 29,3
Taille moyenne des ménages : 5,3 personnes

SANTÉ

Espérance de vie à la naissance 1985-1990 :
    Hommes : 48,6 ans - Femmes : 51,0 ans
    Deux sexes : 49,8 ans (1950 : 37 ans)
Mortalité infantile (p. 1 000) :
    1985-1990 : 108 (1950 : 185)
Naissances suivies par personnel médical : 20 %
Femmes enceintes vaccinées contre le tétanos :
    12 %
Médecins pour 100 000 habitants : 10
Infirmiers pour 100 000 habitants : 62
Ménages disposant d'eau potable : 40 %
Ration calorique moyenne : 2 168
Grossesses suivies en consultation : 40 %

ÉDUCATION

Population d'âge scolaire (6-17 ans) en milliers :
    en 1990 : 7 864 - en 2000 : 10 356
Proportion d'analphabètes (15 ans et plus) :
    Hommes : 55,5 % - Femmes : 82,1 %
Scolarisation primaire :
    Taux à 6-11 ans : 49 %
    72 filles pour 100 garçons
Scolarisation secondaire :
    Taux à 12-17 ans : 19 %
    70 filles pour 100 garçons
Taux de scolarisation supérieur : 2 %
Effectif total d'étudiants (1989) : 46 000
Étudiants soudanais à l'étranger* : 11 260
    dont Égypte : 72 %, autres pays arabes :
    12 %

FEMMES ET MARIAGE

Nombre moyen d'enfants par femme (I.S.F.) :
    en 1985-1990 : 6,6 - en 1950-1955 : 6,7
Pratique de la contraception : 6,4 %
Âge moyen au premier mariage :
    Hommes : 27,5 ans - Femmes : 21,3 ans
Déjà mariés à 15-19 ans :
    Hommes : 1,4 % - Femmes : 21,8 %
Polygames pour 1 000 hommes mariés : 168
Divorces pour 1 000 mariages : 174
Activité féminine (15 ans et plus) : 16 %
Participation au secteur tertiaire : 10 %
40 femmes alphabétisées pour 100 hommes

ETHNIES ET RELIGION

Groupes ethniques : voir répartition p. 36
Musulmans sunnites : 72 %, animistes : 24 %,
chrétiens : 4 %
Pèlerinage à La Mecque :

	Effectif	Taux p. 1 000 adultes/an
1967-1971	95 000	10
1972-1976	139 500	33
1977-1981	102 700	21
1982-1986	168 900	30

URBANISATION

Population urbaine :	Effectif	%
En 1950	572 000	6
En 1989	5 155 000	21
Prévision 2000	16 555 000	42

Citadins résidant à Khartoum-Omdurman : 44 %

MIGRATIONS***

250 000 expatriés, dont 230 000 en pays arabe
Principal pays de destination : Arabie Saoudite
Population active expatriée : 3,5 % des actifs
Remises d'épargne des émigrés : 250 millions de $
(1985)

ÉCONOMIE

P.I.B. (1987) : 8,2 milliards de $
    Par habitant : 335 $

Branches d'activité**	Population %	P.I.B. %
Agriculture, élevage	78,0	29,1
Mines, extraction		0,1
Électricité, gaz, eau		2,4
Industries	10,0	9,4
Bâtiment et T.P.		4,7
Commerce		24,1
Transports		10,2
Banque, assurances	12,0	7,1
Administration et autres services		12,9

AGRICULTURE

Valeur ajoutée (1987) : 3 044 millions de $
    Évolution par hab. (1984-86/1974-76) : 0,85
Superficie totale : 2,5 millions de km²
    Dont terres arables : 125 000 km²
    Dont irriguées : 14 %
        Gain de 898 000 ha entre 1969 et 1989
Diminution de la proportion de paysans entre
1965 et 1985 : − 4 %
Densité agricole : 1,2 personne/ha
Tracteurs pour 1 000 cultivateurs : 2
Revenu moyen (1986) : 150 dollars/an
Aide alimentaire (1 000 tonnes 1985-1986) : 904
Importations de céréales (1 000 t 1986) : 636

INDUSTRIE**

Production : 561 millions de $/an
Évolution de la valeur ajoutée industrielle :
    − 2,4 %/an par habitant
Consommation manufacturière : 68 $/an par
habitant
Exportations : 5 % de la production
Importations/production : 1,76
Couverture de la consommation par la produc-
tion : 35,2 %

COMMERCE ET COMMUNICATIONS

Commerce international : moyenne annuelle
des années 80 (millions de $ 1985) par
provenance/destination

Total	Autre pays arabe	C.E.E.	U.R.S.S. Europe de l'Est	États-Unis	Japon
			Importations		
879	176	337	0	80	28
			Exportations		
447	235	113	24	4	24

Routes :
    tous revêtements : 9 580 km
    asphaltées : 3 120 km
Chemins de fer : 4 750 km
Vols internationaux de Khartoum :
    107 destinations/semaine, dont 72 arabes

ÉTAT

Ressources de l'État** : 10 % du P.N.B.
Aide Publique reçue** : 800 millions de $
Dette extérieure (millions de $ 1988) : 13 800
Budget de l'administration centrale*
    Évolution 1981-1988 ($ courants) : − 13 %
    Allocation : Défense : 15 %
    - Enseignement : 9 % - Santé : 5 %

* Dernière année disponible
** Moyenne annuelle des années 80
*** Non compris les réfugiés du Sud-Soudan

SYRIE

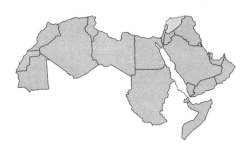

POPULATION

Population en 1990 (millions) : 12,6
Projection en 2000 : 17,8, en 2025 : 31,7
Densité : 68 habitants/km²
Jeunes (moins de 15 ans) : 48,3 %
Taux d'accroissement 1985-1990 (p. 1 000) :
    Tous âges : 37,6 - Moins de 15 ans : 38,5
Taille moyenne des ménages : 5,1 personnes

SANTÉ

Espérance de vie à la naissance 1985-1990 :
    Hommes : 64,2 ans - Femmes : 66,2 ans
    · Deux sexes : 65,2 ans (1950 : 46 ans)
Mortalité infantile (p. 1 000) :
    1985-1990 : 54 (1950 : 160)
Mortalité juvénile en 1985-1990 (p. 1 000) :
    Garçons : 20,2 - Filles : 20,5
Naissances suivies par personnel médical : 37 %
Femmes enceintes vaccinées contre le tétanos :
    6 %
Médecins pour 100 000 habitants : 77
Infirmiers pour 100 000 habitants : 112
Ménages disposant d'eau potable : 71 %
Ration calorique moyenne : 3 235
Grossesses suivies en consultation : 21 %

ÉDUCATION

Population d'âge scolaire (6-17 ans) en milliers :
    en 1990 : 4 243 - en 2000 : 6 061
Proportion d'analphabètes (15 ans et plus) :
    Hommes : 47,8 % - Femmes : 68,9 %
Scolarisation primaire :
    Taux à 6-11 ans : 100 %
    85 filles pour 100 garçons
Scolarisation secondaire :
    Taux à 12-17 ans : 59 %
    67 filles pour 100 garçons
Taux de scolarisation supérieur : 16 %
Effectif total d'étudiants (1989) : 200 000
Étudiants syriens à l'étranger* : 13 700
    dont Liban : 40 %, autres pays arabes : 8 %

FEMMES ET MARIAGE

Nombre moyen d'enfants par femme (I.S.F.) :
    en 1985-1990 : 7,4 - en 1950-1955 : 7,2
Pratique de la contraception : 30 %
Âge moyen au premier mariage :
    Hommes : 26,4 ans - Femmes : 22,1 ans
Déjà mariés à 15-19 ans :
    Hommes : 2,3 % - Femmes : 22,8 %
Polygames pour 1 000 hommes mariés : 19
Divorces pour 1 000 mariages : 70
Activité féminine (15 ans et plus) : 12 %
Participation au secteur tertiaire : 15 %
60 femmes alphabétisées pour 100 hommes
Députés femmes (juin 1990) : 9,2 %

ETHNIES ET RELIGION

Arabes : 89 % - Kurdes : 8 % - autres : 3 %
Répartition confessionnelle : voir carte p. 29
Pèlerinage à La Mecque :

	Effectif	Taux p. 1 000 adultes/an
1967-1971	124 400	83
1972-1976	135 300	76
1977-1981	229 000	106
1982-1986	119 000	46

URBANISATION

Population urbaine :	Effectif	%
En 1950	1 071 000	31
En 1989	6 173 000	51
Prévision 2000	10 105 000	64

Citadins résidant à Damas : 24 %

MIGRATIONS

350 000 étrangers (1985), dont 336 000 Arabes
    dont 260 000 Palestiniens
350 000 expatriés, dont 300 000 en pays arabe
Principal pays de destination : Arabie Saoudite
Population active expatriée : 11 % des actifs
Remises d'épargne des émigrés : 293 millions de $
(1985)

ÉCONOMIE

P.I.B. (1988) : 18,1 milliards de $
    Par habitant : 1 500 $

Branches d'activité**	Population %	P.I.B. %
Agriculture, élevage	30,0	22,7
Mines, extraction		
Électricité, gaz, eau	14,6	12,9
Industries		
Bâtiment et T.P.	15,3	6,7
Commerce, Tourisme	10,4	21,7
Transports	6,3	10,2
Banque, assurances	0,9	5,9
Administration et autres services	22,5	19,9

AGRICULTURE

Valeur ajoutée (1987) : 6 528 millions de $
    Évolution par hab. (1984-86/1974-76) : 1,15
Superficie totale : 185 000 km²
    Dont terres arables : 56 000 km²
    Dont irriguées : 11 %
Diminution de la proportion de paysans entre
1965 et 1985 : − 28 %
Densité agricole : 0,5 personne/ha
Tracteurs pour 1 000 cultivateurs : 31
Revenu moyen (1986) : 930 dollars/an
Aide alimentaire (1 000 tonnes 1985-1986) : 30
Importations de céréales (1 000 t 1986) : 942

INDUSTRIE**

Production : 2 529 millions de $/an
Production moyenne par actif : 5 000 $/an
Évolution de la valeur ajoutée industrielle :
    + 11,4 %/an par habitant
Consommation manufacturière : 267 $/an par
habitant
Exportations : 12 % de la production
Importations/production : 0,3

Couverture de la consommation par la production : 75 %

HYDROCARBURES

Pétrole :
    Production (1988) : 232 000 barils/J
    Réserves prouvées (1988) : 1,7 milliard de
    barils
    Consommation (1987) : 7,8 millions t/an
Gaz :
    Production (1987) : 2,7 milliards de m³
    Consommation (1987) : 0,1 million de tonnes
    équivalent pétrole
Consommation prévisionnelle d'énergie (millions
de tonnes équivalent pétrole) :
    1995 : 11 - 2000 : 14
Exportations (1988) : 600 millions de $

COMMERCE ET COMMUNICATIONS

Commerce international : moyenne annuelle
des années 80 (millions de $ 1985) par
provenance/destination

Total	Autre pays arabe	C.E.E.	U.R.S.S. Europe de l'Est	États-Unis	Japon
Importations					
3 967	437	1 184	531	244	140
Exportations					
1 718	168	702	736	—	2

Routes :
    tous revêtements : 28 960 km
    asphaltées : 26 760 km
Chemins de fer : 2 013 km
Vols internationaux de Damas :
    156 destinations/semaine, dont 74 arabes

ÉTAT

Ressources de l'État** : 25 % du P.N.B.
Aide Publique reçue** : 1,07 milliard de $
Dette extérieure (millions de $ 1988)*** : 4 900
    Service de la dette : en % du P.N.B. : 1,5
    en % des exportations biens et services : 16,5
Budget de l'administration centrale :
    44 % du P.N.B.
    Évolution 1981-1988 ($ courants) : − 46 %
    Allocation : Défense : 55 %
    - Enseignement : 11 % - Santé : 1 %

---

* Dernière année disponible
** Moyenne annuelle des années 80
*** Non compris la dette à l'U.R.S.S. estimée à
15 milliards de $

139

TUNISIE

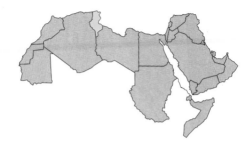

POPULATION

Population en 1990 (millions): 7,9
Projection en 2000: 9,4, en 2025: 12,9
Densité: 48 habitants/km²
Jeunes (moins de 15 ans): 39,2 %
Taux d'accroissement 1985-1990 (p. 1 000):
    Tous âges: 22,0 - Moins de 15 ans: 9,3
Taille moyenne des ménages: 5,5 personnes

SANTÉ

Espérance de vie à la naissance 1985-1990:
    Hommes: 65,9 ans - Femmes: 68,9 ans
    Deux sexes: 67,4 ans (1950: 44,6 ans)
Mortalité infantile (p. 1 000):
    1985-1990: 45 (1950: 175)
Mortalité juvénile en 1985-1990 (p. 1 000):
    Garçons: 14,7 - Filles: 14,6
Naissances suivies par personnel médical: 60 %
Femmes enceintes vaccinées contre le tétanos:
    27 %
Médecins pour 100 000 habitants: 46
Infirmiers pour 100 000 habitants: 208
Ménages disposant d'eau potable: 58 %
Ration calorique moyenne: 2 796
Grossesses suivies en consultation: 57 %

ÉDUCATION

Population d'âge scolaire (6-17 ans) en milliers:
    en 1990: 2 250 - en 2000: 2 425
Proportion d'analphabètes (15 ans et plus):
    Hommes: 38,9 % - Femmes: 67,7 %
Scolarisation primaire:
    Taux à 6-11 ans: 100 %
    84 filles pour 100 garçons
Scolarisation secondaire:
    Taux à 12-17 ans: 36 %
    72 filles pour 100 garçons
Taux de scolarisation supérieure: 6 %
Effectif total d'étudiants (1989): 50 000
Étudiants étrangers en Tunisie*: 1 400
Étudiants tunisiens à l'étranger*: 10 860
    dont France: 75 %, pays arabes: 8 %

FEMMES ET MARIAGE

Nombre moyen d'enfants par femme (I.S.F.):
    en 1985-1990: 3,9 - en 1950-1955: 6,9
Pratique de la contraception: 49,8 %
Âge moyen au premier mariage:
    Hommes: 28,0 ans - Femmes: 23,9 ans
Déjà mariés à 15-19 ans:
    Hommes: 0,1 % - Femmes: 5,4 %
Polygames pour 1 000 hommes mariés: 0,5***
Divorces pour 1 000 mariages: 148
Activité féminine (15 ans et plus): 21,9 %
Participation au secteur tertiaire: 21,8 %
53 femmes alphabétisées pour 100 hommes
Députés femmes (juin 1990): 4,3 %

ETHNIES ET RELIGION

Arabes: 97 % - Berbères 3 %
Musulmans sunnites: 99 %
Pèlerinage à La Mecque:

	Effectif	Taux p. 1 000 adultes/an
1967-1971	14 900	12
1972-1976	42 600	29
1977-1981	42 900	25
1982-1986	50 200	25

URBANISATION

Population urbaine:	Effectif	%
En 1950	1 103 000	31
En 1989	4 400 000	57
Prévision 2000	7 144 000	66

Citadins résidant à Tunis: 32 %

MIGRATIONS

38 000 étrangers (1985), dont 25 000 Arabes
    dont 2 000 Palestiniens
350 000 expatriés, dont 9 000 en pays arabe
Principal pays de destination: France
Population active expatriée: 9,3 % des actifs
Remises d'épargne des émigrés: 259 millions de $
(1985)

ÉCONOMIE

P.I.B. (1988): 9,4 milliards de $
    Par habitant: 1 250 $

Branches d'activité**	Population %	P.I.B. %
Agriculture, élevage	27,7	17,4
Mines, extraction	2,2	11,9
Électricité, gaz, eau	0,9	1,7
Industries	20,1	14,0
Bâtiment et T.P.	13,8	6,4
Commerce, Tourisme	9,0	16,6
Transports	5,0	6,1
Banque, assurances	1,4	4,5
Administration et autres services	19,9	21,7

AGRICULTURE

Valeur ajoutée (1987): 1 504 millions de $
    Évolution par hab. (1984-86/1974-76): 0,9
Superficie totale: 164 000 km²
    Dont terres arables: 47 000 km²
    Dont irriguées: 4,3 %
        Gain de 89 000 ha entre 1969 et 1989
Diminution de la proportion de paysans entre
1965 et 1985: − 17 %
Densité agricole: 0,5 personne/ha
Tracteurs pour 1 000 cultivateurs: 41
Revenu moyen (1986): 607 dollars/an
Aide alimentaire (1 000 tonnes 1985-1986): 80
Importations de céréales (1 000 t 1986): 1 312

INDUSTRIE**

Production: 1 146 millions de $/an
Production moyenne par actif: 2 165 $/an
Évolution de la valeur ajoutée industrielle:
    + 4,6 %/an par habitant
Consommation manufacturière: 275 $/an par
habitant
Informel: 36 % de l'emploi manufacturier
Exportations: 49 % de la production

Importations/production: 1,2
Couverture de la consommation par la production: 29,4 %

HYDROCARBURES

Pétrole:
    Production (1987): 0,1 million de barils/J
    Réserves prouvées (1988): 1,8 milliard de
    barils
    Consommation (1987): 3 millions t/an
Gaz:
    Production (1987): 0,8 milliard de m³
    Consommation (1987): 0,6 million de tonnes
    équivalent pétrole
Consommation prévisionnelle d'énergie (millions
de tonnes équivalent pétrole):
    1995: 5,4 - 2000: 7,7
Exportations (1987): 500 millions de $

COMMERCE ET COMMUNICATIONS

Commerce international: moyenne annuelle
des années 80 (millions de $ 1985) par
provenance/destination

Total	Autre pays arabe	C.E.E.	U.R.S.S. Europe de l'Est	États-Unis	Japon
Importations					
3 022	260	2 050	128	181	27
Exportations					
2 152	145	1 682	68	38	2

Routes:
    tous revêtements: 18 400 km
    asphaltées: 14 000 km
Chemins de fer: 2 475 km
Vols internationaux de Tunis:
    174 destinations/semaine, dont 48 arabes

ÉTAT

Ressources de l'État**: 34 % du P.N.B.
Origine des ressources**:
    Impôts, cotisation, taxes intérieures: 39 %
    Taxes sur transactions internationales: 29 %
    Recettes non fiscales et autres: 32 %
Aide Publique reçue**: 204 millions de $
Dette extérieure (millions de $ 1988): 7,4
    Service de la dette: en % du P.N.B.: 10,8
    en % des exportations biens et services: 29,4
Budget de l'administration centrale:
    39 % du P.N.B.
    Évolution 1981-1988 ($ courants): + 20 %
    Allocation: Défense: 10 %
    - Enseignement: 15 % - Santé: 7 %

* Dernière année disponible
** Moyenne annuelle des années 80
*** Tous mariés avant l'interdiction de la polygamie en 1956

YÉMEN*

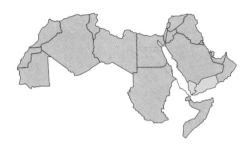

POPULATION

Population en 1990 (millions): 11,5
  Nord: 9,0 - Sud: 2,5
Projection: 2000: 14,3 - 2025: 26,6
Densité: 21,8 habitants/km²
  Nord: 46,2 - Sud: 7,5
Jeunes (moins de 15 ans):
  Nord: 46,9 % - Sud: 45,1 %
Taux d'accroissement 1985-1990 (p. 1 000):
  Tous âges: 30,1 - Moins de 15 ans: 27,2
Taille moyenne des ménages: 6 personnes

SANTÉ

Espérance de vie à la naissance 1985-1990:
  Hommes: 45,5 ans - Femmes: 48,2 ans
  Deux sexes: 46,8 ans (1950: 33 ans)
Mortalité infantile (p. 1 000):
  Nord: 116 - Sud: 120
Naissances suivies par personnel médical: 11 %
Médecins pour 100 000 habitants:
  Nord: 17 - Sud: 22
Infirmiers pour 100 000 habitants:
  Nord: 41 - Sud: 89
Ménages disposant d'eau potable:
  Nord: 20 % - Sud: 44 %
Ration calorique moyenne: 2 260

ÉDUCATION

Population d'âge scolaire (6-17 ans) en milliers:
  en 1990: 3 354 - en 2000: 4 594
Proportion d'analphabètes (15 ans et plus):
  Nord: Hommes: 92,4 % - Femmes: 98,4 %
  Sud: Hommes: 52,3 % - Femmes: 92,1 %
Scolarisation primaire: Les deux provinces:
  Taux à 6-11 ans: 67 %
Scolarisation secondaire:
  Taux à 12-17 ans: Nord: 10 % - Sud: 19 %
  Filles pour 100 garçons: Nord: 18 - Sud: 42
Taux de scolarisation supérieur: 1,3 %
Effectif total d'étudiants (1989):
  Nord: 5 200 - Sud: 4 200
Étudiants yéménites à l'étranger: 4 600
  Principalement en Arabie Saoudite

FEMMES ET MARIAGE

Nombre moyen d'enfants par femme (I.S.F.):
  Nord: 7,0 - Sud: 6,8
Âge moyen au premier mariage (Nord):
  Hommes: 21,8 ans - Femmes: 16,9 ans
Déjà mariés à 15-19 ans:
  Hommes: 15 % - Femmes: 60 %
Polygames pour 1 000 hommes mariés: 52
Divorces pour 1 000 mariages: 253
Activité féminine (15 ans et plus):
  Nord: 8,3 % - Sud: 9,7 %
Femmes alphabétisées pour 100 hommes:
  Nord: 21 - Sud: 17

ETHNIES ET RELIGION

Arabes: 99 % au Nord - 96 % au Sud
Religion: musulmans à 99 %
  Nord: 45 % zaydites - 54 % sunnites
  Sud: 99 % sunnites
Pèlerinage à La Mecque:

	Taux p. 1 000 adultes/an	
	Nord	Sud
1967-1971	182	80
1972-1976	323	50
1977-1981	297	103
1982-1986	192	77

URBANISATION

Population urbaine:	Nord	Sud
En 1950	69 000	170 000
En 1990	1 980 000	1 088 000

MIGRATIONS

700 000 expatriés du Nord et 238 000 du Sud
  dont 96 % en pays arabe
Principal pays de destination: Arabie Saoudite
Population active expatriée:
  26 % des actifs du Nord et 16 % de ceux du
  Sud
Remises d'épargne des émigrés (Les deux provinces): 1 347 millions de $ (1985)

ÉCONOMIE

P.I.B. (1988): Nord: 4,2 milliards de $ - Sud:
  1,3
  Par habitant: Nord: 590 - Sud: 420

Branches d'activité**	Population %		P.I.B. %	
	Nord	Sud	Nord	Sud
Agriculture, élevage	60	46	28	13
Mines, extraction				
Électricité, gaz, eau	5	13	14	9
Industries				
Bâtiment et T.P.	8	7	5	13
Commerce	13	9	15	14
Transports	5	6	10	10
Banque, assurances				
Administration et	9	19	28	41
autres services				

AGRICULTURE

Valeur ajoutée (1987): millions de $
  Nord: 1 192 - Sud: 132
  Évolution par hab. (1984-86/1974-76):
  Nord: 0,90 - Sud: 0,74
Superficie de l'ensemble du territoire:
  528 000 km²
  Dont terres arables: Nord: 28 000 km² - Sud:
  2 000 km²
  Dont irriguées: Nord: 9 % - Sud: 31 %
Accroissement des surfaces irriguées entre 1969 et
1989:
  Nord: 70 000 ha - Sud: 47 000 ha
Diminution de la proportion de paysans entre
1965 et 1985:
  Nord: − 14 % - Sud: − 18 %
Densité agricole: personnes/ha
  Nord: 1,6 - Sud: 3,9
Tracteurs pour 1 000 cultivateurs:
  Nord: 2 - Sud: 4
Revenu moyen (Nord 1986): 160 $/an
Aide alimentaire (1 000 tonnes 1985-1986):
  Nord: 57 - Sud: 7

Importations de céréales (1 000 t 1986):
  Nord: 247 - Sud: 561

INDUSTRIE**

Production: millions de $/an: 785
  Nord: 720 - Sud: 65
Évolution de la valeur ajoutée industrielle en
%/an par hab.:
  Nord: + 11 - Sud: + 6
Consommation manufacturière en $/an par
habitant:
  Nord: 349 - Sud: 150
Importations/production:
  Nord: 2,9 - Sud: 4,2
Couverture de la consommation par la
production:
  Nord: 26 % - Sud: 19 %

COMMERCE ET COMMUNICATIONS

Commerce international: moyenne annuelle
des années 80 (millions de $ 1985)
par provenance/destination
Ensemble des deux provinces

Total	Autre pays arabe	C.E.E.	U.R.S.S. Europe de l'Est	États-Unis	Japon
			Importations		
2 180	277	636	152	10	277
			Exportations		
60	24	7	3	−	12

Routes:
  tous revêtements: 14 286 km
  asphaltées: 4 356 km
Vols internationaux de Sanaa:
  80 destinations/semaine, dont 52 arabes

ÉTAT***

Ressources de l'État**: 22 % du P.N.B.
Origine des ressources**:
  Impôts, cotisation, taxes intérieures: 24 %
  Taxes sur transactions internationales: 43 %
Recettes non fiscales et autres: 33 %
Aide Publique reçue**: 350 millions de $
Évolution du Budget 1981-1988 en $: − 15 %
Allocation: Défense: 22 %
  - Enseignement: 16 % - Santé: 4 %

DETTE EXTÉRIEURE

Encours totaux (millions de $ 1987): 4 700
  Nord: 3 000 - Sud: 1 700
  Service de la dette en %· du P.N.B.:
  Nord: 3,1 - Sud: 7,6
  en % des exportations biens et services:
  Nord: 24,8 - Sud: 38,2

---

* Sauf indication contraire, les statistiques se
rapportent à l'ensemble des deux provinces
** Moyenne annuelle des années 80
*** Uniquement pour l'ancienne République
arabe du Yémen

RÉFÉRENCES DES NOTES IN TEXTE

p. 16 (1) J. Dresch, «Les frontières du Sahara», dans *Problèmes de frontières dans le tiers monde,* Paris, 1982, p. 60.
(2) Certains auteurs en font au départ une affaire «franco-française», un conflit de compétence entre le ministère de l'Intérieur dont relevait Alger et le ministère des Colonies dont relevait Dakar, base de départ de l'infanterie de marine. Voir M. Foucher, *Fronts et frontières*, Fayard, Paris, 1988, p. 128.

p. 17 (3) Les îles Zaffarines sont le seul «territoire de souveraineté» à ne bénéficier d'aucun statut conventionnel. Voir R. Rézette, *Les Enclaves espagnoles au Maroc*, Nouvelles Éditions latines, Paris, 1976.

p. 18 (1) M. Foucher, *Fronts..., op. cit*, p. 147 (*cf.* note 2, p. 16, *supra*).

p. 21 (1) Déclaration du président H. el Assad de Syrie en 1981, citée par M. Foucher, *ibid.*, p. 314.
(2) M. Foucher, *ibid.*, p. 323.

p. 23 (1) N. Benjelloun-Olivier, *La Palestine un enjeu, des stratégies, un destin*, Presses de la fondation nationale des sciences politiques, Paris, 1984.
(3) M. Benvenisti, *The West Bank Data Bank Project. A Survey of Israel's Policies,* American Entreprise Institute for Public Policy Research. Washington, London, 1984.

p. 25 (1) Cité par M. Foucher, *Fronts..., op. cit.*, p. 315 (*cf.* note 2, p. 16, *supra*).

p. 28 (1) M. Rodinson, *Les Arabes*, P.U.F., Paris, 1979, p. 51.

p. 29 (2) Carra de Vaux, *Les Penseurs de l'Islam*, Geuthner, Paris, 1984.
(3) I. Goldziher, *Le Dogme et la loi de l'Islam*, Geuthner, Paris, 1958, p. 44.

p. 30 (4) L. Chabry et A. Chabry, *Politique et minorités au Proche-Orient*, Maisonneuve et Larose, Paris, 1984, p. 114 *sq.*

p. 32 (1) P. Rondot, *Les Chrétiens d'Orient*, Éditions J. Peyronnet et Cie, Paris, p. 36.

p. 33 (2) B. Lewis, *The Jews of Islam*, Princeton University Press, 1984.
(3) A. Chouraqui, *Histoire des juifs en Afrique du Nord*, Hachette, Paris, 1985.
(4) A. Chouraqui, *ibid.*
(5) *Statistical Abstracts of Israel*, vol. 38, Central Bureau of Statistics, Jerusalem, 1988.

p. 34 (1) Mise à jour des travaux de R. V. Weekes:
35 *Muslim Peoples, a World Ethnographic Survey,* Aldwych Press, London, 1984.

p. 35 (2) Plusieurs tentatives de transcription du berbère en alphabet latin sont en cours. Voir S. Chaker, *Texte et linguistique berbères*, Éditions du C.N.R.S., Marseille, 1984.
(3) Mise à jour des travaux de I. C. Vanly, Kendal, A. R. Ghassemlou: *Les Kurdes et le Kurdistan*, ouvrage collectif sous la direction de G. Chaliand, Maspero, Paris, 1978.

p. 36 (4) H. Bell, «Data Bank for Sudanese Languages», in *Direction in Sudanese Linguistics and Folklore*, K.U.P., London, 1975.
(5) Actualisation des données du recensement de 1956, le seul distinguant l'ethnie et la langue.
(6) Cité par B. Lewis, *Le Retour de l'Islam*, Gallimard, Paris, 1984.

p. 38 (1) United Nations, *World Demographic Estimates and Projections, 1950-2025, as assessed in 1984,* Population Studies n° 98, New York, 1988.

p. 38 (2) R. Delval, Centre des hautes études sur l'Afrique et l'Asie modernes, *Carte des musulmans dans le monde*, Brill, Leiden, 1984.

p. 39 (3) J. Beloch, *Die Bevölkerung der Griechisch-romanischen Welt*, repris par M. Reinhard, A. Armengaud et J. Dupâquier, *Histoire générale de la population mondiale*, Montchrestien, Paris 1968, p. 40 *sq.*

p. 40 (1) T. E. Lawrence, *Les Sept Piliers de la sagesse*, Paris, Payot, 1966, p. 40.

p. 43 (1) Ph. Fargues, «Le monde arabe: la citadelle domestique», dans *Histoire de la famille*, t. II, *Le Choc des modernités*, sous la direction de A. Burguière et *alii*, Armand Colin, Paris, 1986, p. 339-371.
(2) S. Gadalla, J. McCarthy et N. Kak, «The Determinants of Fertility in Rural Egypt: a Study of Menufia and Beni Suef Governorates», *Journal of Biosocial Sciences*, vol. 19, Cambridge, 1987.

p. 47 (1) S. Farid, «A Review of the Fertility Situation in the Arab Countries of Western Asia and Northern Africa», in *Fertility Behaviour in the Context of Development, Evidence from the World Fertility Survey,* Population Studies n° 100, United Nations, New York, 1987.

p. 51 (1) Ph. Fargues, «La démographie du mariage arabo-musulman», *Maghreb-Machrek*, n° 116, Fondation nationale des sciences politiques, Paris, 1987, p. 59-73.
(2) F. Adel, *Formation du lien conjugal et nouveaux modèles familiaux en Algérie*, thèse de doctorat d'État, Paris, 1990, p. 101 *sq.*

p. 56 (1) F. Mernissi, *Le Harem politique, le Prophète et les femmes*, Paris, Albin Michel, 1987.
(2) H. Vandevelde «Le Code algérien de la famille», *Maghreb-Machrek*, n° 107, Fondation nationale des sciences politiques, Paris, 1985, p. 52-64.

p. 58 (1) F. Mernissi, *op. cit.* (*cf.* note 1, p. 56, *supra*).
(3) R. Anker et M. Anker, «La main-d'œuvre féminine en Égypte; comment la mesurer?», *Revue internationale du Travail*, n° 128/4, Genève, 1989.
(4) P. D. Lynch et H. Fahmy, *Craftswomen in Kerdessa*, I.L.O., Genève, 1984.
(5) A. Moulay Rchid, *La Condition de la femme au Maroc*, Éditions de la faculté de droit, Rabat, 1985.

p. 61 (1) *A.L.E.S.C.O.'s Committee for the Preparation of an Arab Strategy for Science*, Ligue des États arabes, Tunis, 1988.
(2) A. B. Zahlan, *The Formation and Employment of Arab Engineers*, Institut de recherche sur le monde arabe contemporain, Lyon, 1989.

p. 69 (1) J.-F. Troin, «Casablanca, Algier, Tunis, Die dreil Metropolen des Maghreb», *Geographische Rundschau*, n° 2, Westermann, 1990.

p. 70 (2) J.-M. Miossec, «Villes et citadins», dans J.-F. Troin, *Le Maghreb, hommes et espaces*, Paris, Armand Colin, 1985.

p. 71 (3) P. Bonnenfant, «La capitale saoudienne: Riyadh», dans *La Péninsule arabique d'aujourd'hui*, t. II, Éditions du C.N.R.S., Paris, 1982.

p. 72 (4) *Armature urbaine*, Office national des statistiques, Alger, 1988.

p. 73 (5) M. Lavergne, «Villes et régions au Soudan, ou les difficultés de l'intégration nationale», *Les Cahiers d'Urbama*, n° 1, Tours, 1988.

p. 74 (1) *Prolégomènes*, traduction de M. de Slane, Paris, 1934, p. 311.

p. 77 (1) R. Manners et T. Sagafi Nejad, «Agricultural Development in Syria», in *Agricultural Development in the Middle East,* John Wiley and Sons Ltd, New York, 1985, p. 272.

p. 78 (2) Inventaire établi à partir des travaux de Clanson et *alii* (1971), Grischier (1978) et Beaumont (1981), dont la synthèse est due à J. A. Allan, *Irrigated Agriculture in the Middle East: the Future*, John Wiley and Sons Ltd, New York, 1985.
(3) Secrétariat de la Ligue des États arabes, *taqrïr al-iqtisad al-arabi al-muwahhad*, Tunis, 1986, p. 38-39.
(4) V. Nowshirvani, «Self-Sufficiency or Self-Enrichment in Saudi Agriculture», *The Middle East Reports,* March-April 1987, M.E.R.I.P., Washington.

p. 79 (5) Les expériences menées en Égypte en fournissent un exemple. On a enregistré un doublement des récoltes de blé et de maïs en semant aux dates les plus propices. El Yamani et Abd-Ella dans *Céréales et produits céréaliers en Méditerranée,* C.I.H.E.A.M., Montpellier, 1986, p. 129-133.

p. 80 (1) Volney, *Voyage en Égypte et en Syrie*, (1787) réédition Mouton, Paris, 1959.

p. 81 (2) S. Bedrani, «L'agriculture familiale en Algérie», dans *Céréales..., op. cit.* (*cf.* note 5, p. 79, *supra*).

p. 93 (1) J. Hannoyer et M. Seurat, *État et secteur public industriel en Syrie*, C.E.R.M.O.C./Presses universitaires de Lyon, Beyrouth, 1979.

p. 95 (1) United Nations Economic and Social Commission for Western Asia (E.S.C.W.A.), *Review and Appraisal of Progress made in the Implementation of the International Development Strategy of the Third United Nations Development Decade,* Bagdad, 1989.
(2) C.E.R.M.O.C., *État et perspectives de l'industrie au Liban*, sous la direction de A. Bourgey, Presses universitaires de Lyon, Beyrouth, 1979.
(3) United Nations Economic and Social Commission for Western Asia, «The Manufacturing Sector in the E.S.C.W.A. Region in the 1980's: Strategies, Policies and Performance», *Industrial Development Series* n° 5, Bagdad, 1987.

p. 96 (1) J. Charmes, «Secteur non structuré, politique économique et structuration sociale en Tunisie, 1970-1985», in M. Camau, *Tunisie au présent: une modernité au-dessus de tout soupçon?* Éditions du C.N.R.S., Paris, 1987.

p. 99 (1) J. Mitchell, «Ports and Shipping», dans *The Cambridge Atlas of the Middle East and North Africa*, Cambridge University Press, Cambridge, 1988, p. 115.

p. 100 (1) H. Régnault, «l'Europe, avenir du Maghreb», journal *Le Monde*, 13 fév. 1990.

p. 101 (2) E.S.C.W.A., *op. cit.* (*cf.* note 3, p. 95, *supra*)

p. 103 (1) E. Safa, *L'Émigration libanaise*, Université Saint-Joseph, Beyrouth, 1960.
(2) Y. Courbage et Ph. Fargues, *La Population du Liban*, C.I.C.R.E.D. World Population Year Monographs, Paris, 1974.

p. 105 (1) Ph. Fargues, «Does international migration follow the oil market situation in the Gulf? The Case of Kuwait», Population Bulletin of the E.S.C.W.A. n° 33, United Nations, Bagdad, 1990.

p. 109 (1) M. Chatelus, «Le Monde arabe vingt ans après», *Maghreb-Machrek*, n° 101, Paris, 1983.

p. 110 (2) Banque mondiale, *Rapport sur le développement dans le monde 1988*, Washington, 1989, p. 198.
(3) H. Abou Mrab, «L'endettement des pays arabes», dans *Les Cahiers de l'Orient*, n° 12, Paris, 1988.
(4) Banque mondiale, *Rapport..., op. cit.*, p. 199 (*cf.* note 2, p. 110, *supra*).

p. 112 (1) Journal *Le Monde*, 10 février 1990.

p. 113 (2) A. H. Cordesman. *The Next Arab Decade, Westview/Mansell, Washington, 1988*, p. 280.
(3) R. E. Hunter, *International Spectator*, vol. 4, Rome, 1986.

p. 114 (1) Cité par Saad Eddin Ibrahim, «The Future of Human Rights in the Arab World», dans *The Next Arabe Decade, op. cit.* (*cf.* note 2, p. 113).

p. 120 (1) G. Kossaïfi, «L'enjeu démographique en Palestine», dans *Les Palestiniens de l'intérieur*, sous la direction de C. Mansour, *Revue d'Études palestiniennes*, Paris, 1989, p. 14-40.
(2) M. Benvenisti, *The West Bank, Data Bank Project: 1987 report*, The Jerusalem Post, Jerusalem, 1987.
(3) *Statistical Abstract of Israel* n° 40, 1989, *op. cit.* (*cf.* note 5, p. 33, *supra*).

142

LISTE DES CARTES ET DE LEURS SOURCES

Avertissement: De très nombreux ouvrages et articles ont été consultés pour cet atlas. Seules figurent ici les sources des données numériques des cartes et graphiques.

p. 10 Les premiers fédérateurs.
La conquête arabe.
p. 11 Le temps de l'éclatement.
L'Empire ottoman à son apogée.
p. 15 A la veille de la Première Guerre mondiale.
A la veille de la Seconde Guerre mondiale.
p. 16 Les tracés en Afrique du Nord.
p. 17 Les enclaves espagnoles.
Sahara occidental.
p. 18 Vallée du Nil.
La Somalie.
p. 19 Extrait de l'original de la carte accompagnant les accords Sykes-Picot. (Archives du ministère des Affaires étrangères, Paris).
p. 20 Des accords Sykes-Picot aux frontières actuelles.
Création du Grand-Liban.
p. 21 Frontière irako-iranienne sur le Chatt al-'Arab. G. Blake, J. Dewdney, J. Mitchell, *The Cambridge Atlas of the Middle East and North Africa,* Cambridge University Press, 1988.
p. 22 Revendications de l'organisation sioniste à la conférence de Paix (1919).
Plan de partage de la commission Peel (1937).
Plan de partage de l'O.N.U. (1947).
Territoires occupés et territoires rétrocédés.
A l'ouest du Jourdain.
p. 23 Politique des implantations israéliennes en Cisjordanie depuis 1986.
Schéma directeur de la zone métropolitaine de Jérusalem.
p. 24 L'Arabie d'Ibn Saoud.
Projets de frontières dans le sud de l'Arabie. M. Foucher, *Fronts et frontières,* Fayard, Paris, 1988.
p. 25 Les Émirats arabes unis. G. Blake et *alii, op. cit.* (*supra* p. 21).
Jordanie.
p. 26 (L'ensemble des frontières du monde arabe)
p. 28 Arbre de l'Islam.
p. 29 Les écoles juridiques. P. Balta, *L'État du monde,* La Découverte, Paris, 1986.
Les minorités religieuses. Actualisation des auteurs d'après: R. Delval, *Carte des musulmans dans le monde,* Brill, Leiden, 1984; M. H. Nasser, *Journal of South Asian and Middle East Studies,* 1985; J.-M. Cuoq, *Les Musulmans en Afrique,* Maisonneuve et Larose, Paris, 1985; L. et A. Chabry, *Politique et minorités au Proche-Orient,* Maisonneuve et Larose, Paris, 1984.
p. 30 Participation au pèlerinage (1982-1986). Calcul des auteurs d'après: Kingdom of Saudi Arabia, *Statistical Yearbook,* Ryadh, 1973 à 1988.
Proportion des musulmans non sunnites. Calculs des auteurs d'après les mêmes sources que les minorités religieuses, p. 29.
p. 31 La séparation de Byzance puis de Rome. P. Rondot, *Les Chrétiens d'Orient,* Éditions J. Peyronnet, Paris.
Les rites chrétiens.
p. 32 Proportion de coptes. Recensement de la population, 1986.
L'émigration juive en Israël. Central Bureau of Statistics, «Immigrants to Israel», *Special series* n° 808, Jerusalem, 1987.
p. 33 Liban. Actualisation des données de Y. Courbage et Ph. Fargues, *La Population du Liban,* C.I.C.R.E.D., Beyrouth, 1974.
Fécondité et confessions. Central Bureau of Statistics, *Statistical Abstracts of Israel,* vol. 40, Jerusalem 1989.
Au Liban, à la veille de la guerre civile. J. Chamie, *Religion and Fertility, Arab christian Muslim Differentials,* Cambridge University Press, Cambridge, 1981.
p. 34 Les minorités ethniques. Actualisation par les auteurs de données de R. V. Weekes, *Muslim Peoples, a World Ethnographic Survey,* Aldwych Press, London, 1987.
p. 35 Les Kurdes.
Provinces du Nord-Maroc, migrations vers les villes. R. Boustani, *Les Migrations internes au Maroc,* dans *Analyses et tendances démographiques au Maroc,* C.E.R.E.D., Rabat, 1986.
p. 36 Soudan, Répartition ethnique par provinces. Population totale des provinces: Recensement de 1983. Répartitions ethniques: Recensement de 1956.
Proportion d'Arabes. Actualisation... (*supra* p. 34).
Proportion de sunnites. R. Delval, *op. cit.* (*supra* p. 29).
p. 38 Au carrefour de l'Islam et de la Méditerranée. United Nations, *World Demographic Estimates and Projections, 1950-2025, as assessed in 1984,* Population studies n° 98, New York, 1988.
Effectifs de population à l'horizon 2025. United Nations, *ibid.*
p. 39 Le peuplement de la Méditerranée. United Nations, *ibid.*; J. Beloch, *Die Bevölkerung der Grieschisch-romantischen Welt,* repris par M. Reinhard, A. Armengaud et J. Dupâquier, *Histoire générale de la population mondiale,* Montchrestien, Paris, 1968, p. 40 *sq.*
Les dix premiers pays musulmans (tableau). Actualisation de United Nations, *ibid.* (*supra* p. 38), avec les données de R. Delval, *op. cit.* (*supra* p. 29).
p. 40 Maghreb ou Machrek: la discontinuité du peuplement. G. Blake, et *alii, op. cit.* (*supra* p. 21).
Densités et effectifs de population. Pour chaque pays, le dernier recensement national de population, actualisé par les auteurs. A défaut: United Nations, *World ..., op. cit.* (*supra* p. 38).
p. 41 Population en 1990. *Id. Ibid.*
Densité de population des wilayas en Algérie. Office national des statistiques, «Armature urbaine 1987», *Statistique, Les collections S.R.C.,* n° 4, Alger, 1988.
p. 42 Un paysage aujourd'hui contrasté. Machrek: E.S.C.W.A., *Demographic and Related Socio-economic Data Sheets,* Bagdad, 1989. — Algérie: Office national des statistiques (O.N.S.), *Démographie algérienne,* n° 17, Alger, 1989. — Maroc: Centre d'études et de recherches démographiques, *Variables socio-démographiques au Maroc, les interdépendances,* Rabat, 1989. — Autres pays: United Nations, *World..., op. cit.* (*supra* p. 38).
p. 43 Efficacité des campagnes de plan familial. M. Faour, «Fertility and Family Planning in the Arab Countries», *Studies in family planning,* vol. 20, n° 5, New York, 1989, p. 254-263. — United Nations, *World Population Policies,* Population Studies n° 102, New York, 1989.
Proportion de femmes mariées recourant à la contrception vers 1980. S. Farid, «A review of the Fertility Situation in the Arab Countries of Western Asia and Northern Africa», in *Fertility Behaviour in the context of Development, Evidence from the World Fertility Survey,* Population Studies n° 100, United Nations, New York, 1987. — United Nations, *World Population,... op. cit* (supra p. 43). — Institute for Resource Development, *Demographic and Health Survey,* Country Reports (Egypt, Morocco, Tunisia), Columbia, 1989.
La natalité dans cinq pays arabes. Ph. Fargues, «La baisse de la fécondité arabe», *Population,* vol. 43, n° 6, 1988, p. 975-1004.
Natalité, divortialité et célibat féminin en Algérie de 1906 à 1986. Célibat: recensements démographiques de 1948, 1966, 1977, 1987. — Divorces, natalité après 1956: O.N.S., *Annuaire statistique de l'Algérie,* (toutes les années, jusqu'à 1985-86). — Natalité avant 1956: J. N. Biraben, «Essai d'estimation des naissances de la population algérienne depuis 1891», *Population,* vol. 24, n° 4, Paris, 1969.
p. 44 Fécondité et mortalité infantile. *Cf.* p. 42, *supra.*
Fécondité et taux de scolarisation féminine. Fécondité: *id.* p. 42. — Scolarisation: U.N.E.S.C.O., *Annuaire 1986.*
Fécondité et taux d'activité féminine. Fécondité: *id.* p. 42. — Activité: pour chaque pays, le dernier recensement national de population; à défaut, Bureau international du travail (BIT), *Annuaire des statistiques du travail,* 1987.
Fécondité et participation au pèlerinage de La Mecque. Fécondité: *id.* p. 42. — Pèlerinage: *op. cit.* (*supra* p. 30).
p. 45 La fécondité différentielle entre villes et campagnes. S. Farid, *op. cit.* (*supra* p. 43).
p. 46 Taux d'accroissement naturel en 1985-1990. Machrek: E.S.C.W.A., *Demographic..., op. cit.* (*supra* p. 42). — Algérie et Tunisie: annuaires statistiques. — Maroc: C.E.R.E.D., *Variables socio-démographiques..., op. cit.* (*id.* p. 42). — Autres pays: United Nations, *World Demographic..., op. cit.* (*supra* p. 38).
Dimension des ménages et revenu moyen par habitant en 1985-1990. Dimension des ménages: pour chaque pays, le dernier recensement. — Revenu: Banque mondiale, *Rapport sur le développement dans le monde 1988,* Washington, 1989.
p. 47 Actifs et populations à charge en Algérie. Pyramides des âges: United Nations, *World..., op. cit.* (*supra* p. 38). — Survivants des tables de mortalité: 1950, hypothèse des auteurs, 1985, *Annuaire statistique de l'Algérie, 1987-88.*
Densité du réseau routier et de la population. Routes: — Pays d'Afrique: Commission économique pour l'Afrique, *Annuaire statistique pour l'Afrique, I. Afrique du Nord, II. Afrique de l'Ouest, III. Afrique de l'Est et australe,* Addis Abeba, 1986. — Pays d'Asie: E.S.C.W.A., *Statistical Abstract for The Region of the Economic and Social Commission for Western Asia,* New York, 1987. — Population: même source que «Densités et effectifs de population» (*cf.* p. 40).
Que pensent les États? United Nations, *World Population..., op. cit.* (p. 43).
p. 48 Les systèmes d'assurance vieillesse. U.S. Department of Health and Human Services, *Social Security Programs throughout the World, 1987,* Research Report n° 61, Washington, 1988.
p. 48 Les trois âges de la vie. United Nations, *World Demographic..., op. cit* (*supra* p. 38).
p. 50 Âge moyen au premier mariage. Les femmes — Les hommes — Écart d'âge entre les époux. Calculs des auteurs, d'après les proportions de célibataires aux recensements nationaux des années 80, à défaut par World Fertility Survey, *Country Principal Report* (Jordanie, Mauritanie, Soudan, Yémen).
p. 51 Le divorce ou la répudiation. Calculs des auteurs d'après l'état civil. A défaut par World Fertility Survey, *ibid.*
La polygamie. Calculs des auteurs d'après les données d'état matrimonial fournies par les recensements nationaux de population, à défaut par World Fertility Survey, *ibid.*
Pyramide des âges et marché matrimonial.
Répartition proportionnelle des femmes au premier mariage et des prostituées selon l'âge. Mariages: Institut national de la statistique, *Annuaire statistique de la Tunisie 1987-88,* vol. 32, Tunis, 1989. — Prostitution: A. Bouhdiba, *La Sexualité en Islam,* Quadrige, P.U.F., 1982, p. 234.
p. 52 Espérance de vie et niveau de vie. Espérance de vie: Machrek: E.S.C.W.A., *Demographic..., op. cit.* (*supra* p. 42), Algérie: O.N.S., *Annuaire statistique 1985-86, Alger, 1987.* — Maroc: *CERED, Variables..., op. cit.* (*supra,* p. 42). — Tunisie: calcul des auteurs d'après les décès fournis par l'état civil. — Autres pays: United Nations, *World Demographic..., op cit.* (p. 38). — Niveau de vie: Banque mondiale, *Rapport..., op. cit.* (p. 46).
Densité médicale. Les annuaires statistiques des pays. A défaut, Organisation mondiale de la santé (O.M.S.), *Annuaire de statistiques sanitaires mondiales* 1985, Genève, 1985.
La surmortalité des filles. Calcul des auteurs.
p. 53 Un indicateur de médecine préventive. World Health Organization, *Coverage of Maternity Care: a Tabulation of Available Information,* Geneva, 1989.
L'inégalité devant la nourriture. Banque mondiale, *Rapport..., op. cit.* (*supra* p. 46).
La dernière des grandes endémies: le paludisme. O.M.S., *Rapport trimestriel de statistiques sanitaires médicales,* vol. 41, Genève, 1988.
Un barrage contre le sida. A.I.D.S., vol. 3, n° 8, Genève, 1989.
p. 54 La mortalité infantile. En 1985-1990: mêmes sources que «Espérance de vie» (*cf.* p. 52). — En 1950: United Nations, *World Demographic..., op. cit.* (*supra,* p.38).
Mortalité infantile et urbanisation en 1985-1990. Mortalité: mêmes sources que «Espérance de vie» (*cf.* p. 52). — Urbanisation: United Nations, *Prospects of world urbanization,* 1988, Population Studies n° 112, New York, 1989.
p. 55 Densité médicale et mortalité infantile. Mêmes sources que «Espérance de vie» (*cf.* p. 52).
Équipement en eau potable et mortalité infantile. *Ibid.* et Banque mondiale, *Rapport..., op. cit.* (*supra* p. 46).
Alphabétisation des femmes et mortalité infantile. Mêmes sources que «Espérance de vie» (*cf.* p. 52) et Banque mondiale, *Rapport... (cf. ibid.).*
La richesse ne suffit pas à assurer la santé. Banque mondiale, *Rapport sur le développement..., ibid.*
p. 56 États signataires des conventions de l'O.N.U. sur le statut des femmes. United Nations, *Compendium of International Conventions concerning the Status of Women,* New York, 1988.
p. 57 Proportion de personnes qui savent lire et écrire au Maroc. Direction de la statistique, *Recensement général de la population et de l'habitat 1971. Caractéristiques culturelles de la population,* Rabat, 1973. Et *Recensement général de la population et de l'habitat 1982. Caractéristiques socio-économiques de la population,* Rabat 1984.
L'inégalité des sexes devant l'écriture. Machrek: E.S.C.W.A., *Demographic..., op. cit.* (*supra* p. 42). — Algérie et Tunisie: recensements de 1987 et 1984. — Maroc: C.E.R.E.D., *Variables..., op. cit.* (*supra* p. 42). — Autres pays: U.N.E.S.C.O., *Annuaire 1988,* Paris, 1989.
Le poids des lycéennes. U.N.E.S.C.O., *ibid.*
p. 58 Taux d'activité féminine à 15 ans et plus. Machrek: E.S.C.W.A., *Demographic..., op. cit.* (*supra* p. 42). — Algérie, Maroc Tunisie: recensements de 1987, 1982 et 1984. — Autres pays: B.I.T., *Annuaire..., op. cit.* (*supra* p. 44).
La femme du gouvernement.
Les entraves familiales au travail de la femme (tableau). M. Chamie, «Labour force participation of lebanese women», in J. Abu Nasr, *Women, employment and development in the Arab World,* I.L.O., Mouton, New York, 1985.
Taux d'activité en Syrie urbaine, selon le sexe et la situation familiale (30-34 ans en 1981). Central Bureau of Statistics *Population Census in Syrian Arab Republic 1981,* vol. I, Damas, 1988.
p. 60 Taux de scolarisation en 1985-1990. Niveau primaire (6-11 ans). Niveau secondaire (12-17 ans). Niveau supérieur (18-23 ans). U.N.E.S.C.O, *op. cit.* (*supra* p. 57).
Taux d'analphabétisme. Hommes — Femmes. Mêmes sources que pour «l'inégalité des sexes devant l'écriture» (*cf.* p. 57).
p. 61 Études supérieures les plus populaires. U.N.E.S.C.O., *op. cit.* (*supra* p. 57).
Dépenses publiques par étudiant. Calcul des auteurs d'après l'U.N.E.S.C.O., *ibid.* et Banque mondiale, *Rapport..., op. cit.* (*supra* p. 46).
Les ambassadeurs de demain. U.N.E.S.C.O., *ibid.*
p. 62 La presse écrite en 1989. Observatoire de l'information, *L'Information dans le monde,* Seuil, Paris, 1989.
p. 63 T.V.: origine des programmes importés. U.N.E.S.C.O., *Circulation internationale des émissions de T.V.,* Paris, 1983.
Genre d'émissions importées. U.N.E.S.C.O., *Circulation..., ibid.*
Diffusion de la télévision. *Id.*
Télévision: type de programme diffusé. *Id.*
p. 64 Le tourisme. Organisation mondiale du tourisme, Madrid, 1989.
Sites archéologiques. Les Guides bleus, Hachette, 1956 à 1990.
p. 66 L'explosion urbaine (1950, 1988, 2000). United Nations, *Prospects..., op. cit.* (*supra* p. 54).
p. 68 Accroissement de la population urbaine. *Ibid.*
Concentration dans la capitale. Mêmes sources que «Les agglomérations de plus de 100 000 habitants» (*infra* p. 72-73) — Tunisie: P. Signoles, *L'espace tunisien: Capitale et État-Région,* 2 vol. Urbama, Tours, 1985. — Maroc: R. Escallier, *Citadins et espace urbain au Maroc,* 2 vol., Urbama, Tours, 1984. — Liban: A. Bourgey, «Réflexions sur la guerre et ses conséquences géographiques au Liban», *Annales de géographie,* vol. 94, n° 521, Paris, 1985, p. 1-37.
Les erreurs de prévision en dix ans. Actualisation par les auteurs de l'effectif de 1990; prévision tirée de Nations Unies, *Modes d'accroissement de la population urbaine et rurale,* Études démographiques n° 68, New York 1981.
p. 70 L'équilibre du réseau urbain. Mêmes sources que «Les agglomérations de plus de 100 000 habitants» (*infra* p. 72-73).
Nombre de villes de plus de 100 000 habitants. *Ibid.*
p. 72 Les agglomérations de plus de 100 000 habitants. Données de recensements extrapolées par les auteurs en 1989: Algérie (1987), Bahreïn (1981), Égypte (1986), Irak: Bagdad et Bassora (1987), Jordanie (1979), Koweït (1985), Maroc (1982), Qatar (1986), Soudan (1983), Syrie (1981), Tunisie (1984), Yémen (Nord: 1981, Sud: 1988). — Arabie Saoudite, Djibouti, Irak (sauf Bagdad et Bassora), Liban, Libye, Mauritanie, Oman, Somalie: United Nations, *Prospects..., op. cit.* (p. 54). — Émirats arabes unis: E.S.C.W.A., *Demographic and related socio-économic..., op. cit.* (*supra* p. 42).
p. 74 L'irrésistible extinction d'un mode de vie millénaire. Recensements nationaux.
Cinq à huit millions de nomades. Actualisation par les auteurs des données des recensements nationaux de population.
Le nomadisme en Algérie. O.N.S., Recensement de 1987, *Résultats préliminaires,* vol. 1, Alger, 1988.
p. 76 Les terres arables. J. G. Blake *et alii, op. cit.* (*supra* p. 21).
p. 77 Les réformes agraires.
Quatre régions agricoles. F.A.O. et Banque nationale: annuaires.
p. 78 Évolution de la production agricole par habitant. Banque nationale..., *op. cit.,* 1984 à 1989.
Part des exportations nécessaires aux règlements de la facture agricole. J. Stork and K. Pfeifer, «Buffets, Banks and Bushels», Middle East Reports, n° 45, New York, mars-avril 1987.
Capacité d'autosuffisance alimentaire à l'horizon 2000. J. A. Allan «Irrigated Agriculture in the Middle East. The futur», dans

Agriculture Development in the Middle East, John Wiley and Sons, New York, 1985.

p. 79 Les grands projets d'irrigation à l'horizon 2000. Rapport économique unifié. Ligue arabe, Tunis, 1987.

Accroissement des surfaces irriguées entre les années 60 et les années 80. F.A.O.: annuaires.

p. 80 Les paysans: où sont-ils? Calcul des auteurs d'après F.A.O., *La Situation mondiale de l'alimentation et de l'agriculture*, Rome, 1989.

Les terres arables: où sont-elles? F.A.O., *ibid.*

p. 81 Revenu des paysans. Calcul des auteurs d'après F.A.O., *La Situation...*, *ibid.* et Banque mondiale, *Rapport...*, *op. cit.* (*supra* p. 46).

Mécanisation de l'agriculture. F.A.O., *ibid.*

Désaffection de l'agriculture. Calcul des auteurs d'après F.A.O., *ibid.*

p. 82 Exportation des produits alimentaires de la C.E.E. vers les pays arabes. Annuaire C.E.E.

L'autosuffisance alimentaire. F.A.O. *La Situation...*, *op. cit.* (*supra* p. 80).

Accroissement des importations céréalières au cours des années 80. Banque mondiale, *Rapport...*, *op. cit.* (*supra* p. 46).

Exportation de produits agricoles vers la C.E.E. Annuaire C.E.E.

p. 84 Accord de la «ligne rouge». A. Giraud et X. Boy de la Tour, *Géopolitique du pétrole et du gaz*, Technip, Paris, 1987.

Les pays exportateurs de brut. B.P. et O.P.E.P. Rapports annuels 1989.

p. 85 Les effets des chocs pétroliers. Annuaire O.P.E.P., Ligue arabe et *Pétrostratégie*, 1989.

Réserves prouvées de brut à la fin des années 80. B.P. et O.P.E.P. Rapport annuel 1989.

p. 86 Gros producteurs, petits consommateurs. *B.P. Statistical Review*, 1989.

Le gaz: un produit d'avenir. Ligue arabe, rapport économique, Tunis, 1989.

p. 87 Un déplacement de la zone sensible. P Terzian : *Pétrostratégie*, Paris, 1990.

Exportation de brut. O.C.D.E., *Quarterly Oil and Gas*, Statistics, n° 3, 1989, O.P.E.P., Rapport annuel, 1989.

p. 88 Le pétrole et le gaz. I.P.E. Atlas, 1990.

p. 90 La redistribution de l'argent du pétrole.

Part des hydrocarbures dans l'ensemble des exportations. O.P.E.P. et Ligue arabe (rapport économique 1989).

Contribution au P.N.B. des exportations pétrolières. O.P.E.P. et Ligue arabe (rapport économique 1989).

p. 91 Solidarité et inégalité. Ligue arabe, Rapport économique, 1989.

Rente pétrolière par habitant. Annuaires de l'O.P.E.P. et Banque mondiale.

Aide de l'O.P.A.E.P. Ligue arabe, Rapport économique 1989.

Part des produits raffinés dans les exportations pétrolières.

p. 92 La puissance industrielle. Pour les pays d'Afrique : Commission économique pour l'Afrique, *Annuaire statistique pour l'Afrique* (3 vol.), Addis Abeba, 1988. Pour les pays d'Asie et l'Égypte : Economic and Social Commission for Western Asia, *Statistical Abstract of the Region of E.S.C.W.A.*, n° 10, Bagdad, 1987.

p. 93 Les ouvriers. Recensements nationaux de la population.

Les potentialités industrielles. Typologie tirée des critères suivants : existence de ressources pétrolières, effectif de population en 1990, revenu par habitant.

Part des textiles dans le secteur manufacturier en Tunisie. Institut national de la statistique, *Annuaire statistique de Tunisie*, vol. 32, Tunis, nov. 1989.

p. 94 Évolution de la place de l'industrie. U.N.I.D.O., *Handbook of industrial statistics, 1988,* Vienne, 1989.

Les performances industrielles. U.N.I.D.O., *Handbook...*, *op. cit.*

L'option d'exporter. Calcul des auteurs d'après les mêmes sources que «La puissance industrielle» (*supra* p. 92).

p. 95 Couverture de la consommation de produits manufacturés par l'industrie nationale. *Id.*

Part des entreprises privées dans la valeur ajoutée manufacturée en Égypte. E.S.C.W.A., *The Manufacturing Sector in the E.S.C.W.A. Region in the 1980's: Strategies, Policies and Performance*, Bagdad, December 1987.

p. 96 Les chantiers des années 80. Calcul des auteurs d'après les mêmes sources que «La puissance industrielle» (*cf.*. p. 92).

Production industrielle et artisanat. J. Charmes, «La dynamique du secteur informel et son impact sur le marché du travail en ville», in *Congrès africain de population*, U.I.E.S.P., vol. 3, p. 6325-6339, Dakar, 1988.

L'emploi non agricole en Tunisie (année 80). J. Charmes, «Secteur non structuré, politique économique et structuration social en Tunisie, 1970-1985», in M. Camau, *Tunisie au Présent: une modernité au-dessus de tout soupçon?* Éditions du C.N.R.S., Paris 1987.

p. 98 Les flux interarabes. Synthèse de différentes cartes de l'Atlas.

p. 99 Les voies maritimes et terrestres en 1990. G. Blake *et alii*, *op. cit.* (*supra* p. 21).

Les caravansérails du ciel en 1990. A.BC, *World Airline Guide* n° 669, March 1990.

p.100 La balance commerciale. Nations unies, *Annuaire des statistiques du commerce international,* New York, 1989. A défaut, mêmes sources que «La puissance industrielle» (*cf.* p. 92).

Les importations et les exportations arabes. *Id.*

p.101 Place des partenaires arabes dans leur commerce international (La C.E.E., Japon, U.R.S.S. et Europe de l'Est, Commerce interarabe). *Id.*

Des échanges asymétriques avec l'ancienne métropole. Nations unies, *Annuaire...*, *ibid.*

p.102 Les émigrés. D'où viennent-ils, où vont-ils? Actualisation par les auteurs des recensements nationaux, sauf Égypte: N. Fergany, «On Labour Migration in Egypt», *Research Monograph Series* n° 16, Cairo Demographic Centre, 1987. A défaut, J. S. Birks and C. A. Sinclair, *International Migration and Development in the Arab Region*, I.L.O., Geneva, 1980.

La bipolarisation des migrations. *Id.*

p.103 La main-d'œuvre asiatique, un concurrent de taille. The Arab Planning institute, *Politiques de l'emploi et migrations de la main-d'œuvre arabe* (en arabe), Kuwait, 1986.

Les Libanais dans le monde en 1989. B. Labaki, «L'émigration externe», *Maghreb-Machrek*, n° spécial *Liban*, vol. 125, Paris, 1989, p. 40-52; données actualisées par les auteurs.

p.104 Proportion d'immigrés dans la population active. Même source que «Les émigrés» (*cf.* p. 102).

Pourcentage d'émigrés par rapport à la population active. *Id.*

Pyramide professionnelle en Égypte. D'après J. S. Birks and C. A. Sinclair, *op. cit.* (*supra* p. 102).

p.105 Les remises d'épargne des travailleurs migrants. International Monetary Fund, *International Financial Statistics 1988*, Washington, 1989.

Proportion d'étrangers par profession (Koweït, 1985). State of Kuwait, *Recensement général de la population de 1985* (en arabe), Kuwait City, 1988.

Proportion de Maghrébins dans quelques professions (France, 1982). Institut national de la statistique et des études économiques (I.N.S.E.E.), Recensement général la population de 1982.

p.106 Les principales communautés arabes (1989). France, Canada, États-Unis: les derniers recensements de la population, actualisés par les auteurs. Pays d'Europe, sauf France: EUROSTAT, 1989. Pays d'Afrique de l'Ouest: estimation des auteurs. Autres pays: Estimations de R. V. Weekes, (*supra* p. 34).

Les populations arabes en France, par nationalité d'origine. I.N.S.E.E., *Recensement général de la population de 1982. Les étrangers, Migrations et sociétés*, vol. 6, Paris, 1984.

p.108 Puissance économique de l'État. Banque mondiale, *Rapport...*, *op. cit.* (*supra* p. 46).

p.109 Origine des ressources de l'État. *Ibid.*

Budget des dépenses militaires. *Military Balance*, International Institut for Strategic Studies, London, 1990.

Budget de l'enseignement. Banque mondiale, *Rapport...*, *op. cit.* (*supra* p. 46).

Budget de la santé. Banque mondiale, *Ibid.*

p.110 La dette. *Military Balance*, *op. cit.* (*supra* p. 109).

Coût social de la politique d'assainissement. Rapport économique de la Ligue arabe, 1989.

Aide reçue au titre du développement. Banque mondiale, *Rapport...*, *op. cit.* (*supra* p. 46).

p.111 Budget de la Défense. *Military Balance*, *op. cit.* (*supra* p. 109).

Dépenses militaires en % du P.N.B. Banque mondiale, *op. cit.* (*cf.* p. 46).

Les 21 conflits.

p.112 Surarmement.

Commerce international des armes. *La Puissance économique*, sous la direction de P. Valland, Hachette, Paris, 1990.

p.113 Les arsenaux. *Military Balance*, *op. cit.* (*supra*).

L'assistance militaire. *Ibid.* — *Middle East Report*, n° 160, Washington, 1989.

P.114 Pouvoir et économie. P.N.B. : Banque mondiale, *Rapport...*, *op. cit.* (*supra* p. 46).

Origine des ressources de l'État. F.M.I., Government Finance Statistics, Yearbook, New York, 1988.

p.115 Type de régime et liberté de presse en 1990.

Les femmes au parlement. Carte des femmes au parlement, Union interparlementaire, Genève.

Les partis islamiques. B. Étienne, *l'Islamisme radical*, Hachette, Paris, 1987.

p.116 Les avancées de la société civile.

p.118 Les Palestiniens dans le monde en 1990. G. Kossaïfi, «L'enjeu démographique en Palestine», dans *Les Palestiniens de l'intérieur*, sous la direction de C. Mansour, *Revue d'Études palestiniennes*, Paris, 1989, p. 14-40. Données actualisées par les auteurs.

p.119 Plus instruit que leurs hôtes. Pour les Palestiniens: Palestine Liberation Organization (P.L.O.), Central Bureau of Statistics, *Palestinian Abstract* n° 6, Damascus, 1988, sauf Israël: State of Israel, Central Bureau of Statistics (C.B.S.), *1983, Census of population and Housing Publications*, n° 10, *Educational Characteristics of the Population and Language Spoken*, Jerusalem, 1986. Pour les pays, mêmes sources que pour «l'inégalité des sexes devant l'écriture» (*supra* p. 57).

L'activité des Palestiniens dans l'ensemble du Moyen-Orient. Agriculture — Industrie et construction — Commerce et transports — Services. Données de P.L.O., *Palestinian...*, *op. cit.* Actualisées et synthétisées par les auteurs.

p.120 Le peuplement arabe en Palestine. State of Israel, C.B.S., *Statistical Abstracts of Israel n° 40*, Jerusalem, 1989.

Deux régimes de croissance opposés. *Ibid.*

L'année du dépassement. Calcul des auteurs.